성녀님의 폭군 교화법

성녀님의 폭군 교화법 3

펴낸날 2020년 1월 15일 초판 1쇄
지은이 해연

펴낸이 차보현
펴낸곳 (주)연필
출판등록 제2017-000009호
전화 070-7566-7406
팩스 0303-3444-7406
이메일 editor@bookhb.com(편집부)
         bookhb@bookhb.com(영업부)

ISBN 979-11- 6276-540-1 (3권)
        979-11- 6276-537-1 04810 (세트)

성녀님의
폭군 교화법

해연 장편소설

III

차례

파란만장 포로 생활 2   7

제자리로 돌아가다   34

외전. 히스칼 예레스   80

외전. 치명상   97

5부. 칼리스의 폭군

하나 되는 길목에서   109

월신의 저주   198

붉은 밤   226

에필로그   280

외전. 성녀님의 행복   300

외전. 둘만의 산책   467

작가 후기   501

파란만장 포로 생활 2

왕의 눈에, 서서히 이지가 돌아왔다. 그가 곧 험악한 얼굴로 물었다.

"네놈은 누구냐."

감히 왕인 자신을 내려다보고 있는 이 청년이 누군지, 기억하지 못하는 모양이다. 자기 아들인데 누구인지 몰라? 아델이 오만하게 말했다.

"아드라하트 블라스페미아 칼리스, 그게 내 이름이지."

"아드라하트, 아드라하트…… 그래, 네가 내 승리한 아들이로구나!"

왕이 광소를 쏟아 냈다.

"그래, 너였지."

"미쳐 버렸더니 기억도 상실한 모양이군."

"폐하께 불손하십니다."

왕속 특무단원 한 명이 지적하고 나섰다.

왕은 왕. 비록 그가 정상적인 상태가 아니라 아델이 왕위를 대리하고 있더라도, 칼리스의 왕은 아직 아델이 아니었다. 왕은 왕위에 올랐다는 이유로 존중받는다.

"나를 짐승처럼 묶어 두고, 네가 내 자리를 차지하고 있는 게냐!"

"당신이 폭주해서 죽인 게 몇 명인지 생각하셔야지. 곱게 의식을 잃고 있는 게 당신을 위해서도 좋을 거야. 적어도 짐승처럼 묶여 있진 않을 테니까."

"건방진 놈, 벌써 승리자의 눈을 하고 있구나. 네가 벌써 왕인 것처럼! 허나 네놈이라고 다를 것 같으냐? 내가 죽어 네가 왕이 되면, 이 저주 역시도 네 것이 된다! 지금 내 꼴이 네 모습이 될 수도 있단 소리다."

아델은 조금 짜증스럽단 듯이 대답했다.

"그럴 수도 있겠지. 아닐 수도 있고."

"내게 시간만…… 조금 더 있었어도 성국을."

거기까지 말한 그가, 문득 아델의 등 뒤에 있는 날 응시했다. 이제야 발견한 것처럼.

"성녀……?"

왕의 표정이 무참히 일그러졌다.

"그래, 뭔가 이상하다 싶었어. 번번이 실패하고, 번번이 무산됐지. 네 수작이었더냐?"

아델은 답하지 않았다. 그는 팔짱을 끼며 왕속 특무단원에게 지시했다.

"정신이 돌아온 것 같으니 지금 약을 먹이는 게 좋겠군."

"내게 걸린 저주를 풀어라, 이 빌어먹을 년아!"

왕이 나를 향해 고함을 내지르며 몸을 들썩였다. 기가 질리는 기세였다.

그를 포박한 사슬이 철컹거리는 소리를 냈다. 하지만 그의 사지는 여전히 속박 마법과 사슬에 묶여 있었다.

왕속 특무단원 중 한 명이 유리병을 가져왔다. 마법의 기운이 느껴졌다. 특수하게 제조된, 가사 상태에 빠져들게 하는 마법약일 거다.

두 명이 상체를 붙잡고, 왕의 입을 벌렸다. 약을 가져온 한 명이 소리를 지르는 왕의 목구멍 깊숙이 병의 끝을 쑤셔 넣었다. 강제적인 주입에 액체가 목구멍 뒤로 넘어갔다.

놀랄 만치 사무적이고, 담담한 태도였다. 왕의 안전에 위해를 가하진 않더라도, 그를 따르는 이들은 이미 없었다. 저주에 미쳐 버린 이를 따르는 건 불가할 터.

왕의 몸이 축 늘어졌다.

"완전히 가사 상태에 빠져들면, 이전과 똑같이 방에 눕히도록."

냉정하게 명령을 내린 아델이, 왕을 내버려 두고 등을 돌렸다. 그는 내게로 다가와, 손목을 움켜쥐었다.

"넌 나와 함께 돌아가."

또 사고를 쳤냐는 양 이를 가는 듯한 음성이었다. 자리를 비운 지 오래되지도 않았는데, 빨리도 알아채고 여기로 왔단 말이지.

하지만 생각해 보면 이전에도 난 그의 처소를 이탈해서 정원을 싸돌아다닌 적이 있었다.

아델은 아지스에게 맡겨 두고도 안심이 안 되어서 내 움직임을 주시하고 있었을지도 모른다. 그건 분명히 예리한 판단이었다.

아델이 나를 이끌고 그 자리를 나섰다.

"네가 사라졌단 걸 알고 얼마 지나지 않아, 여기서 소란이 일었어."

"나는, 내가 저주를 풀 수 있을지 알고 싶었어."

"저주를 풀 방법을, 신탁으로 받았다고 했잖아?"

"실은 말이야……."

슬슬 고백해야 하나 싶어서, 난 입을 열었다. 하지만 목소리가 나오지 않았다.

특별히 대단한 이유가 있었던 건 아니다. 그냥 나는 신탁의 내용을 입을 열어 발설하는 게 낯부끄러운 거다.

무슨 내가 팔려가는 재물도 아니고 도대체 왜 그런 신탁을 내리느냔 말이야! 하지만 그것이 아델과 함께할 수 있는 길이라는 걸 나도 모르는 바가 아니었다.

침을 꿀꺽 삼킨 나는 입을 열었다. 그리고 내가 받은 신탁에 대해서 털어놓으려고 했다. 그러나 그때.

콰광! 엄청난 굉음과 함께 날카로운 비명이 고막을 찔렀다. 난 눈을 휘둥그레 떴다.

"아, 아델."

"가만히 있어."

아델이 날카로운 어조로 말했다. 그의 몸이 경직되는 것이 보였다.

함께 이동하던 몇몇 왕속 특무단원들이 나와 아델 주변을 둘러싸며 경계 태세를 세웠다.

세상을 부술 듯한 기세로 뭔가가 이리로 오고 있었다. 쿵쿵! 망설임 없이 땅을 박차며 이쪽으로 내달린다. 그 소리가 압도적으로 고막을 흔들었다.

기가 질린 난 아델의 옷깃을 붙들었다. 아델이 굳은 얼굴로 중얼거렸다.

"잠들지 않은 건가."

'그것'은 이내 우리 앞에 다다랐다. 왕의 처소를 나가는 출입구를 앞둔 우리 앞에, 복도를 가로질러 나타난 그것은 이미, 사람이 아니었다.

온몸에 근육이 부풀어 상의가 뜯겨 나가고 핏줄 선 육신은 이미 피로 젖어 있었다.

가로막는 이들을 해치운 건가. 퍼렇게 돋아난 핏줄이 흉악하고 징그럽다. 더하여 피부를 찔러 드는 강렬한 기운.

숨이 막혔다. 원한과 원념과 증오와 욕망이 하나로 뭉쳐진 듯한. 그건, 내가 아까 전 느꼈던 저주의 기운과 유사했다.

하지만 동일하지 않았다. 같은 고양이과라도 사자와 고양이가 다르듯이, 차이를 유발하는 변화가 일어났던 것이다. 그 때문에 그것이 전혀 다른 형질의 힘이 되어 버렸단 걸 난 깨달았다.

맙소사.

까드드드득. 왕의 입이 뭔가를 가는 듯한 이상한 소리를 냈다. 이지를 상실한 눈빛은, 오로지 본능에 사로잡혀 있는 듯했다.

그 본능이 의미하는 바는, 오로지 살의였다. 나와 아델에 대한 살의!

놈이 멈춰서 있는 건, 단지 다수의 사람을 앞두고 틈을 노리고 있음에 불과했다. 아델이 허리에서 검을 뽑아 들었다.

"그는 더 이상 왕이 아니다."

아델의 선언이 떨어지자, 왕을 앞두고 조금쯤 머뭇거림을 내보이던 왕속 특무단원이 바짝 검을 틀어쥐었다.

"망설였다간 죽을지도 모른다. 전력을 다하라!"

명을 내리자마자, 아델은 날 뒤로 돌려세웠다.

드디어 그것이 움직였다. 쇠를 쪼갤 듯한 힘으로 바닥을 박찬 놈이 위에서부터 내리꽂혔다.

아델이 날 감싸고 옆으로 몸을 던졌다. 왕속 특무단원 몇 명이 검을 휘둘렀지만, 강철같은 몸뚱이가 검을 튕겨 냈다.

그에게 내린 저주가 고스란히, 힘으로 화한 것 같았다. 그건 흡사 성역에서의 나나 히스칼의 힘에 맞먹는다고 해도 과언이 아니었다.

"아델, 내 팔찌를 풀어 줘."

난 빠르게 소곤거렸다.

"어서."

지금 이 상황을 가장 쉽게 타파할 방법은 그것이었다. 애초에 나는 지킴을 받아야 하는 상대가 아니다.

그러나 아델은 나를 밀쳐놓고 움직였다.

"아델!"

내 부름을 무시하고서, 검을 들어 그것을 향해 달려들었다. 왕이 팔을 들어, 검을 막아 냈다.

끼기기기깅! 뭔가에 맞부딪혀 긁히는 소리를 내던 팔이 이내 잘려 바닥으로 뚝 떨어져 내렸다.

아델의 검에 새파란 빛이 피어오르고 있었다. 아델의 공격만은, 왕에게 유효한 것 같았다.

왕이 경계하듯 그르렁거리며 소리를 냈다. 왕속 특무단원들이 마법을 쓰는지 눈앞이 번쩍거렸지만, 맷집이 얼마나 좋은지 그는 끄떡도 하지 않았다.

이놈의 팔찌! 이건만 없었으면. 나는 억지로라도 손을 빼낼 참으로 팔찌를 쭉 잡아 내렸다. 하지만 손뼈에 걸려서 빠져나오질 않는다.

이거 탈골 시켜서라도, 빼낼 수 있지 않을까? 좀 아프겠지만, 한쪽 손이라도 빼내 보면.

내가 고민하는 사이 공방은 이어지고 있었다. 아델의 검에 의해 여러 군데 상처를 입은 놈은 드디어 아델에게 대응할 방법을 찾아냈다. 그건 말로 설명하기 끔찍하다고밖에 할 수 없는 방법이었다.

구석에 몰린 듯하다가 모서리를 발끝으로 튕긴 왕이 아델을 향해 달려드는가 싶었다.

하지만 놈은 방향을 틀어, 옆쪽에 있는 왕속 특무단원을 움켜쥐었다. 손이나 팔을 움켜쥐었던 게 아니다. 그냥 머리를.

머리를 잡힌 자의 무표정한 얼굴에 공포감이 감돌았다. 왕은 그대로 주저 없이, 그 몸에서 머리를 뜯어냈다.

내가 입을 틀어막고 있지 않았다면, 비명이 터졌을 거다. 산 채로 분리된 머리가 피를 뿌리며 아델에게로 날아들었다.

나는 얼굴을 감싸 쥐었다. 아델은 살짝 움직이는 것만으로 놈의 공격을 피해 버렸다. 등지고 있어서 표정은 볼 수 없었지만, 아델의 태도는 놀랍도록 침착했다.

놈은 고개를 갸웃거리며 제 손에 묻은 피를 핥았다. 설탕물이라도 핥듯이 동료의 피를 달게 받아마시는 모습을 견디지 못하고, 왕속 특무단원 두 명이 놈을 향해 달려들었다.

콰직! 손아귀에 잡힌 검이, 손쉽게 두 동강 났다.

시체를 놓고 두 검을 한 손으로 받아 낸 괴물이 검 채로 그들을 벽으로 던졌다.

쾅! 고층건물에서 바닥으로 추락한 것처럼 엄청난 격돌음을 내며 벽에 부딪힌 두 명은, 미동도 없었다.

죽은…… 건가.

14

놈이 여유롭게 주먹을 쥐었다 폈다. 싸움을 거듭할수록 놈은 점점 더 강해지는 것 같았다. 변질된 힘이, 몸 안에서 균형을 찾아가는 것처럼.

소름이 등줄기를 타고 온몸에 뻗어 나갔다. 이대로 싸우다간 모두가 죽는다. 위기감이 벅찰 만큼 차올라 심장을 전율시켰다.

"아델, 제발."

나는 아델을 향해서 작게 외쳤다. 그가 내 족쇄만 풀어 준다면, 내가 성력을 사용할 수만 있다면 여기가 칼리스라도 상관없다. 나는 월신의 가호 아래 놈을 상대할 수 있었다.

고집 좀 그만 부리라고! 네가 문제가 아니라 내가 위험하단 말이야!

나도 모르게 튀어나올 뻔한 본심을 급히 수습하며 난 살짝 몸을 움직였다. 일단, 나는 괴물의 시선에서 비껴난 곳에 있었다.

하지만 내 움직임이, 미세하게 놈의 시야에 걸렸던 것 같다. 놈의 시선이 내게로 홱 돌아왔다.

핏줄 선 눈이 붉어졌다. 나는 아까 왕이 나를 보는 시선이, 철천지원수를 대하는 것 같다고 생각했다.

지금의 눈빛은 그보다 더 강렬했다. 내 뼈와 살을 통째로 씹어 먹고 싶어 하는 듯한, 식욕마저 섞인 짐승의 눈이었다. 놈이 자세를 낮추었다.

나는 그게 돌진 동작의 예비 자세란 걸 알았다. 놈이 내 쪽으로 몸을 날리기 무섭게, 나는 옆으로 몸을 굴려 피했다.

쾅! 놈이 내가 있던 자리에 처박히는 소리가 났다. 토끼의 순발력도 사자의 것엔 뒤지지 않기 마련이지!

두 번 피할 여력은 없었다. 급히 몸을 움직이다 보니 난 균형을 잃고 휘청거렸다. 내가 있던 자리에서 놈이 몸을 일으켰다. 광채마저 내뿜는 형형한 시선이었다.

놈은 입을 벌려 포효했다. 크아아아앙! 공기를 떨어 울리는 소리에 귀가 먹먹했다. 고막이 터져나갈 것 같다.

놈이 내게로 쇄도하고 있었다. 이젠 정말로 피할 수 없을 것 같았다. 놈이 내게 이르기까지의 초 단위의 시간이 분절된 장면처럼 흘렀다.

죽기 직전에 겪는 현상인가? 아, 나는 이렇게 죽는 거구나!

그 순간, 옆에서 나타난 검이 화살처럼 놈의 목을 꿰뚫었다. 내게만 집중하고 있던 놈을 옆에서부터 아델이 치고 들어온 것이다.

옆으로 쓰러진 놈은 바로 죽지 않았다. 인간은 목을 꿰뚫리면 죽는다. 그런데 그 당연한 상식이 눈앞에서 산산 조각나고 있었다.

발버둥 치는 놈을 아델이 발로 내리누른 채, 검을 비틀었다. 그리고 완전히 목과 육체를 분리시켰다.

새카만 피가 죽죽 새어 나왔다. 잔인하게 느껴졌다기보단 기괴했다. 꼭 좀비 같다. 오늘 평생 볼 끔찍한 광경은 다 본 것 같았다.

나는 한숨을 내쉬며 눈을 내리감았다. 온몸이 땀으로 젖어 있었다. 아델이 지친 목소리로 말했다.

"시신을 수습하라."

그 목소리에 나는 눈을 떴다. 급속도로 피로가 몰려왔다. 왕속 특무단원들이 바로 움직여, 왕의 시신에게로 다가갔다.

어느새 사람의 형체로 돌아온 왕을 보며 난 고개를 갸웃거렸다. 이상한 기분이 들었다. 나는 방금 검은 피를 본 듯한데, 왕의 몸을 적시는 피는 어느덧 붉어져 있었다.

"그녀를 데려가."

아델이 내 쪽을 보지도 않고, 왕속 특무단원 한 명에게 손짓했다. 그에게 다가가려던 난 바로 가로막혔다.

"아델!"

"이리로 오시지요."

"아델!"

나는 목청껏 아델을 불렀다. 그러나 아델은 나를 끝끝내 돌아보지 않았다. 나를 붙잡아 이끄는 손길이 거셌다.

나는 하는 수 없이 등을 돌렸다. 아델이 나를 외면하고 있어! 내가 왕을 일깨운 탓에 이 사달이 나서, 화가 난 걸까.

비록 아비라 생각지 않은 이였으나 아델은 부친을 죽였다. 그게 참담하도록 마음을 가라앉혔다.

내가 너무 경솔하게 행동했던 걸까. 하지만 내가 행동하지 않았다면, 나는 여전히 방에 갇혀 있었을 거다.

틀리지는 않았다고 생각하지만, 이 결과는 정말이지 좋다고 할 수 없었다.

정말로 끔찍한 하루였다. 그래, 지금 당장은 나를 보고 싶지 않은가 봐.

나는 기다리기로 했다. 아직 못다 한 이야기가 있었고, 아델에게도 나와 해야 할 이야기가 있을 거였다. 이 사태를 수습하고 다시 나를 찾아오겠지.

하지만 나는 한동안 아델을 볼 수 없었다. 근처의 외딴 방으로 안내되어 조용히 아델을 기다리던 난, 몇 시간 후 비밀리에 성내의 어딘가로 이동하게 되었다.

"당분간 여기서 머무셔야 합니다."

무표정한 얼굴의 왕속 특무단원 두 명이 내 문 앞을 지켰다.

나와 말 섞지 말라는 명을 내린 듯 시녀들은 묵묵히 시중을 들고 애완동물을 돌보듯 때 되면 식사를 가져왔다.

며칠 동안, 나는 방 안에 있는 책 몇 권을 뒤적였다. 그리고 멍하니 추적추적 비가 내리기 시작한 창밖을 내다보았다.

아델은 어떻게 지내고 있을까. 그 일은, 어떻게 수습된 걸까. 국장을 치르고 있나? 아델은 이제 왕위를 승계받는 걸까.

여러 가지 의문이 내 안에서 맴돌았다. 하지만 답을 얻을 수 있는 것은 없었다. 나와 말 섞을 수 있는 모두가 내게 침묵을 지켰으므로. 완전히 따돌림당하는 기분이다.

아델은 아마 아지스 건으로 내가 누군가와 말을 섞기만 하면 상대를 어떤 식으로든 움직여서 사고를 칠 거라고 생각한 듯싶었다.

그건 심히 불만스러운 점이었으나, 불만을 말할 상대조차도 없었다.

그 일이 있은 후로 정확히 일주일이 지날 무렵, 누군가가 나를 찾아왔다.

"당신 살아 있었어?"

내가 눈을 휘둥그레 뜨고 손가락질하자 그가 손바닥을 들어 보였다.

"아주 멀쩡합니다."

말 그대로 멀쩡한 신색의 아지스가 모호하게 웃었다. 가사 상태에 빠진 왕을 살피라고 남겨 놓은 그라서, 왕이 우리를 쫓아 나왔을 땐 이미 죽은 줄 알았었다.

난 의심쩍게 물었다.

"어떻게 그렇지?"

죽은 척해서 목숨을 건진 건가?

하지만 왕속 특무단원인 그가 살아 있으면서도 왕을 막아서지 않은 건 이상한 일이었다. 별로 겁 많은 성격은 아닌 걸로 보였는데.

"사실, 뭔가에 충격을 받고 벽으로 날아가 의식을 잃었었습니다. 깨어 보니 몸이 생각보다 멀쩡하더군요."

"아델이…… 당신을 벌주지 않았어?"

난 살짝 머뭇거리며 물었다. 그도 이런 사태가 초래되리라곤 예상 못 했을 거다.

사실 뭐, 내 어설픈 협박 때문이라기엔 그도 그의 선택엔 책임이 있지만, 그래도 약간이나마 미안한 감이 있다.

하지만 아지스는 이미 일어난 일이라면 신경 쓰지 않는다는 듯한 태도였다.

"지금은 어린아이 손이라도 빌려야 할 때라서 말입니다. 저는 유능한 부하이지요. 앞으로 잘하면 저를 벌하시지 않겠다고 하시더군요. 그리고 오늘, 저를 이곳으로 보내셨지요."

태연하게 말하며 아지스가 어깨를 으쓱했다. 그의 말엔, 내가 듣고 싶었던 소식이 담겨 있었다.

"지금 상황이 어떤데."

"아주 위험하고 긴박한 상황이랄까요."

내가 궁금해하고 있단 게 표정에 드러났는지, 아지스가 부러 뜸을 들였다. 난 조급증을 참지 못하고 질문을 퍼부었다.

"아델은 괜찮아?"

"다친 곳은 없으십니다."

"다친 곳이 없는 게 문제가 아니라, 그는."

아델은, 그의 아버지를……. 그게 아무렇지 않을 순 없잖아. 아무리 홀로 견뎌 내는 데 익숙한 아델이라 해도 말이다.

내가 괜히 멀쩡한 그를 안쓰럽게 여기는 걸지도 모르지만 마음이 좋지 않았다.

"새삼 심란해할 만한 관계는 아닙니다. 어차피 남이나 다름 없으니까요. 왕은 자식들이 죽건 살건 신경 쓰지 않고, 아드라하트 님은 유독 방치 속에서 자라나셨지요. 왕속 특무단은 대개 왕을 따르고, 왕이 미치지 않았다면 계속 그랬을 겁니다. 왕속 특무단을 전부 쳐 내기 전엔, 왕위 찬탈이 불가하니 기다린 것뿐, 딱 그 정도 관계지요."

빠르게 말을 쏟아 낸 아지스가 한 호흡 쉬었다. 그가 턱을 괴었다.

"국장은 잘 치러졌습니다. 하지만 그보다 골치 아픈 문제가 남아 있습니다."

불현듯 생각나는 것이 있었다. 아델이 그때 자리를 비웠던 이유.

"외조부와의 일이 잘 해결되지 않은 거야?"

"단단히 꼬였지요. 왕자 전하께선 블라스페미아 공을 경계하고 있었고, 왕위를 계승하는 즉시 쳐 낼 생각이셨습니다만. 아직 이렇게까지 틀어지는 건 이릅니다. 하지만 왕자의 처소에 암살자를 들여보낸 건, 용납할 수 없는 일이지요. 그것으로 경고를 주고 전하를 통제하는 것을 원했습니다만, 전하께서 굴하지 않자 블라스페미아 공은……."

아지스가 단번에 결론을 말했다.

"왕자 전하의 왕위 계승을 인정하지 않으십니다."

"그게 될 말이야? 아델이 왕위 계승권자 중 가장 유력한 것 아니었어? 형제들은 모두 상태가 안 좋다며."

정확히는, 살아 있더라도 왕위를 물려받을 수 있는 상태가 아니라고 들었다. 아델이 그렇게 만들었으니까.

"물론, 일반적인 경우는 그렇겠지요. 하지만 블라스페미아 공은 명분을 세웠습니다. 아무리 광증에 걸렸다고 하나, 부친을 살해한 데다가 그 과정이 수상하기 짝이 없는 패륜아를 왕위에 올릴 수는 없다는 것입니다."

"하지만 블라스페미아 공은 아델을 지지하는 사람이었잖아. 공을 그렇게 들여 놓고, 이제 와서 그렇게 나오면 대책은 있는 거야?"

"먼 친척이나마 왕족의 혈통이 섞인 이들이 없는 건 아닙니다. 블라스페미아 공 역시도 왕가의 핏줄을 물려받았지요. 왕자를 지지하는 쪽이 훨씬 받아들여지기 쉬울 겁니다만, 뭐 그건 일종의 경고지요. 이를테면, 네 왕비는 우리 집안사람이어야 한다…… 같은."

그 말을 마친 아지스가 내 안색을 살폈다. 그 여자를 말하는 건가.

"아마 왕자 전하께서 이전에 블라스페미아 공을 방문하셨을 때, 화가 많이 나신 나머지, 강경한 태도를 보이셨던 모양입니다. 사실 왕자의 처소에 암살자를 보낸 일 자체가 전례가 없는 일이기도 했지요."

"내가 성녀라는 건 모르는 것 같아?"

"예, 그저 전하께서 왕자비 책봉을 거부하신 지 오래되었으니 여자를 들였단 소문에 경고차 암살자를 보낸 것 같습니다."

그거 하나만은 다행이었다. 난 고개를 끄덕거렸다.

"아델이 불을 지르니 그쪽도 불로 맞대응한다는 거군. 살벌한 조손지간이야. 그런데 내 존재는 언급되지 않았나?"

"갈등은 그 일로 빚어진 게 아닙니다. 왕자 전하께선 근 이 년간 블라스페미아 공과 거리를 두고 계셨습니다. 블라스페미아 공은 왕자 전하께 손을 뻗지 못해 안달했고요. 그것이 이번 사태로 인해서 터진 것뿐이니, 언젠가 겪을 일이었다고 봐야겠지요. 조금 더 불편한 상황이 되긴 했습니다만, 신경 쓰지 마십시오. 칼리스의 왕위를 물려받으려면 마땅히 감수해야 하는 일이니."

제 주군에 대해서 한다는 말치곤 너무 냉정하잖아! 내 쪽이 더 아델을 걱정하는 것 같다.

하지만 아지스에게서는 믿음이 느껴졌다. 그러니까 인간미 넘치는 믿음이라기보단 아델이 능히 이 상황을 감당해 낼 거란 믿음 말이다.

그래, 아델은 치열한 삶을 살아왔지. 확실히 이것이 그가 겪었던 상황 중에서 가장 나쁜 상황은 아닐지도 모른다.

그렇다고 해서, 마음에 걸리는 게 없는 건 아니었다.

아델은 위험을 감수하면서까지 나를 그의 처소에 숨기고 있었다. 그런데도, 마치 내 존재를 잊어버린 것처럼 찾지 않는다. 그것이 너무나도 이상했다.

"아델은 왜 나를 만나러 오지 않는 거지?"

"이런, 이런. 흡사 권력자의 숨겨 둔 애인 같은 소리를 하시는군요. '왜 전하께서 저를 찾지 않으시지요? 제게 질리셨나요.'라고 하는 것처럼 들린단 말입니다."

아지스가 설레설레 고개를 저었다. 그 능청스러운 태도에 부아가 났다.

"그런 웃기지도 않은 소린 집어치워. 나는 아델에게 해야 할 말이 있어."

억지로 감금 생활을 겪는 포로에 대한 존중까지는 아니더라도, 내 상태를 직접 보러 오지 않는 건 이상한 일이다.

내 입으로 말하긴 쑥스러운 일이지만, 아델은 나를 좋아한다. 한 번쯤은 얼굴을 보러 들릴 만도 했다.

내가 족쇄를 풀어 달라고 조를까 봐 그런가. 정말로 위험했던 순간이 있었으니, 거절하기 쉽지 않아서?

하지만 아델이 그런 것에 구애받을 것 같진 않다.

"성녀님을 만나러 오고 싶은 마음은 굴뚝같으실 테지요. 왕자 전하께선 무척 바쁘십니다. 그래서 대신 저를 보내셨지요. 자초지종을 설명하란 특명을 부여하면서요."

"상황이 당신이 말한 것보다 나쁜 건 아니고?"

"그렇다 한들, 여기에 포로로 사로잡히신 성녀님께서 무언들 하실 수 있겠습니까?"

그 물음에 말이 막혔다. 그렇지, 내가 뭘 안다 한들 할 수 있는 건 없지. 그리고 아이러니하게도 내가 뭘 할 수 없는 상황을 만든 건 바로 아델이었다.

나는 초조해져서 방 안을 맴돌았다.

"아델은 내게 힘을 돌려줄 생각이 없는 거지?"

"예."

그 하나만은 딱 잘라서 답이 나왔다. 가슴이 답답하다. 아델, 아델. 너 진짜…….

동동 발을 구르던 도중, 퍼뜩 잊고 있었던 생각이 떠올랐다. 원래는 신탁에 대해서, 아델에게 말하려고 했었는데.

그리고 그 신탁은 저주에 관한 거였지.

난 아지스를 쳐다보며 조급히 물었다.

"저주, 그래, 아델은 어떻지? 왕이 죽었으면 저주의 다음 표적은, 아델이 되는 거잖아."

저주가 항상 그러한 양상인지는 모르나, 왕의 몸을 입고 나타난 저주는 끔찍한 형태였다.

그것이 아델에게 전이되었다면…….

나는 아델에게 저주를 푸는 방법에 대해서 더 이상 숨겨서는 안 됐다. 불길하게 느껴지는 것이 있었다.

잠들어 있던 왕에게 깃든 저주는 월신의 성력과 속성이 같았다.

그러나 다시 깨어나 우리에게 달려들었을 때, 그에게서 느껴졌던 기운은 더 이상 월신의 성력이라 할 수 없었다. 변형된 힘.

그렇다면 이제 저주는, 월신의 영역을 벗어나게 된 것이 아닐까? 그러면 신탁의 내용을 실행한다고 해도, 저주는…….

아니야, 아니겠지. 나는 마음속 깊이, 그런 일이 일어나지 않기를 바랐다.

아지스는 곰곰이 뭔가를 생각하는 얼굴이 되어, 시간을 끌더니 말했다.

"전하께서는 일단은 멀쩡하십니다만, 문제가 생기면 알려 드리지요."

"나는 언제까지 여기에 갇혀 있어야 하지?"

"글쎄요, 그리 길지는 않을 겁니다. 조만간 변동이 있을 테니까요."

그 말을 끝으로 아지스는 등을 돌렸다. 아마 아델에게 보고하러 가는 것일 터.

문이 탁 닫히자, 난 침대 위에 주저앉았다. 성력을 돌려주지 않고 날 이런 데 가둬 두는 건, 정말 좀 아니지 않아?

아델은 자신을 위한 선택을 했다. 그리고 그것이 나를 위한 선택은 아닐 거라는 걸 숨기지 않았다.

새삼 원망하는 마음이 드는 건 아니다. 그저 이 상황이 답답할 뿐. 나는 의미 없이 시간을 보내는 데 익숙하지 않았다.

"나쁜 놈."

새삼 허공에 감자를 먹이며 아델을 욕한 난 턱을 괴며 생각에 빠져들었다. 내 상황에 조금이라도 변화가 찾아들길 기대하면서.

*

바로 다음 날이었다. 해가 뉘엿뉘엿해질 무렵, 나는 어제와 같은 손님을 맞이했다.

"간밤은 평안하셨습니까."

"뭐, 그래."

불퉁하게 대꾸하긴 했지만, 아델에 대한 소식을 들려줄 수 있는 유일한 이를 앞에 두니 숨이 트이는 것 같았다.

　가둬 둘 거면 말동무라도 붙여 줄 것이지, 이대론 말하는 법을 까먹을 것 같단 말이지.

　내가 이 자와 마주하는 걸 달갑게 여기게 될 거라곤 상상도 해 본 적 없었는데, 세상 참 알 수 없다.

　아지스가 빙긋 웃으며 말했다.

　"오늘은 반가운 소식을 가져왔습니다."

　"뭔데?"

　"성내는 성녀님이 머무르기에 적합하지 않은 장소란 결론이 내려졌습니다. 성녀님은 성 밖으로 이동하시게 될 겁니다. 이보다 쾌적한 장소로요."

　"이동……한다고? 아델은."

　"성녀님께서 왕자 전하를 뵙고자 한다는 간곡한 의사는 전달했으나, 전하께서는 그럴 만한 상황이 아니라고 판단하신 듯합니다."

　빠르게 쏟아 낸 그는 내 대답을 기다리지 않고 바로 말을 이었다.

　"어서 채비하시지요. 아, 채비하실 만한 것이 달리 없던가요."

　난 인상을 팍 찌푸렸다. 아델이 나를 찾아올 수 없는 상황이라는 건 알겠다. 초조해진 난 미간을 모았다.

　내가 알지 못하는 곳에서 어떤 상황이 전개되고 있었다. 그것이 돌연 내게로 닥치기 전엔 나는 아무것도 할 수 없고 무엇도 예감할 수 없다. 그것은 지독히도 무력한 기분이었다.

"······성 밖으로 나가면, 아델의 외조부가 날 노릴 수 있지 않아?"

"아직은, 성녀님이 이곳에 있단 게 알려지지 않았습니다. 하지만 노출될 가능성이 있으니, 옮기자는 겁니다."

차라리 들켜서 누군가 날 노렸으면 좋겠다. 하도 답답한 나머지 그런 생각마저 든다.

하지만 그런 일은 일어나지 않았다. 나는 그를 따라서 마차에 올랐다.

어차피 내겐 짐 같은 건 없었으므로, 그의 말대로 챙길 것도 없었다. 옷은 다 여기서 준비해 주는 걸 입으니까.

그야말로 빈털터리 신세네. 여기서 빠져나간다고 해도, 국경까지 갈 여비도 수단도 제로. 가다가 도적이라도 만나면 힘을 쓸 수 없는 난 그토록 위험할 수 없다.

창문까지 격자로 봉쇄된 마차에 앉은 난 작은 틈새로 바깥을 내다보려고 애썼다.

도망갈 길 없는 내 입장에선, 철옹성처럼 느껴졌던 칼리스의 성이었다.

하지만 나는 손쉽게 그곳을 이탈하고 있었다. 시중인들이 드나드는 문을 통해서 비밀리에.

아델은 이곳에 남아 싸움을 계속하고, 승리한다면 다시 나를 찾아오겠지. 하지만 만약 승리하지 못한다면······.

난 눈을 꾹 내리감았다. 내가 아델을 과소평가하는 건 아니었다. 하지만 미래는 장담할 수 없다.

나는 그 옛날부터 칼리스에서 싸움을 지속해 왔을 아델을 도와줄 수 없었다. 그건 내 영역 밖의 일이었다. 내가 칼리스에 있어도 그건 마찬가지.

그것이 새삼 묵직한 파도로 밀려왔다.

"아델은, 내 성력을 풀어 줄 생각이 여전히 없대?"

"예."

아지스는 딱 잘라 말했다. 너무도 딱 부러져서 반감이 일었다. 난 이를 가는 대신, 한숨을 푹 내쉬었다.

"당신이 앞으로 날 감시하는 건가."

"아니요, 제가 전하의 곁을 비우는 건 곤란합니다. 유능한 몸이라 할 일이 많거든요."

"혹시 당신, 아델의 외조부에게 붙고 그러는 건 아니겠지?"

난 눈을 가늘게 뜨고 그를 훑었다. 별로 신뢰가 가지 않는 족속인데.

아지스는 내 말을 여유롭게 받아넘겼다.

"왕속 특무단원은 주인을 한 번 정하면 바꾸지 않습니다. 블라스페미아 공에겐 후계자 전쟁에서 승리한 왕자를 넘어서 그 자리를 차지할 만한 명분이 부족하지요."

"블라스페미아 공이, 왕위를 노리는 거야?"

"예, 그쪽으로 아예 노선을 정했습니다."

콩가루 집안이라고 생각하긴 했다. 그런데 너무 콩가루라 이젠 할 말도 없다.

자기가 지지했던 외손주가 말을 안 듣는다고, 아예 자기가 왕이 되겠다니.

"그가 무슨 근거로 그럴 수 있는 건데?"

"왕족의 혈통, 권세, 부, 그리고 왕위를 계승할 만한 이들 중 멀쩡한 자가 자신밖에 없다는 점을 근거로 들 수 있겠지요."

"아델은? 그건 아델에게도 해당되는 말이잖아."

아델에게 솔직히…… 좀 또라이 같은 구석이 있는 건 사실이지만, 그는 제정신이었다.

다른 면에서 보자면 아델은 유능한 왕자였다. 나를 계속 도와준 걸 봐선 애국심은 별로 없는 듯하지만.

"……왕의 폭주에 대해서 알려지면서, 블라스페미아 공은 그걸 구실 삼았습니다. 그가 내세운 명분은, 더 이상 저주에 걸려서 서서히 이지를 상실해 가는 왕이 아닌, 맨정신을 가진 자들이 칼리스를 다스려야 한다는 것이지요."

"월신의 저주는 왕통에 이어져. 그건, 블라스페미아 공도 마찬가지잖아."

"본인은 혈연적으로 거리가 있으니 괜찮을 거라고 생각하는 듯합니다. 블라스페미아 가문은 확실히 왕족의 피를 받았지만, 처음 저주를 받은 왕보다 윗대에서 섞인 혈통이니까요."

"그의 주장에 설복되는 이들은 좀 있어?"

"블라스페미아 공을 따르는 자들이 있습니다. 그리고 폭주하는 왕에 의해서 목숨을 잃은 이들의 가문, 몇 개. 뭐, 처리하기 어려운 상대는 아닙니다."

아지스의 눈이 날카롭게 빛났다. 아마 나를 성 밖으로 내보내고, 전면전을 펼칠 건가 보다.

블라스페미아 공도 그렇게 본격적으로 아델과 갈라선 거면 나름대로 준비는 해 놨을 텐데. 자신이 있나.

하긴, 아델은 치밀한 성격이었다. 그리고 여태까지 그의 앞에 놓인 모든 장애물을 헤쳐 왔다.

정작 곱게 자란 나는 이 족쇄 하나에서도 벗어나지 못하는데. 난 투덜거리듯이 말했다.

"내부 사정을 술술 잘도 말하는군."

"알아 두셔야 할 테니까요."

모호하게 말한 그가 입을 닫았다. 마차는 침묵 속에 잠겼고, 나는 마차가 어디로 향하고 있는지 가늠하려고 애썼다.

별빛과 달의 위치를 보아하니, 왕도로부터 남서 쪽 방향이다. 어쨌든, 성국과는 가깝지 않은 쪽.

네다섯 시간가량 부지런히 달린 마차는 말이 지칠 무렵이 되어서야 비로소 멈추었다. 벽에 머리를 대고 꾸벅꾸벅 졸던 난 마차가 멈추자 잠에서 깨어났다.

"아마 곧, 중대한 선택을 할 때가 올 겁니다."

눈을 비비는 내게, 아지스의 음성이 들려왔다. 가벼운 듯 진지하지 않은 듯 굴었던 그답지 않게, 다른 사람 같은 음성이었다. 알 수 없는 힘이 실린.

"그 선택에 따라서, 모든 것이 바뀌게 될 테지요."

"저기."

왜 갑자기 그런 말을? 의아하게 보는 날 아지스가 바라봤다.

착각일까? 그 눈 안쪽에서, 나는 헤아릴 수 없이 깊은 뭔가를 엿보았다. 그의 입이 매끄럽게 움직였다.

"그 어느 때건 저는 단지 지켜볼 뿐입니다. 파멸에 이를지라도. 그렇게 되기를 바라진 않습니다만, 저로서도 최선이 뭔지는 알 수 없으나—"

나를 향한 눈은 부드럽지도 차갑지도 않았다. 그저 관조하는 듯이, 영원처럼 멀었다.

"바라건대 부디, 최선을 택하시길."

아지스가 미소를 떠올렸다. 그림자처럼 드리운, 의미를 읽기 힘든 미소였다.

그 때문에 나는 멍하니 마차에 내려섰다. 벙어리가 되는 주문에 걸린 양 그에게 어떤 말도 건네지 못했다. 일순, 중대한 점괘를 받은 듯 혼이 빠졌다.

마차가 곧 다시금 움직여 그 자리를 떠났다. 다각다각 말발굽 소리를 내며, 왔던 길로 다시 떠나간다.

"들어가시지요."

누군가가 내게 말을 걸었을 때, 난 화들짝 놀라 정신을 차렸다.

돌아보니 자그마한 저택이 눈앞에 있었다.

나는 재빨리 주변을 눈에 담았다. 나를 따라온 왕속 특무단원이 셋이라.

도망은…… 힘들겠구나.

한숨이 절로 나왔다. 일단은 순순히 행동해야지.

결론은 빠르게 내려졌고, 나는 저택 안으로 들어섰다. 거처를 바꾼 감금생활의 재시작이었다.

제자리로 돌아가다

왕도에서 어떤 격랑이 일고 있건, 내 삶은 평화로웠다. 새로운 거처에서, 나는 짧게나마 산책을 허락받을 수 있었다.

후드를 푹 눌러쓰고 주로 오전에 근처의 숲길을 걷는 것뿐이었지만 말이다.

인근에 이 작은 별장 같은 저택밖에 존재하지 않던 덕에, 허용되는 자유였던 것 같다.

'포로에게 복지를 제공해 주는구나' 하고 감사할 리가 없잖아! 아무튼, 전보다 나아진 상황에 나는 조금이나마 만족했다. 이런 것에 만족한다는 게 슬프긴 한데…….

일장일단은 있었다. 최고의 주방장이 솜씨를 보였을 왕도와 달리, 이곳 저택의 음식은 요리를 좀 할 줄 아는 사람이 만드는지 무난한 수준이었다.

뭐, 먹지 못할 정도는 아니다. 단지 호의호식하며 살아온 내 입맛의 수준이 좀 높았을 뿐.

단식투쟁이라도 해 볼까 생각했지만, 그건 '일단 순순한 척한다'는 내 목표와 어긋나거든. 마치 휴가를 온 듯한 생활이었다.

며칠이 지나고, 나는 숲을 돌아다니면서 버섯을 캔다든지, 낮게 열린 나무 열매를 딴다든지, 약초를 캔다든지 하는 자연 체험에 한껏 젖었다.

그렇게 획득한 수확물들이 내 식사 거리에 섞이게 되었던 건 자연스러운 일이었다. 공부는 많이 했지만, 성국 안에는 숲이 없다.

별로 학습한 내용을 체험할 만한 환경이 못 되었기에 이런 기회는 흔치 않은 터.

이럴 만한 상황이 아닐지도 모르지만, 뭐 어때. 긴장감이고 뭐고 내가 어쩔 수 없는 상황에서 이거라도 해야지.

그러니까 이토록 태평했던 내게 그건, 정말로 난데없이 벌어진 일이었다.

사실 조짐은 있었다. 숲에서 너무나도 채집 활동에 열중한 성녀를 보고, 특무단원들도 신기한 기분에 경계를 조금 늦췄던 것 같다.

원래 뭔가 색다른 것을 보면, 거기에 신경이 조금이라도 가기 마련이니.

여느 때처럼 숲으로 나온 나는 바닥에 떨어져 있는 반짝거리는 뭔가를 발견했다.

거미줄? 이런 곳에 낚싯줄 같은 게 있을 리 없잖아.

무심코 그것을 주워들던 난, 최대한 자연스럽게 내려놓았다. 아니, 정확히는 풀숲 아래로 묻어 넣었다.

세상에 맙소사! 가슴이 덜컹 내려앉을 만치 놀랐으면서도 난 애써 호흡을 골랐다.

아무도 못 봤겠지? 나는 대충 근처에 있는 버섯 하나를 캐서 바구니에 털어 넣었다. 그리고 채집 활동을 얼마간 지속한 뒤, 돌아가자고 말했다.

아마 그 말을 꺼낸 시점에서, 내 표정은 제법 태연했던 것 같다. 하지만 가슴이 쿵덕쿵덕 뛰고 있었다.

왜냐하면, 내가 풀숲에서 보았던 그것이 너무도 의미심장한 흔적이었으므로.

그건 아주 가느다란 은빛 머리카락이었다. 옅은 금빛을 머금은 백금발이 아니라, 정말로 순은을 뽑아 낸 듯한 은발!

그런 게 숲속에 우연히 떨어져 있을 리는 없다. 태어나서 그런 머리색을 가진 이는, 이제껏 단 한 명 보았다.

카마엘, 카마엘이 여기 있어! 역시 내 요정기사님! 가만히 있지만은 않을 거라고 생각했지만, 성국 제일의 성기사답게 내가 있는 곳을 찾아냈나 보다.

나, 드디어 해방인 거야? 환희가 차오르는 마음에 이성이 찬물을 끼얹었다.

……아니야, 괜한 기대를 했다가 실망할 수도 있잖아. 숲속에 그런 게 우연히 떨어져 있을 리는 없을 것 같지만, 만에 하나라

도 우연일 수도 있지.

나는 마음을 진정시키며, 들뜬 기색을 내보이지 않으려고 애썼다.

마침 그날 처음 보는 희귀 버섯을 발견한 탓에 내 사소한 기분 변화는 그리 이상하게 받아들여지지 않았다.

그날 밤, 나는 평소와 다름없이 잠자리에 들었다. 카마엘이라면 어떻게든 내게 접촉해 올 테지만, 그 방법이 어떤 걸지 짐작가지 않았기에 이리저리 모색해 보면서.

평소보다 늦은 시각, 가까스로 잠이 들었을 때였다.

"아……."

나는 서늘한 기분에 얼핏 잠에서 깨어났다. 눈은 마구 감기고있었지만, 본능이 나를 깨웠던 것 같다. 큰 소리가 나진 않았는데, 집 안의 공기가 묘했다.

침대에서 일어나 앉은 난 발을 내려, 신발을 신었다. 밖에 무슨 일이 있는 걸까. 나가서 살펴볼 참이었다.

덜컥. 그때 평소라면 자물쇠가 굳게 채워져 있을 방문이 열렸다.

미약한 빛이 시선을 자극한다. 나는 그것이 머리카락에서 반사된 빛이란 걸 깨달았다.

달빛을 머금은 듯, 선명한 은빛 머리카락. 표범처럼 날렵한몸집, 날카로우나 내게 만큼은 익숙한 기운.

얼굴이 보였다. 달빛으로 아로새겨진 듯 아름다운 요정의낯. 오랜만에 본 그의 모습에, 가슴이 터질 듯이 벅차올랐다.

보고 싶었어! 감격 탓에 목소리가 나오지 않는다.

그가 나직이 입을 열었다.

"성녀님, 무사하십니까."

"카마엘!"

나는 그제야 탄성을 터뜨리며 그에게 달려들었다. 카마엘은 여전할 만치 무표정한 얼굴로, 내 어깨를 잡고 몸을 살폈다. 이상이 없는지 확인하는 태도였다.

칼리스에서 마음고생 했다고 딱히 마르거나 하지 않은 난 그의 시선이 무안했다.

"나는 괜찮아. 비인도적인 처우를 받지는 않았어."

농담 삼아 고문은 피했다고 하려다가, 카마엘이 내 농담을 농담으로 받아들이지 않을 것을 깨닫고 말을 바꿨다.

"다행이군요. 늦어서 죄송합니다. 왕성에 잠입하기는 쉽지 않아서 때를 기다려야만 했습니다."

그 눈에 띄는 외모를 하고 칼리스의 여기까지 잠입하는 것도 안 쉬웠을 것 같은데, 왕성에 잠입하다니 어불성설이다.

"아니야, 와 줘서 기뻐. 여기까지 온 것만으로도 충분히 대단한걸? 밖은 어떻게 한 거야?"

정말로, 별소리 없었는데. 전투가 치러진 느낌이 전혀 없었다.

"기절시켜서 묶어 두었습니다. 왕속 특무단원이 살해당하면, 어떤 식으로든 그들이 알게 될 테니까요."

그것만 아니었으면 죽였을 거라는 듯한 말투였다.

그는 바짝 날이 서 있는 듯했다. 나를 그렇게 보내서 자존심이 많이 상했던 걸까. 아마 쉬지도 못하고 나를 구출할 방도를 모색했겠지.

"상태가 이상하군요. 그 팔찌는."

카마엘이 미간을 찌푸렸다.

"성력을 봉인하는 팔찌야. 이걸, 어떻게 할 수는 없을까."

카마엘이 손을 뻗어 내 손목에 자리한 팔찌를 어루만졌다. 어떤 재질로 되어 있는지 살피는 듯이 보였다.

"검으로 잘라 내려고 했다간 반향이 클 겁니다. 성국으로 돌아가서 성력으로 서서히 부숴야 할 듯합니다. 칼리스가 이런 걸만드는 데 성공했군요."

"내가 방심한 탓에 당한 것도 있겠지."

"저희는 칼리스에 대한 어떤 정보도 가지고 있지 못했습니다."

무뚝뚝하나 위로하듯이 들리는 소리였다. 나는 설핏 웃으며 고개를 끄덕였다.

카마엘이 손을 뻗어 벽에 걸린 후드를 집어 들었다. 그리고 내게로 씌워 주며 말했다.

"간단한 옷가지 정도는 챙기셔도 됩니다. 서두르시지요. 말을 타고 전력으로 달리면 국경지대까지 빠르게 이를 수 있을 겁니다. 병력이 가로막더라도 돌파할 수 있습니다. 칼리스의 세력은 현재 왕도로 집결하고 있으니, 상대적으로 국경의 경비 태세가 허술해질 겁니다."

"나는."

약간이지만, 망설임이 일었다. 내가 지금, 카마엘을 따라가는 게 맞는 걸까.

신탁을 빌미로, 나 스스로 칼리스에 왔고 이룬 건 아무것도 없었다. 나는 심지어 신탁의 내용에 대해서 아델에게 말하지도 못했다.

혹여 내가 도망쳤다는 게 힘든 싸움의 한가운데 위치한 아델을 흔들지는 않을까.

하지만 여기 있어 봐야 나는 아무것도 할 수 있는 게 없다. 도리어 짐이 되기만 할 뿐.

아무리 아델이 날 남몰래 빼돌려 뒀다지만, 혹여 블라스페미아 공이 나를 노린다면 위험해질 거다. 나로선 나를 방어할 수단을 가지고 있지 못한데.

지금은 카마엘을 따라 안전한 성국으로 돌아가, 아델이 결단코 내게 돌려주길 거부했던 성력을 찾는 게 차라리 나을 거였다.

하지만 아델이 마음에 걸렸다. 그는 내가 사라진 걸 또다시 그를 배신한 것처럼 받아들일지도 몰랐다.

비록 이 감금 생활이 전혀 정당치 않고, 그가 나를 일방적으로 가둬 둔 것에 불과하더라도.

내가 왜 아델을 생각해야 해? 날 찾아오지도 않는 녀석인데!

목소리를 높이고 싶었지만, 이미 아델은 내 안의 한 자리를 차지하고 있었다. 나는 그를 외면할 수 없었다. 없어졌다. 그것이 칼리스에 오고 나서 내게 일어난 변화였다.

"그래, 가자."

그러나 어떤 식으로 생각한다고 한들, 내게 최선은 카마엘을 따라 성국으로 돌아가는 것이었다.

아델이 내게 분노할지도 몰랐지만, 녀석이 상식적으로, 또 이성적으로 생각할 줄 안다면 내가 최선을 택했음을 알 터. 모르면 하는 수 없지.

나는 어딘지 모를 저 먼 곳으로 사라져 버리는 게 아니다. 어차피 내가 있는 곳은 뻔하니까.

성녀가 갈 곳은 성국이지. 꼬우면 또 누군가를 인질로 잡아서 날 성국 밖으로 끌어내든지!

나는 왠지 모르게 화가 나서 말에 올라탔다. 난 아델의 사정을 생각하는데 아델은 내 사정 따윈 생각지 않는다. 그 무신경함을 곱씹어 보자면 매우 기분이 나빴다.

내가 뭘 바라겠어? 원래 그런 녀석인걸.

날 먼저 말 위에 올려둔 카마엘이 나를 감싸듯이 뒤로 앉았다. 어라, 내가 뒤에 타는 게 아니었어?

"이편이 전투에 용이합니다. 불편하시더라도 양해해 주시길."

"난 괜찮아."

하지만 이건 뭐랄까, 쑥스러운걸.

말은 속도를 내어 달렸다. 나는 흔들리는 말 위에서 자연히 말 안장 손잡이를 잡고 카마엘의 품에 등을 기대게 되었다. 그 자세는 내게 곧 쑥스러움보다 더 선명한 걸 불러일으켰다.

졸음. 그래, 난 절대 본능밖에 없는 사람이 아니다. 자다가 깨어나서 나온 거니 졸린 게 자연스럽지. 차라리 말에 묶어 줬으면 좋겠는데.

꾸벅꾸벅 졸다가 균형을 잃을까 봐 두려워 화들짝 눈을 뜨는 날 눈치챘는지 카마엘이 말했다.

"가능하다면 눈을 붙이십시오. 제가 잡아 드리겠습니다."

역시 센스있는 요정이야. 성력을 쓸 수 없다는 게 이토록 피곤한 일인 줄 몰랐는데. 아무래도 난 약해진 것 같다.

달리는 말에 올라타 진동을 고스란히 느끼면서 눈을 붙인다는 건 그 나름대로 굉장한 일이었다.

카마엘의 배려 덕분에 나는 위태롭게나마 말 위에서 조금 눈을 붙일 수 있었다.

*

나의 도주 사실은, 한동안 알려지지 않았던 것 같다. 알릴 만한 사람이 몽땅 몸을 움직일 수 없는 상황이기도 했지. 보고에 좀 시간이 걸릴 터.

우리는 며칠에 걸쳐서 성국에서 가장 가까운 국경지대가 아닌, 칼리스를 벗어나기에 가장 가까운 국경으로 향했다.

조금 돌아가겠지만, 어차피 어디든 국경만 넘으면 다 연합국이다.

일단 왕도에서 멀어지기만 하면 대치 중인 블라스페미아 공이나 아델이 당장 우리에게 손쓸 순 없었다.

그러나 상황은 생각보다 순탄하지 않았다. 막상 국경이 도착할 때쯤, 국경을 통제하란 명령이라도 떨어졌는지 경계가 삼엄했다.

워낙 주변 나라들과 사이가 안 좋다 보니, 칼리스의 방비는 철저하다고 소문나 있었다.

칼리스인들도 하나같이 통제에 엄격하게 따라 주어서, 일렬로 줄을 서서 초소에서 철저하게 신분을 검증받은 다음, 국경을 지났다.

그렇다고 한들 성국 제일의 성기사인 카마엘이 못 넘을 만한 건 아니지만, 문제가 있다면 나였다. 아무 힘도 쓸 수 없는 나.

칼리스의 정예병들은 잘 훈련되어 있었고 아무리 카마엘이라지만 쪽수는 무시할 게 못 된다.

혼자 돌파하는 건 어렵지 않더라도 나라는 짐이 딸리면 임무의 수행 난이도가 배 이상 올라가는 거다.

카마엘은, 내가 털끝 하나라도 다치는 것을 용납하지 않을 테니까.

"통제가 풀릴 때까지 기다리는 게 좋을까?"

"만약 칼리스가 내전을 준비 중이라면, 통제는 오래도록 풀리지 않을지도 모릅니다."

그간 국경으로 향하는 내내 나에게 대략적인 이야기를 들은 카마엘이 고심 끝에 말했다.

나는 그에게 나의 결정과 아델에 대한 생각을 말하지 않았었다. 다만 일어났던 사건들에 대해서 설명했을 뿐이다.

카마엘은 그 이상 캐묻지 않았다. 당장 칼리스를 빠져나가 성국으로 가는 것이 급선무였으므로.

"성국과 가까운 국경 쪽으로 이동하는 게 좋겠습니다. 내전을 앞둔 상황에서 왕속 특무단을 그리로 보내진 못할 겁니다."

"보내더라도, 수가 많지 않을 거고 오래 보내 두지도 못하겠지."

성국에 가까운 국경 쪽이라면, 어떻게든 외부로 연락을 취해서 성국의 병력을 끌어올 수 있을지도 모른다. 험난한 길이었다.

카마엘과 나는 사람들 눈에 띄지 않기 위해서 야영 생활을 했다. 담요를 깔고 그 위에서 잤고, 먹을 것은 주로 카마엘이 잠시 마을에 들어가 주로 음식을 몰래 가져오면서 돈을 남겨 두는 식으로 양심껏 구해 오곤 했다.

야영이 운치 있다는 소리는 누가 한 거야? 곱게 자라며 호의호식에 익숙해져 있던 난, 푹신한 침대가 그리웠다. 성국의 음식도 그리웠다.

그리고 엄청나게 힘들었다. 칼리스의 왕성에서만 해도, 별로 힘들다거나 저조한 기분에 사로잡히진 않았는데. 그건 아델이 수시로 내 감정을 흔들었기 때문일까. 이미 다른데 온통 신경이 쏠려 있어서?

징징댈 수는 없었다. 어차피 성국으로만 돌아가면 이 고생은 끝난다. 고작 며칠이었다.

우리는 문제 없이 성국으로 향하는 국경지대에 이를 수 있었다.

"당분간 이곳에서 동태를 살펴야겠습니다."

카마엘이 세운 계획은 간단했다. 국경의 경비가 느슨해지는 때, 기회를 봐서 돌파한다는 것.

그는 멀리서 관찰한 것만으로도 국경지대에 파견된 십수 명의 왕속 특무단원을 발견해 냈다. 예상 밖이었다. 내 탈출 소식을 들은 아델이 보낸 거겠지.

외조부와 일전을 치를 상황에서 굳이 왕속 특무단원을 여기로 보낸 의미는 자명했다. 내가 성국으로 돌아가는 걸 용납지 않는다는 것.

마음이 무거워진다. 아델을 남겨 두고 가는 기분이 편치 않았다.

납치범의 신변을 걱정하다니 스톡홀름 신드롬에 걸린 건 아닌지 모르겠다. 왜 내가 미안하고 찔리고 안쓰러워해야 하지?

그간 아델이 나를 좀 세뇌시키는 데 성공했나 보다. 내가 성국에 있을 때, 아델을 세뇌시켰던 것과 마찬가지로.

서로가 서로에게 영향을 주는 건, 언젠가부터 어쩔 수 없는 일이 되어 버렸다. 다시 만날 때는 부디 무사하기를. 이왕 싸우는 거 이기라고! 나는 순순히 아델의 안녕을 빌었다.

국경 인근에는 숲이 무성했다. 칼리스와의 교역이 공식적으로 허용되지 않거나 허가가 까다로운 국가가 있었기에 이 부근에는 몰래 드나드는 이들이 쏠렸다.

불법 입국자라고 하지? 혹여 제 나라로 돌아갔을 때 고발당할까 봐, 그런 이들은 마을에 머물기보다는 외딴곳에 머무는 것을 택했다.

우리가 찾아낸 오두막도 딱 그런 곳이었다. 주변에 인기척이 없단 걸 꼼꼼히 확인한 후에야 카마엘이 말했다.

"몇 시간만 자리를 비우겠습니다. 식량도 구하고, 국경을 좀 더 가까이서 둘러보고 오겠습니다. 어딘가 틈이 있을지도 모릅니다."

모든 짐을 그에게 미루어 놓아, 난 별로 할 게 없었다. 내 몸 하나 아프지 않고 잘 건사하면 그만이다.

내가 이번 여정에서 깨달은 건 카마엘의 놀라운 생활력이었다. 가진 물건도 별로 없으면서 그는 손쉽게 불을 지피고 식량을 구해 오고 우리 여행의 전반을 책임졌다.

특별한 기술이나 요령이 있다기보단, 대체로 육체적인 능력에서 비롯한 거긴 한데. 카마엘과 같이 다니면 굶어 죽을 염려는 없을 것 같다.

무인도에 떨어져도 살아남을 남자라. 난 묘한 감탄에 잠겼다.

품을 뒤적이던 그가 내 손에 뭔가를 쥐여 줬다.

"이게 뭐야?"

"섬광탄입니다. 국경에서도 보이겠지만…… 제가 더 빨리 올 수 있을 겁니다. 혹여 위급한 일이 생기면 터뜨리십시오."

그는 나를 홀로 남기고 가는 게 마음 쓰이는 듯, 떠나는 걸 망설였다. 내가 그의 등을 떠밀기 전까지.

"난 괜찮으니 다녀와."

제법 튼튼하게 지어진 오두막이었다. 안에서 걸어 잠그고 있으면 부수는 데 시간이 좀 걸리겠지. 불을 지른다고 쳐도, 카마엘이 올 때까지 시간이 걸릴 거다.

그렇게까지 오두막 안에 있는 날 끄집어내고 싶어 하는 누군가가 없길 바라야겠지만.

카마엘이 나서자마자 난 오두막 문을 굳게 틀어 잠그고 구석에 앉아서 눈을 감았다. 내게 성력이 있었다면 이리 꼭꼭 숨어 있지 않았어도 되었을 텐데. 지루한 기다림의 시작이었다.

얼마간 시간이 지나고, 문을 두드리는 소리가 들렸다. 콩콩, 가볍게 손등으로 노크하는 듯한 소리. 카마엘이 벌써 돌아왔나. 하지만 그렇다기엔 시간이 이른데.

난 문 앞으로 다가섰다.

"누구?"

"저입니다, 성녀님."

카마엘의 목소리였다. 난 반색하며 문을 열었다. 끼익 소리를 내며, 문이 열리고 어둑어둑한 오두막 안으로 빛이 쏟아져 들어왔다.

"어떻게 빨리 돌아왔⋯⋯"

나는 문을 연 그대로 얼어붙었다.

"안녕."

산뜻하게 웃으며 손을 흔드는 그는, 내가 이 순간 절대 마주칠 거라 예상치 못했던 바로 인물이었다.

"너, 너."

나는 잠시 말을 더듬었다. 화급히 문을 닫으려고 했지만, 그는 가볍게 문에 손을 얹은 것만으로도 내 시도를 무용하게 만들어 버렸다.

현재 상태로는 도저히 대적할 수 없는 상대. 섬광탄을 터뜨릴 시간은 있을까? 아니, 카마엘이 돌아온다고 쳐도 그를 상대할 수 있을까.

나는 체념한 채 중얼거렸다.

"카마엘 목소리였는데……?"

"내가 성대모사에도 재능이 좀 있지."

그가 거만하게 말했다. '에도'라고 표현하는 것이 아니꼽긴 해도 그는 확실히 잘났다. 여태까지 아무도 하지 못한 것을 성공할 만큼.

"히스칼."

나는 그의 이름을 읊조렸다. 왜 칼리스 안의 국경지대에 그가 있는 거지?

팽팽 돌아가는 머릿속에선 답을 찾을 수 없었다. 옷은 그대로 여행자 복장이다. 하지만 반짝거리는 금발을 길게 드리우고, 진한 자줏빛 눈동자를 빛내는 그는 도무지 일반 여행자처럼 보이지 않는다.

세속적인 것과 떨어져 있는, 법황으로서 자라난 자의 분위기.

그건 걸친 옷과 선 장소가 변했다고 해서 숨겨지는 게 아니었다. 신성교국에서 수배 전단을 걸지 않았더라도 마구 신고가 들어갈 것 같다.

등 뒤로 후드가 늘어져 있는 걸 보니, 평소에는 외모를 가리고 다니긴 하나 보다.

침묵 속에서 간신히 마음을 추스르고 그를 보는 내게 히스칼이 손을 뻗었다.

"그보다 어두침침한 데 있지 말고 좀 나와 보지 않겠어?"

저항할 수 있나? 그의 몸엔, 태양신의 성력이 충만했다. 힘이 봉인된 내게 그의 힘은 그야말로 태양처럼 존재감이 넘쳤다.

오두막의 그늘 밖으로 끌려 나온 난, 왠지 좀 쑥스러워졌다.

히스칼도 그리 잘 갖춰 입은 복장은 아니었지만, 현재의 난 초라하기 그지없다. 몸도 시내에서 대충 씻고 빗도 없다 보니, 그냥 사람 행색만 하고 있단 말이야.

그리고 히스칼과 난 격의 없는 모습을 보여 줄 사이가 아니었다.

"아주 거지꼴이구나."

흥미로운 듯 말하며 히스칼이 미소를 지었다. 그 특유의 온화함이 풍기나, 안에 구렁이가 도사리고 있는 듯한 흑막의 미소.

"잘 어울려."

"고, 고마워."

나는 성질을 죽이고 애써 웃음으로 화답했다. 확 한 대 쳐 주고 싶긴 한데, 히스칼이 반격하기로 마음먹는다면 한 대 돌려

맞는 정도로는 끝나지 않을 거다.

히스칼의 손길이 움직인다. 바로 손을 내려 내 손목을 움켜쥔 그가 비아냥거리듯 속삭였다.

"넌 꼭 개 줄에 목이 묶인 개 같구나."

개 같다니. 욕처럼 들리잖아! 단언컨대 히스칼은 내가 꼼짝도 할 수 없는 이 상황을 즐기고 있었다.

히스칼이 아무렇지도 않은 듯이 내 손목에 걸린 팔찌를 어루만졌다.

"재미있는 물건이야. 칼리스에서도 많은 준비를 했어."

"왜 너한텐 이런 거 사용하지 않은 거야?"

자유로워진 법황이라면 잠재적 위험 요소가 되지 않을까?

내가 투덜거리자, 히스칼이 코웃음 쳤다.

"신성교국에서 이 내게, 이런 걸 어떻게 채울 수 있겠어. 멍청한 소리 마."

"……아무튼, 여긴 어떻게 알고 왔어?"

"운이 좀 좋았지. 네 성기사가 널 되찾으려고 할 거란 건 알고 있었고, 만약 널 구해 냈다면 칼리스에서 이쪽 국경을 지나야 할 건 뻔하니까."

히스칼이 짤막하게 덧붙였다.

"나는 법황이야. 내 능력을 얕보지 마."

그래? 근데 왜 난 성녀인데, 그것도 월신이 직접 내린 성녀인데 네가 말한 게 어떻게 가능한지 전혀 모르겠지?

뭔가 같은 능력치가 주어졌는데, 능력치의 활용성은 엄청나게 차이가 나는 듯한 느낌이 드는데. 그건 내게 미묘한 패배감을 불러일으켰다.

"그보다 목줄을 맨 성녀라. 이대로 너를, 데려가서 기르는 것도 괜찮겠어. 온실의 꽃이란 길들이면 제법 말을 잘 듣게 되는 법이지."

히스칼이 위험하게 중얼댔다. 그야말로 진땀 나는 소리였다. 나는 재빨리 먼 과거의 기억을 끄집어내서 반박했다.

"그런 건 하지 않는 게 좋겠어! 검은 머리 짐승은 줍는 게 아니라는 속담도 있는걸."

"어째서?"

"배신하거든."

반드시 너를 배신해 버릴 테다. 의지가 실린 눈으로 쳐다보자 히스칼이 심드렁한 표정을 지었다.

"지금의 네 능력으론 내 머리끝에도 손댈 수 없는데?"

그게 사실이 아닌 걸 입증하고픈 욕구가 강렬하게 솟아올랐다. 난 손을 뻗어서 히스칼의 머리카락을 죄다 뽑아 놓고 싶었다.

하지만 그에겐 내 목을 졸랐던 과거가 있었다. 그러니까 내게 육체적인 폭력을 행사하는 데, 별로 망설임 없는 성격이란 소리다.

한 번 했으면 두 번은 못 하겠어? 당장 날 죽일 수도 있을걸!

그래, 나는 지금 언제든 살인마로 돌변할 수 있는 녀석을 앞에 두고 있는 거다. 비록 지금은 목적을 달성해서 그런지 묘하게 누그러진 태도를 보이고 있지만…….

아니, 그런데 얘, 나는 왜 찾아온 거람? 히스칼은 나를 싫어하고, 힘을 봉인 당한 나를 찾아오는 게 절호의 기회라고 생각했을지 모른다. 나를 괴롭힐 기회.

어차피 내가 힘을 봉인 당한 건, 신성교국에서의 일이니 그가 눈치챈 건 자연스럽다.

머릿속이 복잡해지는 찰나, 그가 말했다. 흡사 유혹하는 듯한 목소리로.

"그래, 너 나와 함께 떠나는 것이 어때. 이런 귀찮은 분쟁에선 손을 씻어 버리고. 성력을 쓸 수 없는 평범한 여자로 살아 보고 싶지 않아?"

"절대 그런 소망 같은 건 품어 본 적 없거든!"

난 이미 평범한 인생을 살아 봤다. 아무 힘도 쓸 수 없는 평범한 소녀는 누군가의 강제에 쉽사리 시들 수 있단 걸 난 알고 있었다.

힘을 가진 대가로 책임을 짊어지는 쪽이 내게는 훨씬 달가웠다.

게다가 너와 함께 떠난다니 무슨 소름 돋는 소리람. 성력을 봉인당하지 않았어도 내게 절대 어디로 함께 가지 않을 단 한 사람이 있다면 그건 이 히스칼이었다.

"그거참 안타깝네. 난 개인적으로 궁금했던 게 있거든. 예컨대―"

그가 내게 고개를 숙이며 묘하게 눈을 빛냈다.

"법황과 성녀 사이에 태어난 아이는 어떤 힘을 지니고 있을까, 라던지?"

"그, 그런 발상은 너무 인권 침해적이지 않을까? 우리가 실험 동물은 아니잖아?"

난 손을 엑스자로 치켜들며 그에게서 한 걸음 거리를 두었다. 네 멋대로 상상력 키우지 말라고! 급속도로 위기감이 몰려든다.

히스칼이 천연덕스럽게 대꾸했다.

"난 네게 선택의 기회를 주고 있는 거야."

"저 히스칼, 네가 나라면 그게 선택지가 되겠어?"

난 진지하게 물었다. 어디까지나 진지하다. 내가 그 말 같지도 않은 제의에 응할 가능성이 1퍼센트라도 된다고 생각하는 걸까?

그렇게 생각했다면 히스칼의 뇌에 문제가 있는 게 틀림없다.

히스칼의 표정이 순식간에 차가워졌다.

"농담한 건데, 네가 그렇게 정색하니 진심으로 만들고 싶어지는걸?"

"하하! 농담. 재밌는 농담이었어! 정말 재밌는걸!"

카마엘은 언제쯤 오는 걸까……. 나도 어렸을 땐 당당하고 도도한 맛이 있는 성녀였는데, 나이를 먹어서 이렇게 수그리고 살아야 한다니.

돌이켜 보면 이게 다 아델 때문이었다. 난 내심 이를 갈았다.

드디어 본론을 꺼낼 마음이 들었는지 히스칼이 눈썹을 치켜들며 물었다.

"내 진짜 용건이 궁금하지 않아?"

"네 진짜 용건이 뭔데?"

"나는 네가 손목에 차고 있는 그 걸리적거리는 걸 풀어 줄 수 있어."

단박에 찔러 오는 음성이었다. 말이 막혔다. 어째서? 라는 의문이 먼저 떠올랐다.

히스칼이라면 가능할 거다. 나 역시도 이 팔찌가 뭐든 성국에서라면 풀 수 있을 거라고 생각한 적 있으니.

하지만 히스칼에겐 내게 그렇게 해줄 만한 이유가 없었다. 그가 나를 도울 이유, 그런 게 있느냔 말이야.

이미 우리 사이에서 일어난 모든 일은, 신성교국에서 끝났다고 생각하는데.

"왜 나를 도와주려는 거야?"

나는 차분히 물었다. 히스칼이 옅게 웃었다.

"그들이 너를 잡아가게 하는데 협조한 대가로?"

"네가 그런 걸 잘 챙기는 성격은 아니잖아?"

그렇게 공평하게 주고받은 것 셈을 잘하는 성격이었으면, 히스칼은 내게 해 줄 게 참 많다. 물론 해 줄 마음은 없겠지!

그런 세세한 점을 배제하고, 놓치기 힘든 기회였다. 나도 이곳에서 더 이상 시간 낭비하고 싶지 않으니까.

히스칼이 웃었다.

"네 말이 맞아. 하지만 그래, 이건 균형을 깨는 일이거든. 네가 칼리스에 사로잡혀 있어서는 안 돼."

"균형……이라고?"

"간단한 거야. 대사제들과 법황을 잃은 신성교국은, 자국의 사정을 수습하는 데 급급하겠지. 그러니 칼리스에 대항할 수 있는 건 지금으로서는 성국뿐. 하지만 네가 칼리스에 사로잡혀 있다면, 그조차도 제대로 될지 의문이니."

그의 말은…….

"성국이 건재해야 칼리스를 견제할 수 있다고? 하지만 네가 그런 걸 어째서 신경 써?"

거슬리는 말일지도 모르지만, 신성교국을 무너뜨린 시점에서 히스칼은 이미 그른 놈이 되어 버렸다. 제 나라를 무너뜨린 주제에 새삼 대륙의 균형에 신경을 쓰는 것도 우습지 않은가.

히스칼이 서늘한 얼굴이 되어 대꾸했다.

"내가 신성교국을 그렇게 만든 건, 내게 필요한 일이었어. 불가피한 일이었다는 거지. 하지만 나라고 해서 칼리스가 저항 없이 대륙을 정벌하는 걸 바라는 건 아니야."

그가 거기까지 고려하다니 놀라웠다. 하지만 생각해 보면 히스칼은 법황으로 자라났다. 성녀인 내가 성국을 배신할 수 없듯이, 그도 그의 선이 있는 게 아닐까.

신성교국에 칼리스의 병력을 들였지만, 그건 히스칼로서도 통제할 수 있는 상황이었을 거다. 신성교국은 어차피 태양신의 성역이고 법황인 그는 그대로 힘을 지니고 있었으므로.

칼리스가 전쟁으로 대륙을 어지럽히고, 사람들을 고통에 빠뜨리는 걸 그로서도 바라지 않는다면. 히스칼이 할 수 있는 최소한은 내게 힘을 돌려주는 걸까.

나는 손목을 내려다봤다. 동시에 그가 속삭였다.

"너는 성녀로 사는 것에 만족하지. 그렇다면 네 역할대로 살라고. 네 하잘것없는 감정 따윈 잊어버리고."

마치, 나를 꿰뚫는 듯한 말이었다. 그는 어디까지 알고 있는 걸까. 아델과 내 관계에 대해서, 눈치챈 걸까? 눈치 빠른 히스칼이라면 분명히 거기까지 이르렀을 수 있었다.

히스칼이 차갑게 말을 이었다.

"두 개를 모두 가질 수는 없어. 차라리 나처럼 모든 걸 버리던가."

"나는 아무것도 버리지 않을 거야."

나는 고개를 쳐들고 히스칼을 향해서 또박또박 말했다. 그게 내가 할 수 있는 유일한 말이었다.

히스칼은 잠시 기이한 눈으로 날 들여다봤다. 그라면 날 비웃거나 철부지라고 깎아내릴 것 같았는데, 이상하게 그는 그러지 않았다.

"뭐, 잘해 봐."

그리고 손을 뻗어, 내 손목을 움켜쥐었다. 그의 손에서 태양신의 성력이 뻗어 나온다. 강대하게 넘실거리는, 빛의 파도와 같은 힘이 굳건한 팔찌를 향해 파고든다.

팔찌에 새겨진 문양이 빛을 내며 떠올랐다. 저항하는 거다. 하지만 이 족쇄는 분명히, 월신의 성력을 봉인하기 위한 물건이었다. 상대적으로 태양신의 성력엔 취약할 수밖에 없다.

저항하는 듯하던 팔찌에 곧 균열이 일었다. 쩍, 쩌적. 이내 파열음을 내며, 조각이 아래로 떨어져 내렸다. 잔 조각과 가루가 손목에 묻어난다.

일시에 눈앞이 반전되는 듯했다. 굳어 버린 혈관이 관통되듯 힘의 물살이 내 몸을 타고 흘렀다.

내게 한동안 허락되지 않았던 것. 온몸을 가득 채우는 월신의 성력이 내게 넘칠 듯한 편안함을 가져다줬다.

내가 평생을 잠겨 있었던 힘이었다. 결핍된 것이 채워지듯 충만하다. 나는 깊이 숨을 들이마셨다. 너무 좋다. 간만에 찾은 월신의 성력을 음미하는 내게, 히스칼이 말했다.

"다신 순순히 이런 거 차지 마. 고약한 물건이니."

히스칼은 같은 신의 권속으로서, 강제로 성력을 차단하는 물건에 거부감을 느끼는 듯했다.

그 반질반질한 낯짝이, 여전히 내겐 그리 달갑지 않은 건 사실이나 나는 특정한 어떤 말을 해야 한다는 의무감을 느꼈다. 그건 도리였다.

"고마워."

그가 어떤 목적을 품었든, 내게 당장 급한 걸 해 줬으니 고맙다고는 말해야 하지 않겠어?

물론 마음은 뭔가 찝찌름하고 이게 아닌 것 같은 느낌이 대부분이었고 고마움은 한 2퍼센트 정도 되는 것 같다.

'당연히 고마워해야지' 정도로 대꾸할 줄 알았던 히스칼은 놀랍도록 말이 없었다. 무표정한 얼굴.

사실은 내게 힘을 돌려주는 게 싫었던 걸까. 고개를 갸웃거리던 난, 이윽고 그에게 물었다.

"너는 이제, 나를 미워하지 않는 것 같아. 원하는 걸 이뤄서 그런가?"

"아니, 반대야."

딱 자른 대답이 돌아왔다. 히스칼이 말을 이었다.

"너도, 성녀로 태어났기에 어쩔 수 없는 게 있다는 걸 알았거든."

그건 마치, 나를 이제껏 행복하고 모든 걸 가진 성녀로 봤다는 듯한 말이었다.

그래, 나더러 온실의 꽃이라고 했었지. 그런 건 환상에 불과하다고. 사람은 제각기 고민과 고난을 싸안고 있기 마련이다.

난 불만스레 눈썹을 치켜들었다. 그러고 보니 나도 한 가지 들은 게 있단 말이야.

그에게 해 줄 말이 내게도 남아 있었다. 이거라면 내 힘을 풀어준 데에 대한 보상이 될까. 참 애와 나도 주고받기를 제대로 한다.

"네가 전에 했던 말, 태양신께서 네게 침묵하신다고 했지."

나 역시도, 월신님과 대화를 나눈 지 오래되었지. 이건 예고라도 있었으니 나은 상황이겠지만.

"그래, 단 한 번도 내게."

답해 주지 않았지. 마치 벽을 보고 소리치는 것처럼, 히스칼의 표정이 차가워졌다. 방어적인 표정이다.

혼자서, 제게 강제된 삶을 견뎌 내야 했던 삶. 고독은 때로는 고문만큼이나 고통스러울지 모른다.

왜 내 주변에 비뚤어진 남자들은 이렇듯 외로운 걸까. 뭐 그렇다고 해서 히스칼을 꼭 안아 주고 싶을 만큼 안타까움을 느낀 건 아니었다. 그러기엔 우리 사이가 별로 살갑지 못하다.

"월신께서도 내게 응답해 주지 않으셔. 하지만 나는 그 이유를 알아. 나는 월신의 대리자. 그분께서는 내게 모든 결정을 맡기셨지."

"하고 싶은 말이 뭐야?"

히스칼이 무표정한 얼굴로 물었다. 장난을 좀 치고 싶었는데, 여기서 농담이라도 했다간 바로 목을 조를 듯한 기색이다. 나는 생긋 웃었다.

"태양신께서도 네게 모든 걸 맡기신 건 아닐지 생각해 본 적 없어?"

"내게, 모든 걸 맡겼다고?"

"너를 법황이 아니게 할 수 있는 건, 태양신뿐이시지. 그리고 그건 아마, 때와 장소를 가리지 않고 일어날 수 있는 일일 거야. 하지만 네가 칼리스인을 신성교국에 들이던 순간에도, 대사제들을 매달던 순간에도, 태양신께서는 그렇게 하지 않으셨지."

히스칼의 눈빛이 짙어진다. 테가 선명한 자줏빛 눈동자는, 보석같이 아름다웠지만 그답지 않은 동요를 싣고 있었다. 그 동요는, 일견 사나워 보이기도 했다.

그가 손을 뻗어 내 입을 틀어막으려고 할지 모른다는 생각이

들었다. 하지만 히스칼은 그렇게 하지 않았다.

"확실히 태양신께서는 네가 괴로웠던 순간에, 도와주시거나 친히 손길을 내밀어 주시진 않았지. 하지만 적어도 네 선택을 존중해 주신 건 아닐까. 그것이 어떤 길이라도."

파멸에 이를 수 있는 선택일지라도, 다만 지켜보기만 하는 것. 그게 어떻게 쉬울 수 있을까?

특히나 히스칼이 벌인 일은, 신성교국의 근간을 흔드는 일이다. 칼리스를 끌어들이고, 신성교국을 법황이 없는 나라로 만든다.

나는 신의 뜻에 대해서 잘 알지 못한다. 태양신이라면 더더욱 그렇다.

하지만 신께서 우리를 위함은 안다. 월신께서 나를 아끼시듯, 태양신께서도 히스칼을 아낄 거다. 그리고 거기엔 인간이 헤아릴 수 없는 높은 뜻이 있겠지.

하고 싶은 대로 하게끔 하는 것. 그것이 자신의 권속에게 줄 수 있는 가장 큰 믿음이 아닐까.

"너는 아마 죽을 때까지 법황이겠지. 그 후는 어떻게 될지 몰라. 하지만 적어도, 너는 자유를 얻었어. 태양신께서는 네 자유를 빼앗지 않을 거야. 그거면 조금, 위로가 되지 않을까."

가장 강한 힘을 가진 권속인 히스칼이, 제멋대로 살게 내버려두는 건 태양신의 입장에서도 모험이다.

성력의 총량은 한정되어 있고, 히스칼은 그중 높은 비율을 차지하는 권속이다.

히스칼이 살아가는 동안, 그 힘은 오로지 히스칼의 사욕을 위해서 사용된다. 그 자체가 태양신께는 손실이다.

하지만 그 손실을 감수하기로 했단 것, 그 자체로 무관심하지는 않았다고 말할 수 있지 않을까.

태양신께서도 의도한 바, 뜻하신 바가 있겠고 아지스가 말한 대로 히스칼의 뜻을 변화로써 받아들인 걸지도 몰라.

하지만 그럼에도 히스칼이 받았단 건 부인할 길이 없다. 비록 그가, 뜻하지 않은 삶을 살았다고 하더라도.

"네가 뭘 안다고 그런 말을 지껄여."

히스칼의 입이 열리고, 싸늘한 대꾸가 튀어나왔다. 하지만 그건 생각보다 공격적으로 들리진 않았다.

아마 내 말이, 그의 마음속 깊은 곳 어딘가를 흔들었던 것 같다.

"나는 성녀잖아. 네가 법황이듯, 내가 성녀이기에 알 수 있는 것도 있겠지."

솔직히 성력의 운용이라거나 원리에 대해선 히스칼과 내 지식이 비할 데 없이 차이 나는 것 같다. 인정한다.

하지만 내가 히스칼보단 성숙하고 여유로운 인격을 지녔다고도 생각한다. 이건 명백한 진실이라고!

"신성교국은 어떻게 잠재웠던 거야?"

내친김에 아무리 생각해 봐도 답을 찾지 못했던 의문을 풀 생각으로 묻자, 히스칼이 고개를 비딱하게 기울였다.

"아직도 답을 못 찾아냈어?"

"나는 성국에서 그렇게 할 수 없어."

히스칼이 낮게 웃었다.

"너는 그렇게 하려고 하지 않을 테니까. 나 역시도, 많은 연구를 거쳤지."

"그래서 어떻게 한 건데?"

히스칼이 날 보고 혀를 찼다. 공짜로 답을 얻어 가려는 열등생을 보는 듯한 눈빛에 난 무척 억울해졌다.

성국과 신성교국의 양 역사를 통틀어서도, 그런 걸 아는 사람은 없었을 거라고!

일련의 대화로 마음이 좀 누그러진 듯한 히스칼이 흔쾌히 입을 열었다.

"성력의 총량은 정해져 있지. 그리고 나는 태양신의 첫 번째 권속으로서 성력은 자유로이 이끌어 쓰고, 누군가에게 부여하거나 회수하는 것도 가능하지. 이건 너 역시 마찬가지일 텐데?"

"그렇지……."

"그러니, 단순하게 생각해 봐. 내가 만약 내가 신성교국 안에 존재하는 모든 태양신의 성력을, 한순간 모조리 내 안으로 가져올 수 있다면, 다른 이들은 성력을 쓸 수 없겠지. 그런 그들을 잠재우는 건, 간단한 일이고 말이야."

……별로 안 간단해 보이는데? 이론으로는 알긴 알겠는데, 할 능력을 가지고도 할 자신이 없는 나로선 좀 시무룩해지는 이야기였다.

"아, 그렇구나."

'이해 못 하고 있음'이라고 쓰여 있는 내 얼굴을 히스칼이 거만하게 바라봤다.

"하긴, 이제껏 나 혼자밖에 성공한 적 없는 일이니 네가 알 리가."

나를 무시하는 것보단 자신을 띄우는 쪽으로 방향을 정한 모양이다. 그건 내게 차라리 다행한 일이었다.

그보다…… 또 묻고 싶은 게 생겼는데. 나는 기억을 더듬어, 질문을 끄집어냈다.

"그런데 너 말이야, 부모님은 찾았어?"

"……아니."

그건 놀랄 일이네. 히스칼은 부모님과 생이별하고 법황으로 길러진 것에 상처를 받았다. 난 그가 신성교국을 벗어나자마자 부모님을 찾을 줄 알았다.

기억과 기록을 지웠다곤 하지만, 그가 대사제들을 고문한 데는 친부모의 행적을 찾아내려는 의도도 있었을 테니까.

의식이 흐려지면, 성력을 써서 비밀을 토설하게 할 수 있다. 충분히 가능한 일이었다.

그리고 역시, 그는 원하는 걸 알아냈던 모양이다. 히스칼은 냉담한 태도를 고수하며 말했다.

"어차피 내가 없는 삶을 살았던 이들이야. 새삼 내가 나타난다고 해 봤자, 반가워하지 않을지도 모르지. 태양신의 신도로서 법황으로서의 역할을 다하지 않은 나를 책망할 수도 있어."

"하지만 기억을 찾기만 한다면 너를 다시 만난 것에 대해서 기뻐하실 수도 있을 거야. 생각해 봐, 없는 줄 알았던 자식이 다시 돌아온 거잖아."

비록 법황 자리를 때려치우고 탈주한 녀석이지만, 어쨌든 잘생기고 훤칠하고 능력 있는 아들이 나타났는데 싫어하려나. 내가 부모라면 안 싫어할 것 같은데.

난 히스칼이 조금 부럽기도 했다. 나한텐 부모님이라고 하기도 뭣한 월신님뿐이지만, 그에겐 혈연으로 이어진 가족이 존재하는 거잖아. 어쩌면 동생이 있을지도 모르고.

"너답지 않게 나약하게 굴지 마. 어차피 할 일도 없잖아."

나는 슬쩍 비꼬았다. 힘을 가졌다뿐이지 목적을 달성한 히스칼은 백수건달 신세다. 솔직히 나를 찾아온 이유 중 일부는, 할일이 없어서였을 거라고 생각하거든.

히스칼이 코웃음 쳤다.

"생각보다 반응이 온화한데. 너라면 날 다시 보자마자 비난을 퍼부을 줄 알았어."

내가 그를 이해한 것과 별개로, 날 칼리스에 팔아넘긴 행위는 욕먹어 싸지. 뺨따귀를 후려쳐도 된다고.

난 이왕 일이 이렇게까지 흘러간 김에, 과거 일을 곱씹으며 분노를 표출하는 대신 조금 너그러운 태도를 보이기로 했다.

"너 같은 비뚤어진 청년도 포용하는 게 내 성녀다움이지."

허리에 손을 척 짚으며 말하자, 히스칼이 하 소리를 내며 웃었다. 한결 가벼워진 얼굴이다.

"그렇다면 한번 생각해 보는 게 어때?"

"뭘 한번 생각해 봐."

"아까 내가 말한 거. 법황과 성녀가 낳은 아이는, 어떤 힘을 가지고 태어날까. 궁금하지 않아?"

진하게 베어 무는 미소가 어쩐지 섬뜩했다. 난 소름이 인 팔뚝을 쓸며 반문했다.

"……난 별로 그런데 탐구심을 발휘하고 싶지 않은데?"

너와 아이를 갖다니. 무슨 끔찍한 소리를 하는 거야. 이건 성희롱이야 정신 공격이야? 내가 그의 진의가 뭔지 가늠하려고 애쓰고 있지 않았다면, 아마 손이 나갔을지도 모르겠다.

히스칼의 표정은 퍽 담백했다. 생김새도 성자 그 자체에 뭔지 모를 아우라까지 두르고 있어서, 사람을 헷갈리게 만들었다.

"저, 세상은 넓으니까. 굳이 나한테 이러지 않더라도 한 명쯤 너를 이해해 줄 만한 여자도 있을 거야."

나는 안쓰러운 듯이 말했다. 히스칼은 눈에 띄는 미형에 아마 신성교국에서 재물을 털어 왔을 테니 부자일 거고, 강하기까지 하다.

오는 사람 다 막는 여자도 상대가 히스칼이라면 가드를 내릴 것 같은데. 왜 하필 내게 집적거리는지 알 수 없는 노릇이다.

"난 평범한 사람이 아니야."

"그렇다고 해서 상대도 굳이 평범하지 않은 사람이 될 필요는 없잖아."

너랑 평범한 여자가 만나면 나누기 2가 되어서 좀 덜 특별해질 테지. 난 별로 너와 함께 별종 커플을 형성하고픈 생각은 없다고.

내 거절에 히스칼은 그다지 기분 상하지 않은 표정이었다.

"그렇게 나올 줄 알았어. 뭐, 내가 초래한 것도 있으니."

나를 꼬시고 싶었으면 처음부터 잘 해 줬어야지. 새삼 이런다고 해 봤자.

하지만 처음부터 잘 해 주지 않고도 내 마음을 끌어간 누군가가 있단 것도 부인하기 어려운 노릇이었다. 아델은, 도리어 내가 그를 바라볼 수밖에 없도록 했다. 그게 동정심이든, 뭐든.

화도 많이 냈지만, 나를 좀 많이 도와줬지. 부왕으로부터도 칼리스로부터도 나를 지켜 주려고 노력했고……. 잠깐 그를 욕한 게 미안해졌다.

히스칼이 저 먼 곳을 쳐다보듯 초점을 흐리며 눈을 찡그렸다.

"그가 오고 있군."

'그'가 누구인지 묻지 않아도 알 수 있었다. 카마엘. 꽤 오랜 시간, 대화하고 있었다. 돌아올 때도 되었지. 난 장난스레 물었다.

"인사나 하고 갈래?"

"사양하지. 그도 나를 반가워하지 않을 테니."

히스칼은 후드를 올려 빛나는 금발을 가렸다. 그리고 내게서 등을 돌렸다. 아무것도 하지 않은 양, 그대로 가 버릴 모양이다.

가 버릴? 나는 흠칫 놀랐다. 내가 히스칼이 떠나는 걸 아쉬워하고 있는 건가. 어째서? 의문스러운 일이었다. 별로 살가운 사이도 아닌데.

하지만 그래, 히스칼은 어느덧 내게 악우 같은 존재가 되어 버린 것 같다. 이 세상에서, 나와 같은 선에 선 유일한 존재. 태양신의 법황.

그가 법황이 아니길 택했더라도, 그는 죽는 날까지 태양신의 대리자일 거다.

우리 사이엔 그와 나만이 알고 공유할 수 있는, 뭔가가 있었다. 그것이 끈처럼 이어져, 연을 이루고 있었다.

"어디로 갈 거야? 부모님 찾으러?"

난 물었다. 몇 걸음 걸어가던 히스칼이 반쯤 고개를 돌려, 내게 곁눈질했다.

자줏빛 눈동자가 이채를 머금는다. 황혼이 비친 호수처럼 요요한 그 눈빛.

"언젠가는, 또다시 만나게 될 수 있겠지."

그건 내 묻지 않은 답. 나는 고개를 끄덕였다. 나는 '잘 가' 하고 입을 달싹였다. 내게 자리한 온갖 상념은 말끔해지고, 남은 건 오로지 기쁨인지 슬픔인지 허전함인지 모를 감정뿐.

나는 그렇게 히스칼을 떠나보냈다. 그리고 그가 떠나보낸 자리를 채우듯, 카마엘이 돌아왔다.

"어떻게 된 일입니까."

오두막 앞에 서 있는 나를 발견한 그가 급히 다가섰다. 이내 바닥에 깨진 팔찌의 자국을 발견하고 눈살을 찌푸린다. 거기엔 태양신의 잔재가 가루처럼 묻어나고 있었다.

난 담담히 말했다.

"성력을 되찾으셨군요."

"히스칼이 팔찌를 부숴 줬어."

여전히 침착한 카마엘을 난 빤히 바라보았다. 내내 고생해야 했던 내 성기사님.

여정 중에 꾀죄죄해진 나와는 달리, 그는 성국에 있을 때와 그리 달라진 게 없었다. 아마 어떤 고난 앞에서도 그는 그리 변함없겠지.

하지만 나는 그 짧은 시간, 수많은 풍파를 거친 기분이었다. 그래도, 이제는 가야 할 때다.

"카마엘, 이제 돌아가자."

나는 그를 향해서 손을 뻗었다. 아직 아무것도 끝나지 않았고, 나는 이제 고작 힘을 되찾았을 뿐이다.

우선은 성국으로 돌아가서……. 매듭을 지어야만 했다. 무엇을 어떻게 할지도 모르면서 난 단지 그렇게 결심했다.

*

국경을 빠져나오는 건, 놀랍도록 쉬웠다. 동틀 무렵, 병사들도 피곤함에 눈을 비빌 시간이었다.

카마엘이 국경에 배치된 왕속 특무단원과 멀리 떨어진, 방비가 가장 허술한 곳을 봐 뒀다. 우리는 줄을 서는 척하다가 그곳을 한순간에 돌파했다.

날아드는 화살은 내가 성력으로 방어했고, 어설프게 우릴 향하는 병장기는 카마엘이 쳐 냈다.

카마엘은 날 안은 채 날 듯이 달려서 검문소를 통과했다. 말은 버렸지만, 국경지대를 지났으니 이젠 마을에 들릴 수 있다.

칼리스의 병력은 우리를 오래 쫓지 못했다. 그 이상 가면 연합국의 영토다. 국경을 통제하란 명이 내렸단 건, 국경을 지키라는 뜻이었다.

나와 카마엘은 후드를 눌러쓰고 있었고, 그 때문에 우리의 신상을 정확히 유추하긴 어려웠을 터. 오래 쫓아서 국경의 경계를 흐트러뜨리기엔, 근거가 부족했다.

어차피 쫓아와도 못 잡았을 테지.

우리는 근처의 마을에서 말을 구해서, 바로 성국을 향하여 말을 달렸다. 아침나절부터 밤까지 달린 다음에야 비로소 안도하고 마을에 들어서서 쉴 수 있었다.

"뭐랄까, 집 떠나면 고생인 것 같아."

카마엘과 여관에 들어서서 방을 잡은 난 투덜거렸다. 어서 성국으로 돌아가 따뜻한 물에 몸을 녹이고 싶은 기분이다.

말을 타고 달린 엉덩이도 욱신거리고 하도 서늘한 날씨에 야영을 했더니, 몸에 풍이 드는 것 같다.

"그래도 오랜만에 침대에서 잘 수 있어서 너무 좋은걸."

활짝 웃는 내게 카마엘이 대꾸했다.

"오늘은 이만 쉬시지요. 저는 성국으로 연락을 넣겠습니다."

"그래, 모두가 걱정하고 있을 테니."

아무리 신탁이라는 이유가 있었다지만, 독단으로 칼리스로 가겠단 결정을 내렸다. 포로로 사로잡혔던 아리안느도 그렇거니와 유독 걱정이 많은 에이레네는, 과연 잠은 제대로 자고 있을지 모르겠다.

나는 내 대사제들이 자책하길 원치 않았지만, 어쩔 수 없는 상황이었다. 어서 돌아가서 내가 무사하단 걸 보여 주고 안도하게 하는 수밖에.

방을 꼼꼼히 점검한 카마엘이 문을 굳게 닫고 내려갔다. 여관의 전서구를 빌리기로 한 모양이다.

그를 보내고 나니, 잠이 솔솔 몰려왔다. 성력을 되찾았다지만, 그간 꽤나 체력이 갉아 먹혔던 터라 이 잠으로 보충할 수밖에 없는 것 같다.

그날 밤, 나는 오랜만에 곤히 잠들었다. 불편한 잠자리에서 몸을 뒤척이는 게 아니라, 그럭저럭 푹신한 침대에 몸을 묻은 채로.

하지만 달게만 느껴졌던 꿈은, 무의식으로 점점 깊게 빨려 들어가면서 점점 어둡고 스산하게 변모했다.

검은 안갯속에 잠기듯, 불길한 기분이 얼룩졌다. 나는 어둠 속을 헤매고 있었다.

어렴풋이 이건 꿈이라는 건 깨닫고 있었던 것 같다. 하지만 꿈이라면 이건, 분명히 의미 있는 꿈이리라. 의미라면 무언가의 예언.

불현듯, 어둠 속을 헤집던 내 시야에 뭔가가 들어왔다. 익숙한 뒷모습. 난 입을 벌려 그의 이름을 불렀다.

'아델!'

그러나 정작 귀에 들리는 소리는 없었다. 혀끝을 타고 흘러나오려던 목소리가 허공으로 먹혀들어 갔다.

불길한 그림자만을 길게 드리우던 그가 천천히 내 쪽으로 돌아섰다. 눈처럼 하얘진 차가운 얼굴이었다. 얼음을 깎아 만든 듯이 무표정한. 심지어, 그대로 얼어붙은 듯한.

'아델.'

나는 나오지 않는 목소리를 내려 입을 달싹이며 그에게 다가섰다.

아델은 나를 보고 있지 않았다. 그는 저 먼 허공을 지켜보고 있었다. 시체처럼 생기 없는 모습.

나는 그에게 손을 뻗었다. 손에 닿는 피부가 차디찼다. 내 손에 담긴 미온이 그를 데워 버릴 것처럼.

유리구슬처럼 새파란 눈동자. 나는 그것을 가만히 들여다보았다. 너는 지금, 어떤 상태인 거니. 이 꿈이 내게 말하고자 하는 바가 뭐지?

다음 순간, 아델의 동공이 커졌다. 그가 무너지듯 바닥으로 무릎을 꿇었다.

나는 급히 주저앉아 그를 살폈다. 손끝에서부터, 자라 올라 검게 번지며 침투하는 어떤 강력한 힘.

그 뒤틀리고 이질적인 힘이 금세 그를 휘어 감고, 뒤덮기 시작했다. 덩굴이 타고 올라 건물을 잠식하는 듯한 광경. 무표정한 얼굴에 고통이 떠올랐다.

잔뜩 힘을 주어 견뎌 내는 양팔이며 손에 핏줄이 돋아났다. 부들거리는 손으로 아델이 땅을 긁었다. 얼마만 한 고통이기에.

고통이 전이되는 듯 나조차도 괴로워졌다. 놀라고 안타까워 나는 팔을 벌려 아델을 끌어안았다. 그가 고통을 조금이라도 덜 길 바라면서.

아델이 입을 벌려 신음했다. 소리는 들리지 않았지만, 나는 그의 입술 모양을 읽을 수 있었다.

─에스델.

나를…… 부르고 있어? 어딘지 저 멀리서 메아리치듯 나를 부르는 소리가 들리는 듯하여, 난 몸을 떨었다.

아델의 고개가 들렸다. 우연일 뿐일까. 내 존재를 인식조차 하지 못하는 듯했던 그가 나를 쳐다보고 있었다.

새파란 눈동자가 창광을 품고 나를 직시한다. 지독히도 가까웠다. 그가 입술을 달싹였다.

─에스델.

다음 순간, 나는, 화들짝 놀라 눈을 떴다. 온몸이 식은땀으로 젖어 있었다. 고통받은 것은, 아델이 아니라 나였던 걸까?

내가 꿈에서 본 광경의 의미는, 아델이 저주로 고통받고 있다는 것. 그리고 그 증상을 보건대, 진행 속도가 빠른 듯하다. 견디기 쉬워 보이지 않았다.

아델은 아마, 그의 부친처럼 미쳐 가고 있으리라. 그 와중에도 그는 나를 찾고 있었다. 칼리스를 떠나 버린 나를. 그를 놔두고, 도망쳐 버린 나를.

"카마엘."

나는 그의 이름을 불렀다. 문이 열리고, 내 방문을 지키던 카마엘이 안으로 들어왔다. 나는 그에게 뭔가를 말하고 싶었다. 해서는 안 될 말이라는 걸 알면서도.

"난, 나는……."

아델을 내버려 둘 수가 없어. 내가 아델에게 가진 감정이 정확히 어떤 감정인지는 모른다. 열정적인 사랑이라기엔 친숙하고, 뜨겁다기엔 온화하다.

나는 항상 그가 가여웠다. 조그마한 어린애였을 때부터, 지금까지도 한결같이.

동정심이 때로 사랑보다 강할 수 있단 걸 안다. 하지만 동정심으로 사랑을 부인할 수는 없는 거다. 둘 모두가 내 안에 있었고, 둘 모두가 내 것이었다.

카마엘은 내가 차마 하지 못하는 말을 알아들은 모양이었다. 나를 구하러 와 준 그에게, 어떻게 칼리스로 가겠다고 말할 수 있겠어?

그가 차분하게 입을 열었다.

"우선, 성국으로 돌아가십시오."

"카마엘."

그 사이에 저주가 아델을 잠식하기라도 하면, 어떡하지? 내가 영영 아델을 잃는다면 어떻게 하지? 그건, 무엇으로도 되돌릴 수 없는데.

나는 쫓기는 듯이 초조한 기분으로 이불을 움켜쥐었다.

"성국에 있는 이들을 생각해 주십시오. 기다리고 있는 사람들이 많습니다."

그러다 내가 늦어 버리면 어떡하지?

"돌아가 생각해 보시고 다시 떠나고자 하신다면, 그때 뜻대로 하십시오."

카마엘은 그답지 않게, 확고한 투로 말했다. 그는 대개 결정을 내게 미루어 놓았지만, 이번에는 그가 결정을 내렸다.

하지만 내가 성녀이기에, 카마엘은 그의 결정을 내게 조금 더 단호하게 말할 뿐이었다.

울 것 같은 기분이 들었다. 조금 후에야 나는 고개를 끄덕이며 말할 수 있었다.

"그럴게."

성녀로서 살아온 나 자신과 이성이, 치미는 감정으로부터 나를 붙들고 있었으므로.

내가 그 이후로 다시 잠을 이루지 못했기에, 우리는 서둘러 성국으로 돌아가기로 했다.

새벽부터 말을 타고 달려서, 아침이 밝아올 무렵이 되자 내 마음도 한층 안정되어 있었다. 그러니까, 조금 더 생각을 해 보고 마음을 다졌단 이야기다.

아델이 그의 외조부와 대치하고 있는데 내가 섣불리 아델에게 돌아갈 순 없었다. 그건 블라스페미아 공에게 명분을 주는 일이다. 성녀를 끌어들였다는 명분.

그는 아델에게 칼리스의 왕족이라면 응당 성녀를 처치하고 성국을 공략해야 하지 않느냐고 주장할 수 있었다.

그러니 내가 돌아가는 쪽이 아델에겐 해였다. 나를 붙잡아둔 건 아델의 입장에서 다분히 위험성 높은 일이니까.

내가 아델에게 돌아가서 뭘 어떻게 하든지 간에 그건 적어도 그가 외조부와의 싸움을 일단락 지은 후여야 했다.

홀로 고통받을 그를 생각하면 마음이 무거워지는 일이지만, 아델이 감수해야 할 일이기도 했다.

지난 9년의 세월 동안 나는 칼리스에서 그가 어떤 삶을 살건 외면해 왔었다. 냉정할지라도 새로운 방식은 아니다.

그러게 내가 망명하랄 때 망명하지. 이건 전적으로 아델이 자초한 거다.

내가 없었을 때도 꾸역꾸역 잘 살았으니, 내가 있다가 없더라도 잘 살겠지. 잘 못살더라도 어쩔 수 없다. 살아만 있다면.

크게 걱정은 되지 않았다. 아델은 강하고, 나는 그런 아델을 믿는다. 아델처럼 성질 고약한 녀석의 목숨줄은 잡초처럼 질겨서 쉽게 끊어질 것 같지 않기도 하고.

아지스, 그자도……. 어렴풋이, 그 수상쩍은 남자가 누구인지 알 것 같은 기분이 든다. 아델을 잘 보필하겠지. 그의 입으로, 그가 아델을 선택했다고 했으니까.

아델에게는 아델의 과제가 있고, 내게는 나만의 과제가 있었다.

함께 걸어가는 길. 내가 쉽게 놔 버렸던 그것. 칼리스에서의 난 그걸 다시 생각해 보게 되었고, 아델은 나를 설득하는 데 성공했다.

골치 아프다고, 어렵다고, 반발을 무릅써야 한다고, 성녀답지 않은 일이라고……. 나는 더 이상 그런 변명들을 구실로 도망치지 않기로 했다.

＊

"성녀님!"

카마엘이 보낸 전갈을 받았는지, 우리는 순탄히 약속된 지점에서 성국에서 온 일행과 합류할 수 있었다.

익숙한 얼굴들이 우리를 맞았다. 초조한 안색의 아리안느. 그리고 부쩍 야위어진 에이레네.

두 명의 대사제가 사제들과 성기사들을 거느리고 날 맞이하기 위해서 파견되었던 것이다.

"에이레네!"

"무사하셨군요."

에이레네가 성국을 떠나는 건 드문 일이다. 나는 나를 와락 끌어안는 에이레네의 격한 몸짓에 좀 놀랐다. 에이레네는 대개의 상황에서 감정을 잘 드러내지 않는 편이었다.

대사제답게 늘 차분하고 조용조용한 그녀는 날 보면 눈시울을 붉혔다. 신께서 나를 낳으시고 대충 잘 자라도록 제 권속들에게 맡겨 놓았다면 실제로 날 먹이고 입히고 기른 건 그녀다.

나도 왠지 눈시울이 시큰했다.

"어디 다치거나, 힘드신 일은 없었나요?"

"으응, 나는 괜찮아. 걱정 많이 했지?"

내 결정이 잘못되었던 거라고 생각하진 않지만, 괜스레 미안해졌다. 에이레네의 품은 놀랍도록 평온했다. 이제야 내 자리로 돌아온 듯이.

"성녀님이 칼리스로 가신 이후로, 에이레네는 잠을 제대로 이루지 못했어요. 매일같이 카마엘 님이 소식을 전해 오길 기다렸죠."

아리안느가 시선을 피하며 기죽은 듯이 말했다. 그녀답지 않다. 나는 생긋 웃었다.

"그래? 나는 잘 지냈는걸. 칼리스라고 해서 성녀를 고문하진 않아."

"제 잘못이에요."

"아니야. 카마엘에게 들었잖아? 나는 신탁에 따랐을 뿐이야. 그리고 그걸, 아리안느의 잘못이라고 말할 수는 없어. 그 누구도."

누가 갔더라도 사로잡히지 않을 순 없었을 테니까. 카마엘이라면 달랐으려나. 하지만 성국의 병력이 사로잡히는 건 마찬가지다. 나는 결국 거기로 갔어야만 했을 테지.

"그 무도한 자들이 감히 성녀님을—"

말을 잇지 못하고, 에이레네가 입을 달싹였다. 아마 에이레네가 조금 덜 대사제답고 입이 걸었다면 온갖 욕설을 퍼부었을 거다.

그것이 나를 씁쓸하게 했다. 그 비난의 대상에서 아델이 빠질 수 없단 걸 알고 있었으므로.

"카마엘 님, 고생 많으셨어요. 정말로, 성녀님을 구해 내셨군요."

날 놓아준 에이레네가 경외의 눈길로 그에게 다가섰다. 손이라도 붙잡고 감사하고픈 표정이었다.

카마엘이 굉장하긴 하지. 내가 있는 곳을 대체 어떻게 찾아냈는지 모르겠다. 그는 요정이니 나를 감지할 만한 특별한 능력이라도 가지고 있는 걸까.

"제 소임을 다한 것뿐입니다."

카마엘은 어디까지나 차분하기 그지없었다. 단신으로 칼리스에 잠입하여 나를 구해 오는 대단한 공적을 세웠다. 조금쯤 내세워도 좋을 만한데 그는 항상 그랬다.

그는 이후로 자연스럽게 흘러나온 질문에서도 답을 회피하거나 침묵을 지켰다. 내가 곤란해질 만한 말을 할 수 있다고 생각한 걸까.

나는 점점 더 마음이 무거워졌다.

내겐, 그들에게 할 말이 있었다. 그리고 그건 분명히, 이들이 바라지 않을 말.

아리안느가 성기사들에게 손짓하며 말했다.

"자초지종은 나중에 듣고, 우선 성국으로 가시지요."

"그래요, 그간의 이야기는 모두가 있는 자리에서 해도 좋을 거예요. 두 분 모두에게 휴식이 필요할 테니까."

에이레네가 동의하자마자 나는 바로 마차로 안내되었다.

성국으로 돌아가는 내내, 에이레네는 잃었던 새끼를 찾은 어미처럼 내 곁을 지켰다.

다행히 칼리스에선 우리를 쫓지 않았다. 성국에서 상당한 인원이 파견되었으니, 눈치는 챘을 거다.

아델도 내가 성국으로 돌아갔단 걸 알겠지. 그것이 그에게 어떤 기분을 불러일으킬지는 상상하기 어려웠다. 내가 할 수 있는건, 아델의 승리를 기원하는 것.

빠르게 달리던 마차 창문 너머로, 익숙한 풍경이 보였다.

하얗게 드리운 성국의 성벽. 평생을 자라온 땅이었다. 가까워질수록 빈 우물에 다시금 물이 차오르듯 충만해진다. 모든 것이 들어맞는 듯이 안온하다. 드디어 제자리로 돌아온 것처럼.

그러나 나는…….

나는 깊게 눈을 내리감았다. 그리고 짧은 포로 생활을 끝내고 성국으로 되돌아갔다.

외전

히스칼 예레스

"법황이 신성교국을 배신한 이유가 뭡니까."

고요한 긴장감이 잠식한 성내. 건국된 이후로 단 한 번도 이 같은 침묵에 잠겨 본 적 없는 신성교국에서 아지스가 꺼낸 질문 이었다.

제 손으로, 펜던트를 내밀어 자신이 칼리스의 혈통이란 걸 입 증하고 다년간 우호 표시를 해 왔던 법황. 그에게서 얻은 정보 와 협력으로 칼리스는 신성교국을 정복했다.

만약, 법황인 그가 협조하지 않았다면 시도하지 않았을 일이 다. 칼리스의 우선순위는 성국. 신성교국은 껄끄러운 적이나, 당장 직면한 적이 아니기도 하다.

서늘한 자줏빛 눈동자가 아지스를 응시한다. 무표정한 얼굴 에서 느껴지는 온도가 낮았다.

실낱같은 미소를 머금고 친절한 척 상대를 멸시하는 법황이 었건만, 이토록 냉기를 드러낸 모습이 좀 색달랐다.

하긴 이 신성교국 전체의 성력을 통제한다는 게, 말처럼 쉬운 일은 아니리라.

"이유를 알아서 뭐 하게. 나는 충분히 내 의도에 대해서 입증했다고 보는데?"

야파에서 그가 적극적으로 칼리스를 상대로 싸웠다면 칼리스는 큰 타격을 입었을지 모른다. 야파를 점령하는 것도 요원했으리라.

그리고 성녀를 성국 밖으로 끌어낸 게 두 번. 이번이 두 번째다.

성녀가 이곳, 신성교국으로 오고 있단 소식이 조금 전 전해졌다.

법황은 자신이 칼리스에게 협조할 마음이 있단 것을 명백한 방식으로 증명해 보였다. 혹여 함정이 아닌지 의심할 수 없게끔.

그는 법황이다. 신성교국 만인의 위에 선 자다. 누군가가 가지고 싶다고 한들 태양신의 선택을 받지 못하는 한 능력이 있어도 가질 수 없는 자리.

배신의 이유는 대개 권력과 부를 탐하는 마음이지, 그것을 내던지고 싶은 마음이 아니다.

그런데 법황은 정반대의 선택을 했다. 누구도 법황이 그럴 수 있을 거라 생각하지 못한 선택을.

신성교국이야말로 변수 없는 통제를 추구하는 국가. 이 이변은, 법황이 칼리스인의 혈통을 물려받았기 때문인가. 아지스는 의문을 드러내며 눈을 빛냈다.

　"개인적인 호기심이라고 해 두지요."

　"자유를 원해서."

　뚝 떨어지는 대답은 간명하다. 다른 이유는 한 치도 존재하지 않는다는 듯이. 그러나 그 대답엔 수많은 함의가 있다.

　가슴 속 깊이 웅어리진 덩어리가 느껴진다. 그것에 붙일 이름은 달리 없다. 목이 욱신거릴 만치 뜨겁고 그 열기가 뱃속을 끓게 한다.

　기나긴 세월, 증오와 인내로 응축해 왔던 것이다. 언젠가 그것을 터뜨릴 때, 히스칼은 신성교국을 향한 비수를 꽂으리라 생각했다.

　그를 십수 년 동안이나 짓눌러 온 이 지긋지긋한 운명과 신을 향하여.

　'엄마, 아빠! 엄마……!'

　'이제는 만나실 수 없습니다.'

　'잊으십시오.'

　기대에 차, 신성교국을 방문했던 어린 시절을 기억한다. 고작 여섯 살의 기억이다. 그 나이의 기억은 강렬한 충격일 때야 비로소 온전하게 남는다.

　이제 얼굴도 이름도 기억나지 않는 부모님은 어린 그를 신성교국의 대사제 앞에 내밀었다. 노쇠하여 지금은 생을 다한, 상행의 인연으로 운 좋게 알게 된 대사제였다.

고귀한 대사제의 축복 속에 세례를 받게 한다는 기쁨에 젖어서 그의 머리를 쓰다듬던 손길을 기억한다.

그러나 대사제의 찬란하게 빛나는 손이 히스칼의 이마에 와 닿았을 때.

'이 아이는……!'

재앙이 도래했다.

'이 아이가 다음 대 법황이오!'

그 선언에, 부모님이 기뻐했는지 슬퍼했는지는 알 수 없다.

세간에서는 지상에서 가장 고귀한 운명이라고 말해지는 것. 평생 굶주릴 일 없이, 누군가에게 짓밟힐 일 없이 저 높은 곳에서 우러러지며 사는 것.

법황이란 건 그런 자리였다.

평민에 불과하던 부모님이 결코 그에게 줄 수 없는 삶. 그들에게 선택의 여지가 있건, 없건 간에 히스칼의 기회를 빼앗을 수 없었으리라.

그리하여 히스칼이 바라지 않는 선택을 했다. 할 수밖에 없었다.

히스칼의 부모님은 신성교국에 히스칼을 두고 떠났다. 그라는 자식을 두었다는 기억조차 지워진 채로. 다시 만난다고 한들, 그들은 히스칼을 알아보지 못하리라.

여섯 살의 어린 나이에 부모와 떨어져 살아가는 걸 감수할 만큼 누구나 바랄 자리. 영광으로 알아야 한다고, 누군가 주장한다면.

히스칼은 세 치 혀를 함부로 놀린 죄로, 그자의 머리를 몸에서 분리해 주었을 것이다.

찬란한 빛이 내리비치는 이 아름다운 신전, 고급스러운 의복, 훌륭한 진미, 원하는 것은 모두 가질 수 있는 지위. 그러나 이 창살 없는 감옥 속에서 평생을 살아가야 하는데.

정말로 법황이라는 게 그렇게 좋은 것이냐면, 히스칼의 대답은 간단했다.

'개나 가지라지.'

법황이라며 선망하는 눈초리를 볼 때면 그 눈을 뽑아 버리고 싶었다. 자신의 출신을 알고 경멸을 드러냈던 대사제들과 마찬가지로.

차기 법황이 되자마자 땅과 들에서 마음껏 뛰놀며 어린 시절을 보낸 히스칼의 발엔 족쇄가 차였다. 보이지 않는 족쇄가.

그는 고귀한 자의 운명에 자신을 끼워 맞춰야 했다. 조금의 엇나감도 없이. 어린애다운 실수나 투정은 전혀 용납되지 않았다.

그는 혼자였고, 신성교국에 그의 편 따위는 없었다. 만약 그의 혈통이 순수한 신성교국의 것이었다면 이야기가 좀 달랐을지도 모르겠다.

'하필 칼리스인의 자식이라니.'

'불길해. 어째서 태양신께선 저런 아이를 법황으로 선정하셨을까요.'

'성국에서는 신께서 친히 성녀를 내리셨다는데.'

'어쩔 수 있나. 법황이 되실 몸, 제대로 교육해야지. 안 그러면 큰일 날 거야.'

'철저하게 교육하여 칼리스의 거칠고 사나운 성질을 빼내야겠어.'

법황은 어린 나이에 선정되어 법황으로서 교육받는다. 이제껏 차기 법황으로 선택받은 자들은 거의 신성교국 태생으로 사제로서의 철저한 교육을 받아 온 자들이었다.

그런데 칼리스의 핏줄이라니. 날 때부터 그의 얼굴에 낙인이 찍혀 있는 것 같았다.

그를 앞에 두고 예를 갖추면서도 싸늘하디싸늘하던 대사제들의 그 눈길.

그들은 법황으로 유력한 자들이었으나 법황이 되지 못한 자들. 누구보다 자격이 충만한 그들 앞에 자격을 갖추지 못한 아이가 법황이 될 운명으로 놓였다.

그러나 태양신이 정한 차기 법황. 받아들이지 않을 수는 없었으리라. 그는 반드시 법황이 되어야만 하는 존재였다. 신께서 그리 정했기에.

'똑바로 서십시오. 자세를 반듯이 하셔야 합니다.'

'아직 글도 모르다니. 정말 난감한 일이로군요.'

'이 부분을 숙지하지 못하면 오늘 밤은 주무실 수 없습니다.'

호사를 누릴 새도 없었다. 갑자기 쏟아진 교육들은 그에게 버거웠고, 대사제들은 그를 머리부터 발끝까지 뜯어고치려고 했다.

작별의 인사조차 하지 못하고 부모와 떨어져 제게 호의적이지 않은 사람들에게 둘러싸인 어린 히스칼은 잔뜩 겁을 먹었다.

'엄마, 아빠!'

부모를 찾으며 발작하는 그에게 가차 없이 떨어지던 매질을 기억한다. 가느다란 나뭇가지로 빨갛게 혈선이 남을 때까지 종아리며 허벅지를 때렸다.

상처는 아픔만 남기고 성력에 의해 깨끗하게 나았다. 춥고 깜깜한 방에 홀로 갇히기도 했다. 고작 여섯 살 때부터 떨고 굶주리고 아파하며, 홀로……. 미치지 않은 게 용한 일이었으리라.

처음에는 애원하며 사정했고, 나중에는 부모님이 자신을 잊었다는 사실을 알고 체념했다.

히스칼은 전신을 후려치는 바람을 맞으며 낭떠러지 끝에 있었다. 그가 스스로 목숨을 끊기를 바랐는지도 모르겠다. 그들은 차기 법황을 살해할 수는 없지만, 그 스스로 목숨을 끊는다면 이야기가 다르니까.

어떤 협상도 논의도 불필요했다. 살아서는, 이 운명에서 벗어날 수 없는 것이다.

히스칼은 기도했다. 수도 없이. 유일하게 그의 편인, 그를 차기 법황으로 있게 한 태양신께.

이 고통에서 나를 구원해 달라고. 나를 괴롭히는 저들을 혼내 달라고. 그도 안 된다면 법황 같은 거 하고 싶지 않으니 부모님 곁으로 돌려보내 달라고.

그러나 허공에다가 대고 외치듯 돌아오는 것은 없었다. 그는 단 한 번도 그의 신을 영접하지 못했다. 마치 애초에 법황인 그를 보살펴야 할 신이란 존재하지 않는 것처럼.

명백한 사실은, 태양신은 그를 법황으로 선택했으나 그 이후에 대해선 관여하지 않는다는 거였다.

법황이란 피할 수 없는 낙인을 찍곤 그대로 침묵을 지켰다. 이 신성교국 안에서 히스칼에게 벌어지고 있는 일에 대해서, 모를 리 없을 텐데도.

태양신이나 되는 대단한 존재이면서도. 그것이 그를 괴롭히는 저들과 무엇이 다른가.

그를 둘러싼 것들에 대한 원망은, 곧 신에 대한 분노로 화했고 이어 신성교국에 대한 증오로 화했다.

아이러니하게도 그 증오가 그를 견디게 했다. 살아남고, 자라서 그 이후에 그가 받았던 이 모든 것을 돌려주리라. 그 마음 하나로 그는 아득바득 그들의 구미에 맞추어 법황이 되어갔다.

자유롭게 자라난 아이의 몸에 예의가 배고, 자세가 곧아지고 품위가 생겼다. 그가 자비로운 미소를 그려 낼 수 있게 되고, 성력을 사용할 수 있게 되기까지.

그는 자신을 죽이고, 히스칼이란 이름도 죽이며 법황이 되어갔다.

히스칼이 성력을 쓸 수 있게 되면서 차츰 그의 몸에 손대는 일은 없어졌다.

그는 법황이 되었다. 그러나 대사제들은 그에게 미심쩍은 시선을 거두지 않았다. 애초에 그 태생이, 칼리스인인 것을.

하지만 조금 더 자유가 생겼다. 나아진 삶에도 히스칼은 잊지 않았다. 자신이 겪어야 했던 모든 일들을. 그리고 언젠가 그것을 갚아 주겠다는 다짐도.

그리고 찾아야 하는 것이 있었다. 이제는 이름도 얼굴도 기억나지 않는 부모님. 그들을 찾으려면 대사제들의 입을 열어야 했다.

대사제들은 신성을 통해 하나로 연결되어 있다. 한 명이라도 놓치면, 그들은 히스칼의 부모를 찾아내 볼모로 내세울 것이다.

히스칼에게 노골적인 협박을 할 만큼 저열한 자들은 아니었다. 하지만 그들은 때때로 묘한 뉘앙스로 히스칼의 부모님을 거론했다.

'떠나간 부모님도 히스칼 님이 훌륭한 법황이 되시길 바랄 겁니다.'

'잘 살고 계십니다. 히스칼 님의 무사 안녕을 바라면서요.'

히스칼은 만약 자신이 반항을 계속했다면, 그들이 끝끝내 떠나간 부모님을 잡아 인질로 들이밀었을 거란 사실을 알았다. 꼭 두각시 법황이 되든지, 아니면 제대로 된 법황이 되든지.

분노에 몸을 떤다고 한들, 수천 년을 내려온 이 족쇄는 신의 이름을 가졌다. 뿌리치려면 그만한 준비가 필요했다.

성력을 자유자재로 쓸 수 있게 되었을 때, 그가 즉시 신성교국을 떠나지 못한 까닭은 그것이었다.

그가 아무리 법황이라고 해도 대사제들을 모두 상대할 수는 없다. 견고한 세계를 부수는 데는 정교한 계획이 필요했다.

그러나 누가? 누가 신성교국을 맞상대로 그를 도울 수 있단 말인가.

퍼뜩 히스칼은 자신의 혈통을 떠올렸다. 칼리스를 끌어들이면, 그는 강력한 조력자를 얻게 된다.

선택을 망설일 이유가 있던가. 이대로 평생 자신의 삶에 순응하며, 법황으로 살아가는 것은 스스로 용납할 수 없었으니. 그는 이 새장을 부술 생각이었다.

하지만 어떻게? 신성교국에 머물러 있는 그가 무슨 수로 칼리스와 접촉할 수 있지? 칼리스에서 법황인 그를 어떻게 믿고 협력할까.

기회는 찾아왔다. 야파 왕국으로 떠나면서 그는 이것이 칼리스의 음모일 가능성이 높다는 걸 진작부터 눈치챘다. 신성이 가져다준 예지.

그렇기에 침묵했다. 이번이 그에게 주어진 처음이자 마지막 기회일지도 모른다는 것을 알아차렸으므로.

그가 야파 왕국으로 떠나도록 허락받을 수 있었던 것은, 그의 탁월한 성력 덕분이었다. 법황인 그가 자리한다면 대사제들 역시도 더욱 안전할 수 있다.

법황의 안전을 고려한 게 아닌, 정반대의 결정. 또다시 부모님에 대한 거론을 들으며 웃음만 났다.

떠나기 전 그는 한 가지 사실을 알게 되었다.

'아마도 성국에서는 성녀가 참석할 겁니다.'

성녀, 에스델 세라피아. 그와는 달리 월신이 직접 내렸다는, 인간의 몸에서 나지 않는 축복받은 성녀. 월신의 은총.

그 이름을 듣는 순간 뱃속에서 뭔가가 끓었다. 그와는 태생도 상황도 다를, 그와 같은 고뇌와 고통을 한 번도 겪어 보지 못했을 존재.

막연히 알고만 있던 성녀의 존재가 뚜렷하게 다가오자 사나운 적개심이 일었다.

만약 성녀가 야파로 온다면 그는 두 눈으로 똑똑히 확인할 것이다.

그리고 성녀는 우습게도, 전혀 그의 상상 속의 모습과 일치하지 않았다.

기품이라곤 전혀 찾아볼 수 없는 어린 소녀. 현숙한 눈빛, 자애로운 미소, 우아한 태. 하나도 엿볼 수 없는 그저 사랑받고 자란 소녀.

활달한 금빛 눈동자에선 행복감이 묻어났다. 월신이 내린 둘도 없는 보물로서 소중히 여겨지며 자라났으리라.

속에서 뒤틀림이 일었다. 그녀는 성녀임에도, 이 빌어먹을 운명에 붙들린 이후 그가 놓치고 포기해야 했던 모든 것을 간직하고 있었다.

성녀로서 태어나 성녀로서 살아간다. 그 명제에 단 한 번도 의심을 품지 않았을 고이 자란 온실 속의 꽃.

제멋대로 군다고 한들 그처럼 혹독한 대우를 감당하진 않았겠지.

그래서 히스칼은 성녀가 싫었다. 저를 보는 반짝이는 눈동자도 또랑또랑한 목소리도 다 싫었다.

만들어진 운명에 저항하는 자신과 달리 만들어진 운명 그대로 행복하단 듯이 살아가는 그것이 참을 수 없이 싫었다.

'넌 배배 꼬였고 못됐고 음흉해! 그렇게 살았다간 평생 불행할 거야. 아무도 네 곁에 남아 있지 않을 거라고!'

자신을 향해 비난을 내뱉으며 조잘거리는 입에 분노가 치솟았다. 정신을 차려 보니, 그녀의 목을 움켜쥐고 있었다.

'네가 뭘 안다고, 감히 내게.'

온실의 꽃에게서 이해받길 바라는 건 요원한 일이다. 성녀로선 절대로 법황이 아니고자 하는, 신성교국에 복수하고자 하는 그의 마음을 이해하지 못할 것이다.

그러나 그 눈빛이, 법황이 아닌 히스칼 예레스를 보고 있다고 느껴지자 그는 알 수 없어졌다.

그의 손으로 부서뜨리고 싶으면서도, 현혹된 듯이 그대로 온전하길 바랐다.

진솔하고 동등한 그 눈빛. 이 세상 유일하게 그라는 존재를 똑바로 쳐다볼 수 있는 사람이 있다면, 어쩌면 그것이 성녀일 거라는 걸 깨달았다.

인간은 신성한 존재에게 이끌리는 법. 그는 자신의 막연하게 달라진 마음이 그녀가 성녀이기 때문이라고 생각했다.

법황이기에 신성교국에 묶였으면서, 성녀이기에 끌린다고? 그 또한 역겨운 일. 분노와 끌림이 한곳에서 뒤엉켰다.

야파의 회담장에서 나선 것은 필요한 일이었으나, 그 뒤엉킨 감정에 휘말린 것이기도 했다.

'정신 차려.'

히스칼은 이성에 따라야 했다. 그에겐 목적이 있었다. 그의 따로 노는 감정은 분리해야만 했다.

칼리스에서 원하는 것은 성녀고, 신성교국은 성녀와 한 편에 서 있다. 아군이기에 할 수 있는 것이 있다.

히스칼은 그녀를 이용해야만 했다. 그가 원하는 것을 얻기 위하여.

칼리스에서는 귀환하는 그에게 은밀한 방식으로 접근해 왔다. 서신을 나눌 경로를 알게 되고, 믿음을 사기 위해 노력했다.

야파 왕국에서의 모호한 행동은 성녀에 대한 반감으로 설명되었다. 반대의 신성을 향한 반감은 때때로 법황들이 느껴 왔던 것이다.

그의 신성은 나날이 강해졌고, 히스칼은 나날이 법황다워져 갔다. 드디어 대사제들의 눈을 속여, 그가 진정한 법황이 되었다고 착각하게 할 수 있을 만큼.

대사제들의 믿음은 당연한 것이다. 만약 히스칼이 신성교국에 복수하려는 걸 안다면, 태양신이 그를 내버려 둘 리 없다고 생각할 테니까.

법황은 태양신의 가장 가까운 권속. 그 행동과 내면의 분노는 그의 신께 고스란히 전해진다.

하지만 태양신은 히스칼을 돌보지 않았던 것과 마찬가지로 히스칼의 힘을 앗아가거나 그를 제지하지도 않았다.

히스칼은 침묵하는 태양신을 의심하면서도 안도했다.

아무것도 하지 않을 거라면, 이제껏 그랬던 것처럼 그가 벌이는 짓도 방관해야 할 것이다. 그것이 그의 운명을 정한 태양신이 히스칼에게 해 줄 수 있는 유일한 일이었다.

두 번째 회담에서 성녀와 마주한 그는 불현듯 깨달았다. 서늘한 깨달음이었다.

그의 마음이 그가 생각했던 것과 다를 수 있단 것.

어엿한 소녀의 태를 풍기는 성녀는 아름다웠다. 영롱한 금빛 눈동자도, 눈결처럼 하얀 피부도 인형처럼 모난 데 없이 곱게 새겨진 이목구비도.

히스칼은 열여섯의 아름다운 소녀를 바라보는 '남자'로서의 자신을 자각했다.

그리고 에스델에게 끌린다고 생각했던 건 그녀가 성녀여서가 아니라, 이성으로서가 아니었을까 처음으로 생각했다.

그러나 그게 중요한 것이던가. 어렴풋이 피어난 마음으로 멈추기엔 너무도 멀리 와 버렸다.

히스칼은 싸늘하게 심장을 굳혔다. 그는 빨라지는 심장 박동마저 통제할 수 있는 법황이었다. 그의 노력이 그에게 제 신체와 성력에 대한 절대적인 통제력을 가져다줬다.

만약 그가 연정을 품었대도 그건 일시적인 기분에 불과할 것이다. 그런 것에 휘둘리기엔, 그의 세월이 너무도 깊었다.

그가 하려는 일을 안다면, 성녀는 결코 그를 용서하지 않을 것이다.

차근차근 진행한 계획은 끝을 맺었다. 신성교국은 칼리스에 함락당했고, 그는 성녀를 넘겼고, 복수를 매듭지었다.

신실한 대사제의 이름으로 그에게 고통을 줬던 이들에게 딱 그가 겪은 만큼의 고통만 되돌려 줬다. 그때의 쾌감은 그에게 충분한 보상이 되었다. 이제는 이 지긋지긋한 새장을 떠날 차례.

신성교국의 누구도, 그를 붙잡지 못한다. 히스칼 예레스의 부모에 대해서 아는 자는 이제 그밖엔 없다. 그를 위협할 수 있는 유일한 요인이 사라졌다.

대사제들과 법황을 상실한 신성교국은 한동안 제 앞가림하기도 바쁠 것이다.

머지않아 새로운 대사제들이 날 테지만, 그는 자신을 실종된 것으로 만들어서 추적을 피할 셈이었다.

살아 있는 한 그는 법황이었다. 짐처럼 느껴지는 사실이나 법황으로서의 능력 덕분에 모습을 숨기는 것은 어렵지 않다.

그러나 뭔가가 그의 발길을 무겁게 만들었다. 후련한 마음 한구석 묵직하게 가라앉는 것이 있었다.

어째서 최후의 순간 그녀의 이해를 바랐던가. 그조차 모를 일. 그러나 성녀는,

'네가 어떻게 만들어졌든, 너를 만든 것은 너지. 하지만 그래, 네가 그렇게 되는데 이유가 있었단 건 인정해.'

그의 배신에 대해서 낱낱이 알게 되었음에도 그리 말했다. 그

차분한 목소리가 귓전을 맴돌았다.

그의 생각대로 그를 바로 직시할 수 있는 유일한 존재. 비난에 앞서 이해가 깃들었다. 바르고 다정한 마음. 그것이 그녀가 성녀이기 때문이라면.

그는 인정하기로 했다. 온실의 꽃이라 말했던 그녀가 자신보다 나은 인간이라는 것을.

자비롭고 온화한 마음. 그래서 끌렸고, 흔들렸고, 지금 가슴 한구석에 얹혀 내려가질 않고 있다는 것을. 그 무게를 뿌리칠 수 없다는 것을.

그는 성녀를 칼리스에 넘긴 것을 후회하지 않았다. 몇 번을 그 순간으로 되돌아간다고 해도 그리할 것이다.

하지만 이 마음은 뭘까. 히스칼은 가슴께를 짚어 보았다. 걸리는 것이 있다.

칼리스의 왕자는 성녀를 수중에 넣길 원했다. 의무라기보단, 거기에 어떤 감정이 깃든 것이 느껴졌다. 그것이 성녀에 대한 적개심일 거라고 믿었었다.

'그런데 고작 그게 아니었어.'

언제, 어디서는 중요치 않다. 그들의 과거가 어떻든 왕자가 품은 것은 연정. 성녀는 칼리스로 향했고, 그건 왕자의 곁에 있게 된다는 걸 의미했다.

'그렇게 둘 수는 없지.'

히스칼은 서늘하게 미소 지었다. 이제 칼리스와는 더 이상 동지가 아니다. 위험을 감수할 수만 있다면, 그들을 갈라 놓는데 주저할 이유가 없었다.

그는 뒤늦은 깨달음에 충실할 생각이었다. 이제는 자유롭게 움직일 수 있다.

마음 한 자락을 가질 수 있다면 좋겠지만, 그 마음이 자신에게 이르기엔 너무 멀리 왔다. 칼리스의 왕자보다도 더 먼 곳에.

그들의 운명은 상반된 곳에 놓였다.

'복수를 택하는 대신 법황으로 살아갔다면 어쩌면.'

히스칼은 가정을 지웠다. 그는 정반대의 선택을 했다. 후회하지 않는다. 어린애처럼 비틀린 말만 뱉어 냈던 것조차도.

다만 미련이 남았다. 자신의 마음을 입 밖에도 꺼내지 못했던 미련이.

오래도록 준비해 온 그의 복수는 끝났다. 그러나 새로운 삶을 시작하기 전에, 그가 할 수 있는, 해야 하는 일이 있었다. 법황이었던 자로서의 마지막 의무도.

히스칼은 결정을 내렸다.

외전

치명상

"성녀가 성국으로 입성했다는 보고가 올라왔습니다."

보고를 듣는 순간, 스산한 눈길이 그 말을 내뱉은 왕속 특무 단원을 굽어보았다.

폭급한 불길이 치밀어 올라 그를 덮쳤다. 새파란 눈동자에 섬광이 튀었다. 그는 간신히 감정을 제어해 냈다.

"……그래, 물러가라."

차갑게 내뱉은 아드라하트는 혼자 있게 되자마자 짧은 숨을 토했다.

뱃속에 펄펄 끓는 쇳물이 부어진 듯하다. 좀체 삭여지지 않는 감정이 들썩이며 이성을 시험한다. 차가운 읊조림이 뇌리를 스친다.

결국, 넌 얼마든지 도망칠 기회를 노리고 있었던 것뿐인가.

분노에 이어 공허감이 부피를 부풀린다. 고통이 폐부를 깊게 긁었다. 그에게 그런 감각을 느끼게 할 수 있는 이는 단 한 명뿐이었다.

지난번, 그 절망적인 이별 이후 그는 에스델과 재회하는 그 순간만을 위해 살아왔다고 해도 과언이 아니었다.

칼리스가 준비한 모든 수단을 끌어모아, 법황과 공조하여 신성교국을 점령하고 그녀를 끌어내는 데 성공했다.

─생일 축하해. 곧 내 선물이 뭔지 알게 될 거야.

그 메시지는, 예고였다. 그는 에스델이 신성교국으로 올 것을 확신했다. 위험하다는 걸 알면서도, 위험을 무릅쓰고서라도.

그것이 성녀의 오만이든 퍽 헌신적으로 굴었던 그가 그녀를 해치지 않을 거라는 믿음이든 상관없었다.

삼 년간 그가 준비한 것은 빠져나갈 수 없는 덫이었다.

'아델.'

여전히 그를 부르는 다정한 목소리를 듣는 순간, 분노가 치밀었다. 에스델은 그가 그 이름을 허락한 유일한 사람이었다.

그러나 그녀는 삼 년 전, 그에게 이별을 고하며 그 이름을 부를 자격을 상실했다.

'잘 생각해야 할 거야. 네겐 여지가 별로 없거든. 거절하면 성국의 인질들은 모조리 처형해서 신성교국 성벽에 시체를 내걸 테니까.'

사나운 협박을 내뱉으며, 에스델이 좌절하고 두려워하길 바랐다. 그 협박에 따르든 따르지 않든 결과는 달라지지 않는다.

성녀는 칼리스로 향하게 될 것이다.

아드라하트는 잔인하고 냉정한 적이었다. 신탁에 따르겠다며 에스델이 의외로 순순히 그를 따랐을 때도, 그는 의심의 시선을 버리지 않았다.

'똑똑히 들어! 아드라하트 블라스페미아 칼리스, 그게 네가 불러야 할 내 이름이다.'

쌓였던 분노와 원한은 에스델을 손에 넣은 순간, 휘몰아쳤다. 그러나 힘을 봉인 당하고 의식을 잃은 그녀를 보면서 기이하게도 잠잠해졌다.

죽은 듯이 잠든 에스델을 가만히 들여다보면서, 그는 수많은 밤 동안 자신을 잠식했던 어둡고 탁한 감정이 서서히 사그라지는 것을 느꼈다.

어둠을 사멸시키는 빛. 그의 품에 존재하는 그녀는 진정 성녀였다. 그의 안식이 에스델에게 있었다. 불안과 초조 속에서 느릿하게 포만감이 차올랐다.

깨어난 그녀는, 그의 예상과는 달랐다. 겁에 질려 떨지도, 그를 보고 분노하지도 않았다.

성력을 봉인 당한 몸으로 제대로 된 저항조차 할 수 없음에도. 그녀가 유일하게 가진, 마음대로 나불거릴 수 있는 입으로 그에게 당당하게 말했다.

'나는 손님으로 온 거야. 손님답게 대해 주었으면 해.'

그를 배신했던 주제에, 긴장감 없는 얼굴로 그들 사이에 아무 일도 없었던 양 시시한 말장난이나 한다. 그가 그녀를 해치거나 강제하지 않을 거란 걸 확신하듯이.

똑바로 그를 쳐다보는 맑고 반짝이는 눈빛. 상냥한 말투. 어린 시절 관계에 호소해 보겠다는 그 뻔하디뻔한 속내가 훤히 들여다보였다.

그러나 마음 한구석 녹아내려 무뎌지고 마는 까닭은 무엇이었을까.

성녀를 칼리스로 데려와 가두어 두고 있단 걸 숨기기 위해, 그는 만전을 기했다.

칼리스의 옷을 입고, 음식을 먹고 재잘거리는 에스델. 그녀와 함께하는 건 성국에서의 포로 생활과 비교할 수 없는, 그러나 그때와 유사한 안온한 감각을 가져다줬다.

이것을 가지기 위해 살아왔다. 그 치미는 감정은 말로 설명할 길 없는 것이었다.

위험하기 짝이 없는 칼리스의 왕성을 제집처럼 돌아다니는 제멋대로에, 종잡을 수 없는 성녀.

함께할 수 있다면 미래 따윈 어찌 되어도 좋았다. 어떤 것이든 이겨 내리라 생각했다. 하마터면 죽을 뻔한 에스델을 앞에 두고도, 그녀를 놓아주겠단 생각은 하지 않았다.

성력을 돌려 달라니. 말도 안 되는 일이다. 또다시 상실이 온다면 그는 견딜 수 없었다.

'넌 유일하게 바라는 게 없이, 내 곁에 있었지.'

그 말 그대로,

'왜 몸이 그렇게 상처투성이인 거야.'

그의 상처를 보며 그를 걱정하고 눈물짓는 유일한 사람. 그 뺨에 흐르는 눈물이 아찔하도록 달콤했다. 그 애정을 미치도록 원했다.

이것을 놓칠 순 없다. 그럴 가능성조차도 남겨 두고 싶지 않다. 이성으로 재단하는 것은 불가능하다. 절박할 만치 강렬히도 원하기에.

에스델을 만나고, 그녀의 빈자리를 새기며 살아온 지난 9년.

그는 끝 모를 절벽을 기어올랐다. 언제 무너져 내릴지 모르는 발밑, 살을 에는 칼바람을 이겨 내고서. 그 끝에 빛이 기다리고 있단 이유 하나만으로.

'잘 살 줄 알았는데, 이게 뭐야. 엉망이잖아.'

하나의 목적만을 위해서 살아온 삶. 이깟 상처 따위가 뭐가 대수라고.

'나는 최선으로 나아가고 있어. 나는 살아남은 왕자가 되었고, 널 여기다 데려다 놨지. 그거면 충분해.'

그것이 진심.

'내가 바뀔 순 없어. 그러니 네가 생각을 바꿔.'

버릴 수 있었다면 진작 버렸을 것이다. 얼릴 수 있다면 심장을 얼렸을 것이다.

그에게 하등 도움 되지 않을 마음. 그러나 절대적일 만큼 강제력이 있었다. 목숨을 거는 것조차 감수하게 할 만큼.

그리고 그녀가 말한다.

'최선을 택했었어.'

'근데, 그게 최선이 아닐 수도 있었다는 생각이 들어.'

'네가 날 놓았다면, 지금보다 상황이 더 나빠졌을 수도 있겠지.'

그 말에, 그 눈빛에 혹했다. 그와 함께하는 것을 택하기로, 마음이 바뀌는 건 아닐까. 섣부른 기대를 품었다.

서서히 그를 보는 눈이 이성을 보는 눈으로 바뀌어 간다는 걸 눈치채면서 기대하지 않을 수 없었다.

그 홀로 걸어왔던 길이다. 그러나 어쩔 수 없었기에 그랬던 것뿐. 부수고 망가뜨려 에스델이 에스델이 아니게 되는 것을 원치 않았다.

아드라하트는 자신이 바라는 걸 에스델 역시도 바라기를 원했다.

칼리스의 왕자와 성녀. 비록 그들이 끝과 끝에 서 있더라도. 그의 곁에 붙들려 있단 강제가 아닌 스스로의 의지로 에스델이 그의 곁에 서는 것을 택하기를 기대했다.

그러나 그 결과는.

아드라하트는 관자놀이를 꾹 눌렀다. 골이 깨지듯이 쑤신다. 잠을 제대로 이루지 못한 게 며칠째던가.

환청이 들렸다. 그가 저주를 이어받은 이후부터 들리기 시작한, 그를 미치게 하는 환청.

'죽여!'

'죽여서 가져.'

'어차피 네 것이 아니야.'

'성녀가 널 원할 리 없잖아?'

'그녀는 네 곁에 머물고 싶어 하지 않아!'

'기회가 되면 언제든 도망칠 테지.'

'아무리 손에 넣어도 소용없어. 모래처럼 **빠**져나가고 말걸?'

'그러니 죽여서 가져.'

밤이고 낮이고, 쉴 없이 그를 조종하려 드는 사악한 음성. 귀를 막아도 뇌리에 바로 꽂히는 양 뿌리칠 길 없다.

그가 가장 집착하는 대상이 에스델이라선지, 부왕이 에스델을 증오해선지 이유는 알 수 없다. 그러나 명백한 건 저주의 표적은 성녀라는 것.

칼리스에 온 에스델은 또다시 그의 예상을 벗어나 움직였다. 그가 자리를 비운 새 그녀는 부왕에게 향했고, 성녀의 존재가 저주를 자극했다. 끝끝내 폭주하고 만 부왕은 성녀를 쫓았다.

아드라하트는 부왕을 꿰뚫어 머리를 베어 내면서 일말의 가책도 느끼지 못했다. 그건 그저, 미쳐 버린 괴물에 불과했으므로.

그러나 부왕이 죽음을 맞은 그 순간, 그에게 재앙이 시작되었다. 저주가 소리 없이 그를 덮쳤다. 시신에서 길게 늘어진 검은 그림자가 훅 끼쳐오며 그의 안으로 파고들었다.

저항은 불가능했다. 예정되었던 일이었다. 칼리스의 후계자인 그가 왕위뿐만 아니라 월신의 저주를 승계받게 된다는 것.

저주에 걸렸단 사실을 숨기기 위해서 그는 에스델을 멀리했다. 그녀에게 성력을 돌려줄 수 없는 데다가 자신이 그녀를 위험하게 할 수 있으니까.

저주는 파고든 직후부터 그를 갉아먹기 시작했다. 아무리 강한 정신력을 가진 자라도, 잠 못 이루며 환청과 악몽에 시달리다 보면 제정신을 유지하기 어렵다.

아드라하트는 자신이 부왕이 미쳐 갔던 것과 같은 수순을 밟으리라는 걸 깨달았다. 그가 가진 마법의 힘도 권력도 지위도 저주의 힘 앞에서는 무용했다.

그가 싸우는 사이, 에스델은 도망쳤다. 아드라하트는 주먹을 꽉 틀어쥐었다. 손톱이 손바닥의 살갗을 깊숙이 파고들었다.

'차라리 이 환청에 따르면 편해질까.'

어떤 싸움도 그를 패배시킨 적이 없었다. 그러나 그를 처음으로 일깨운 이 마음이, 가슴에 깊숙이 박힌 이 뜨거운 조각이 그를 고통에 떨게 만든다.

버릴 수 없는 마음이라면, 차라리.

'저걸 가져야겠다.'

당당히 선언했던 어린 시절의 그는 오만했다. 성녀를 원한다는 게 그에게 어떤 대가를 치르게 할지 모르면서.

달콤한 독. 다디단 소유에 젖어 있던 그에게서 에스델은 도망쳤고 성국으로 돌아갔다. 그녀의 성기사와 함께, 그녀의 자리로.

그가 가지길 바랐던 유일한 존재는 그에게 누구도 남기지 못했던 치명상을 남겼다.

'성기사 카마엘.'

아드라하트는 그 이름을 짓씹듯이 되뇌었다. 그의 목숨을 위협하고도 멀쩡하게 숨 쉬고 있는 유일한 자.

에스델을 차지하기 위해선 언제고 그라는 벽을 넘어서야 한다고 생각했었다. 신성교국에서 쉽사리 따돌렸기에 간과하고 있던 그의 존재를 떠올리며 그는 새파랗게 눈을 빛냈다.

아드라하트는 칼리스의 왕이었다. 옛 약속은 잊었다. 성국과 성녀는 칼리스의 적.

에스델은 도주에 대한 대가를 치러야 할 것이다. 이번에야말로, 그녀를 확실하게 사로잡을 터였다.

5부

칼리스의 폭군

하나 되는 길목에서

성국에서 도착한 직후 카마엘은 바로 보고를 위해서 불려 갔다. 나에게 당장 요구되는 건 없었다.

나는 에이레네의 시중을 받아 목욕을 마치고 식사를 한 뒤, 침대 위에 드러누웠다.

아무도 무사 귀환한 성녀를 첫날부터 괴롭히고 싶지 않았던 것 같다. 그동안 고생을 좀 하긴 했지?

"역시 집이 좋아."

난 중얼거리며 푹신한 베개에 얼굴을 부비적거렸다. 잠시 낯선 기분을 가져왔던 잠자리는 곧 몸에 녹는 듯이 감겼다. 나는 가만히 성국에 돌아왔을 때의 광경을 떠올려 보았다.

냉정한 아스타 대사제가 그리 초조한 얼굴을 한 건 처음 보았다. 다들, 사지로 걸어갔다가 살아 돌아온 누군가를 보는 듯한 시선으로 날 봤다.

그게 칼리스에 대한 인식. 다들 칼리스에서 성녀인 나를 가만 내버려 두지 않았을 거라고 생각한 듯했다. 속이 까맣게 타들어 갔겠지.

만약 아델이 없었더라면 난 칼리스에서 무슨 꼴을 봤을지 모른다. 성력도 봉인당하고 목숨도 위협받고 갇혀 생활했지만, 모두의 기대보다 난 잘 지냈다.

난 포로 생활이 그들이 생각했던 것보다 괜찮았음을 간략하게 말하여 모두를 안심시켰다.

정신이든 몸이든, 난 꽤 괜찮아 보였고 내가 애써 태연한 척하는 게 아니라는 걸 다들 이해한 듯싶었다.

한숨을 내쉰 나는 창문 너머로 휘영청 뜬 달을 쳐다보았다.

내게 깃드는 잔잔한 빛의 물결. 안온하게 사지를 적시는 이 기운, 이 대기, 내가 누워 있는 이 자리. 이걸, 포기할 만큼 가치 있는 뭔가가 있을까.

내가 모험을 즐기는 성격도 아니다. 나는 성녀로서 태어나 성녀로서 자라 왔고 성녀로서 살 거라고 믿었다.

히스칼이 가졌던 불만은 내게 희소한 것이었다. 성국에서의 내 삶은 아름다웠다.

그렇기에 지금 내가 하려고 하는 일은, 히스칼이 한 것 못지 않은 배신이었다. 내가 이 모든 걸 감수할 가치가, 네게 있을까? 아델.

그러나 놀랍도록 답은 **빠르게** 떨어졌다. 그래, 있어. 그 누구도 이해 못 할 가치가, 내 안에. 내 마음이.

내가 놓더라도, 아델은 살아 있는 한 나를 놓지 않을 거다. 내가 거절한다고 해도, 그는 용납하지 않겠지.

나는 어차피 그를 잘라 낼 수 없다. 아주 모질게, 아예 적이 되어서 그를 죽이라고 명령을 내릴 수 없다.

두 갈래의 길 중 하나를 선택해야 하고, 다른 하나가 결코 갈 수 없는 길이라면 선택은 하나로 좁혀진다. 나는 그 길을 가야 했다.

온 세상에 하나뿐인 저 달. 무언가에 홀린 것 같다. 고민을 해 보려고 했는데, 놀랍도록 명쾌하게 결론이 나 버려서 고민 따위 들지도 않았다.

잠시 무언가를 더 생각해 보려던 나는 달빛 아래에서 곤히 잠들었다. 포근한 밤이었다.

*

다음 날, 나는 회의실에 앉아 있었다. 내가 생환한 일은 비밀이었기에 떠들썩하게 잔치를 벌일 것도 없었다. 사실 내가 칼리스에 잡혀간 것부터가 알려지지 않았지.

아직 칼리스와의 분쟁은 끝나지 않았고 그들은 언제든 또 다른 위험한 계획을 시작할 수 있었다.

물론, 나는 그들이 내부적으로 권력 갈등을 겪고 있어서 당분간 그럴 여력이 없을 거란 걸 알고 있다. 성국에서는 칼리스의 상황에 대해서 얼마나 알고 있을까? 곧 그 답을 알게 될 터였다.

아스타 대사제가 말을 시작했다.

"최근, 병환으로 누운 왕을 대신해 칼리스를 대리 통치하고 있던 아드라하트 왕자가 칼리스의 왕을 살해했다고 합니다."

"부친을 살해하다니, 정말로 끔찍한 일이군요."

에이레네가 경멸조로 내뱉었다. 나는 항변하고 싶어서 입술을 달싹였다.

그건 아델로서도 어쩔 수 없는 일이었다. 또 나로 인해 초래된 일이기도 했다. 그러나 난 꾹꾹 눌러 참아 냈다. 아직 꺼낼 만한 이야기가 아니었다.

아스타의 말이 이어졌다.

"그 때문에 칼리스 내부에서도, 상당한 분란이 있었나 봅니다. 칼리스의 안보가 느슨해진 터라, 잠입한 연합국의 첩자들이 정보를 캐는 데 더욱 용이해졌습니다. 어젯밤 전달된 소식으로는 아드라하트 왕자와 그의 외조부 블라스페미아 공의 내전이 시작되었다고 합니다."

벌써, 그렇게 되었나. 나를 왕성 바깥으로 내보낸 게 내전의 조짐이었단 건 알고 있다. 하지만 꽤 빨랐다.

"이 기회에, 칼리스로 치고 들어가자는 의견이 있었습니다."

"성국은 그 어떤 나라도 침략하지 않지만, 칼리스는 자신들이 한 일에 대해서 대가를 치러야 할 겁니다."

집행신관장 아레스가 무섭도록 차가운 눈을 보였다. 성국은 전쟁을 원하지 않는다. 그래서 그간 칼리스의 무수한 도발에도

112

연합을 이루어 대응할망정 전쟁을 선포하지 않았던 거다.

하지만 칼리스는 이번 일로 선을 넘었다. 성국으로서도, 전쟁을 감수할 만큼.

"내전이 심화되어 칼리스의 전력에 손실이 있다면 그럴 수 있겠지요. 상황을 좀 더 봐야 합니다."

그렇다고 해도 성국이 독단적으로 움직일 일은 아니었다. 연합에서도 무력하게 당한 적이 있었던 터라, 적극적으로 나서길 꺼릴 테니까. 법황을 잃은 신성교국은 내부를 수습하는 것만으로도 벅찰 거였다.

"성녀님, 어떤 신탁을 받아서 칼리스로 가셨는지, 거기서는 어떤 일이 있었는지 설명해 주시겠습니까. 가장 심층부에서 칼리스를 겪어 본 건, 성녀님이시니까요."

드디어 이목이 내게로 돌아왔을 때, 나는 침을 꿀꺽 삼켰다. 긴장할 수밖에 없는 상황이었다. 회의실에 자리한 그들을 쓱 둘러본 나는, 천천히 입을 열었다.

"나는 신성교국에서 신탁을 받아. 월신께선 내게 저주를 풀 방법에 대해서 알려 주셨지. 저주를 풀어야 한다고는 말씀하시지 않으셨으니, 나는 월신이 뜻하시는 바가 뭔지 몰라. 그분께서는 내가, 내 뜻대로 판단하도록 하셨지. 칼리스에서 난……."

집중된 시선을 받으며, 나는 말을 골랐다.

아델과 나의 관계에 대해서 하나도 숨김없이 털어놓는 게, 과연 옳을 일일까 생각했다. 과거에서 현재까지 이어진 연에 대해서도. 이 상황에서 꼭 그게 최선일까?

나는 예감에 따랐다. 평소에도, 퍽 잘 들어맞았던 내 예감에.

"나는 칼리스에서 왕을 만났어. 하지만 저주는 풀 수 없었지. 저주에 지배당한 칼리스의 왕은 나를 공격했어. 왕에게 내려진 저주는, 뒤틀리고 사악한 힘이 되어 버렸어. 그리고 칼리스의 왕자는,"

나는 차분히 말을 이었다.

"나를 구해 줬어. 그는 그 와중에, 미쳐 버린 자신의 부친을 살해했지."

모두의 눈빛에 놀람이 떠올랐다. 예상치 못한 말이었을 거다. 그때를 생각하면 심장 박동이 올라가는 듯했지만, 나는 차분하게 말을 이었다.

"아마 저주는, 그에게로 전이되었을 거야. 나는 왕자에게 걸린 저주를 풀어 줘야 한다는 의무감을 느껴."

나는 굳이 왕자가 어떤 의도를 품고 그랬는지, 어쩌다 그런 상황이 왔는지는 설명하지 않았다.

그의 진의가 어떠한지를 말하는 것보다 그가 행한 것을 이야기하는 게 효과적이었다. 왕자가 나를 구했기에, 나는 그의 저주를 풀어 주겠다고. 지극히 정당한 일이다.

"하지만 저주를 풀 수 없다고 하지 않으셨습니까."

확실히 나는 저주를 풀지 못했다. 이제 와 신탁에 따른다고 한들 변형된 저주를 풀 수 있을지 모르겠다.

하지만 아델이 혼자서 저주와 싸우게 할 순 없었다. 그 저주를 풀 수 있는 열쇠가 내게 있단 건 예감하고 있는 바였으니.

"그래, 저주를 풀 수 없었지. 신탁에 따르지 않고 방법을 찾아 보려고 했으니까 말이야. 왜냐하면 그 신탁의 내용이……."

나는 힘겨운 듯 고백했다.

"내가 받아들이기 어려운 것이었거든. 하지만 그래, 이제는 거기에 따라야 할 것 같다고 생각해."

때로는 선의의 거짓말이 필요하듯, 모든 것을 있는 그대로 들려주는 것도 꼭 좋지만은 않다고 생각한다.

나는 진실만을 말했다. 하지만 그 진실은, 실제와는 다르게 받아들여질 여지가 충분했다.

"신탁의 내용이 무엇인지 말씀해 주십시오."

신중한 목소리로, 지브리안이 요청했다.

나는 이 말을 하는 게, 무척 부끄러울 거라고 생각했다. 여러 가지 생각이 많기도 했지만, 주저하고 주저하다가 아델에게도 말할 기회를 놓쳤다.

그러다 결국 신탁에 대해서, 말하게 된 곳이 성국이라니. 아이러니하지.

나는 드디어 털어놓았다.

"성녀가 칼리스의 왕족과 혼인하면 저주는 풀린다."

다들 눈을 크게 부릅떴다. 일순 공기가 멎어 버린 듯했다. 나는 어설픈 미소를 머금은 채 말했다.

"……그게 내가 받은 신탁의 내용이야."

모두가 얼어붙은 채 정적을 지켰다. 일순 회의실을 혼란의 폭풍이 후려친 듯이. 죄다 '무슨 그런 말도 안 되는!'이라고 적혀 있는 듯한 표정이었다. 심지어 표정이 풍부하지 않은 아스타 대사제나 집행신관장 아레스조차도 그랬다.

하지만 그건 신탁이었다. 말도 안 되는 듯하여도, 월신이 내린 신탁.

가까스로 생각을 정리한 지브리안이 당황한 듯이 빠르게 말을 쏟아 냈다.

"저주에 걸린 건, 왕자에게 온당한 운명입니다. 그는 성국을 침략하여 그가 성녀님을 구해 줬다고 한들 그는 성녀님이 그 자리에 있게 한 칼리스의 일원입니다. 성녀님께서 그를 구하기 위해서 그런 식으로 희생하실 필요는 없습니다."

"희생이라고 생각하지 않아. 나는 저주를 푸는 대가로, 칼리스의 침략 의지를 꺾을 거야."

나는 칼리스의 왕비가 될 거다. 왕의 의사도 좌지우지할 수 있는, 권세 높은 왕비가.

아델은 나와의 관계를 확실히 정립하지 못했다. 그건 아델이 아직 왕이 되지 못했기 때문에, 그가 날 일방적으로 붙들고 있는 관계이기 때문이었다.

또한 그에게도 나를 가지는 것 이상 드러내어 어떻게 하는 것이 있을 수 없는 일처럼 여겨졌기 때문이다.

아델은 나를 손에 넣는 것만 생각했을 뿐 이후를 생각지 않았다.

성녀가 칼리스의 왕비가 된다는 건 그런 거였다. 있지 못할, 세상을 온통 뒤흔들고도 남을. 그리고 어쩌면 배신으로 여겨질.

"성녀로서가 아니라, 성녀님 자신으로서의 희생이라고 말씀 드리는 겁니다."

지브리안은 온화하게 나를 마주 보았다. 그러나 그 말은, 나를 따끔거리게 했다. 나를 생각해 주는, 나를 위한 말.

하지만 그는 잘못 알았다. 반대다. 나는 성녀로서 결정한 것이 아니다. 내가 진정 냉정했다면, 이 선택을 했을진 모르겠다.

이 길을 가게 한 건 한 명의 사람으로서의 나였다. 성녀가 아닌 에스텔 세라피아. 나를 위한.

하지만 조금 포장해서, 명분을 세우고 거기에 내 진심을 얹는 쪽이 이들에게 매끄럽게 받아들여지지 않을까.

나를 위한 선택이 될지언정, 실제로 그건 모두를 위한 길과 잇닿아 있을지도 모른다. 아니, 그렇게 만들어야겠지. 내가.

"칼리스의 왕자는 좋은 사람이야."

이건 진짜 거짓말인데. 너무 대놓고 거짓말을 하자니 가슴이 다 따끔거린다.

내 판단력에 의심을 품을 것 없이 납치 감금을 일삼는 아델이 일반적으로 절대 좋은 사람일 리 없으니. 내가 책임져야 할 구제불능이라면 모를까.

"그는 불신자이고, 칼리스인입니다."

카마엘은 월신의 신도이기에 나와 그의 결합이 반대를 받지 않았다. 아니, 도리어 지지를 받았지. 반대로 성녀인 내 옆에 설 자가 불신자라는 건 쉬이 납득하기 어려운 일이다.

나는 생긋 웃었다.

"그가 나에게 좋아한다고 말했어. 나는 성녀잖아. 진심을 꿰뚫어 볼 수 있다고."

딱히 로맨틱한 고백을 받은 기억은 없지만, 아델이 나를 좋아한다는 건 사실이지. 생각해 보니 청혼 같은 건 받지 못했다.

일단 데려가고 보는 건 참 칼리스의 악명에 걸맞은 일이었다.

"성녀님은 아름다우시니까요. 하지만 열정이란 건 쉽게 시들어 버릴 수 있는 겁니다."

"하지만 그 열정 하나로 결혼을 하는 이들도 많아."

"칼리스에서는, 그걸 받아들이겠습니까?"

아무리 왕자라지만 성녀가 왕비 자리에 올라앉는 데 대한 반발을 무시할 수 있겠느냐는 질문 같은데, 그건 몰라서 하는 말이다.

아델이 자신의 외조부마저 쳐 내고 정쟁에서 승리한다면, 왕속 특무단을 거머쥔 그를 막아설 자는 없다.

아델은 곱게 자란 왕자가 아니었다. 그는 치열하고 싸우고 싸워 그 자리를 차지한, 누구도 쉽게 박탈할 수 없는 자격을 지닌 진짜배기 왕자거든.

"받아들이도록 해야지. 나는 칼리스에 있을 때, 왕자와 대화를 나누었어. 왕과는 달리 그는 전쟁을 바라지 않아. 논의해 봐야겠지만, 우리는 타협점을 발견할 수 있을 거야."

저주를 풀기 위해서 칼리스의 왕자와 혼인하겠단 내 말은 근거가 있었지만, 극단적이기도 했다. 그 때문에 모두가 혼란스러워하고 있었다.

영원히 대척할 줄 알았던 적국 칼리스. 사악한 마법의 힘을 이용하는 왕국. 그들과 타협이라니. 그건 성국인들에게 상상하지 못한 일이었다.

나는 그게 신탁인 한, 결국 이들이 반대할 수만은 없다는 걸 알았다. 사실 우리 성국은 시스템이 좀 간단하거든. 신의 뜻대로.

월신께서는 침묵으로 우리를 시험에 들게 하시지만, 신탁으로 내보인 뜻을 거스를 수 있는 자는 없다.

"저주가 풀린 이후에, 왕자의 마음이 변하여 성녀님을 해치려고 들면 어떻게 하시려고요."

"그러면 또다시 저주를 받게 될 거라는 걸 알려 줘야지."

저주라는 건 결국 인과응보라. 불특정한 아무한테나 내릴 수 있는 게 아니라고.

칼리스의 왕이 성국을 침범하여 저주를 받았으니 성녀를 해치는 것도 저주를 받을 만한 일이 될 터.

그런데 그 질문, 너무 부정적으로 생각하는 거 아니야? 그럴 만도 하다지만, 칼리스에 대한 이미지가 시궁창이란 건 잘 알겠다.

나는 한 가지 단서를 더 달았다.

"이 모든 건, 칼리스의 내전이 끝나고 나서 이야기될 거야."

아델이 승리하지 못한다면, 어떻게 될까. 새삼 불안해져 왔다. 이빨을 보인 블라스페미아 공이 만만한 상대일 거란 생각은 들지 않았다.

하지만 그렇다고 내가 성국의 병력을 이끌고 가서 아델을 도울 수는 없다. 그가 마지막 산을 넘기를 바랄 수밖에.

회의는 그것으로 일단락되었다. 결론은 흐지부지했다. 차후 칼리스의 정세를 보고 그때 한 번 더 이야기해 봐도 될 거다. 대사제들도 생각이 많아 보였다.

나는 다만 기도했다. 비록 월신께서는 여전히 나를 만나 주시지 않고, 나는 어디에서도 응답을 찾을 길 없더라도. 왜, 그런 말도 있잖아? 간절히 바라면 온 우주가 일어나서 소망을 이루어 준다는…….

성녀라면 기적을 믿어야 하기 마련인데, 이 세계에서의 기적은 사실 기적이라고 하기 어려웠다.

기적을 실현하는 힘이 초현실적이고 상상도 할 수 없는 무엇이 아니라 피부로 느낄 수 있는 성력. 수학을 계산하듯 총량이 정해져서, 구현 방식이 신비로울 뿐 손에 닿는 힘.

그렇기에 변수가 적고, 그렇기에 고정되고 안정된 세상. 이곳에 변화가 필요하다고, 신님들은 생각하셨던 걸까.

기다림은 내게 상념을 불러일으켰다. 나는 칼리스에서 전해질 소식을 초조하게 기다리며, 전쟁의 한가운데에 놓였을 아델을 생각했다.

마지막으로 보았던 그의 모습, 왕위를 차지하기 위한 최후의 고비를 넘고 있는 그를. 생각은 기도가 되고 이내 다시 만나고픈 소망이 되었다.

*

하루가 지난 뒤 나는, 카마엘을 찾았다.

"안녕, 카마엘?"

생긋 웃으며 손을 흔들자 노크 소리를 듣고 문을 연 카마엘이 느리게 눈을 깜빡였다.

"어서 오십시오, 성녀님."

달게 휴식을 취하고 있었나 보다. 방해한 걸까나. 늘 그를 방해해 온 주제에 새삼스레 좀 미안해졌다.

"쉬고 있었던 거 아니야?"

"성녀님이 오신다고 해서 휴식에 지장이 있는 건 아닙니다."

하긴 내가 카마엘을 굴리면서 훈련을 시킬 것도 아니고, 이야기를 좀 하러 온 건데. 카마엘은 전혀 연약하지 않다.

"……안으로 들어오십시오."

나는 그의 권유대로 얼른 집 안에 발을 들여, 주변을 쓱 돌아보았다.

나이가 들면서 횟수가 줄긴 했지만, 그를 방문하는 건 내게 익숙한 일이다.

왜 새삼 낯선 기분이 드는 걸까. 잠자리도 그렇거니와 성국에서 일상이었던 어떤 것이 낯설게 느껴지다니. 그건 내게 묘한 감상을 심어 주었다.

그간의 폭풍 같은 경험이 내게 이 성국을 멀게 느껴지게 했나.

"카마엘도 지치는구나."

그것도 신기했다. 카마엘은 야파 왕국에서 탈출하여 성국으로 돌아왔을 때보다 더 피곤해하는 듯싶었다.

"칼리스에서는 장기간 힘을 억누르고 기척을 숨겨야 했기에, 체력의 손실이 컸습니다."

"그래, 정말 고생했어. 그리고 고마워."

몇 번을 말해도, 그의 공을 다 치하할 순 없을 거다. 감금 생활에서 탈출시켜 준 것도 고마웠다.

다시금 돌이켜 생각해 봐도 내가 그 자리에 계속 있는 게 아델에게도 유리한 일 같지는 않으니.

카마엘은 참으로, 성기사답게 답했다.

"제 의무를 다한 것뿐입니다."

"그래도."

나는 웃으며 멀뚱멀뚱 그를 바라봤다. 상은 아마 대사제들이 줄 테지만, 나도 뭐든 주고 싶은걸.

불변하는 보석처럼 아름다운 내 요정기사님. 무슨 생각을 하는지 모를 그의 보랏빛 눈동자는 제비꽃처럼 색이 선명하고 아름다웠다

그의 서릿빛 은발처럼 카마엘은 항상 서늘하고 이성적이었다.

나는 그런 그를 여전히 좋아했다. 만약 내가 성국을 떠나게 된다면, 그를 더 이상 만나게 되지 못하는 게 아쉬울 정도로. 카마엘은 내 인생에서 아주 큰 비중을 차지하고 있었다.

가슴에 쓸쓸함이 일었다. 물론, 다른 이들…… 예를 들어 에이레네와도 헤어지는 게 아쉬운 건 마찬가지였다.

하지만 카마엘은 좀 느낌이 다르다고 해야 할까. 내 비밀을 공유한, 나를 지켜 주는, 의지할 수 있는 든든한 존재. 내 편.

내가 성국을 떠남으로써 잃어야 할 것들이 새삼 와닿았다. 사람은 적응의 동물이라지만, 적응하기까지의 과정은 고되다. 내게 그 상실이 고통스럽지 않을 수 있을까.

카마엘과 나는 이미 침묵이 어색하지 않을 만큼 친근한 사이였다. 아니, 나만 그렇게 생각하는 걸까?

카마엘이 입을 열었다.

"용무를 말씀해 주십시오."

우리가 용무 없이 만날 수 없는 사이였어? 라고 하지만, 용무 없이 시간을 뺏기엔 카마엘은 바쁘다. 지금은 안 바빠 보이지만, 안 바쁜 순간에 귀찮게 하는 것도 바람직하진 않다.

"그냥, 카마엘이 어떻게 지낼까 싶어서 온 건데. 내가 곁에 있으면 회복도 빠르잖아."

이곳은 성국. 월신의 성력을 가득 품은 성녀의 존재가 회복을 돕는 건 자연스러운 일이었다.

내가 호의와 신뢰로 가득한 초롱초롱한 눈빛으로 그를 바라보고 있자, 먼저 화제를 꺼낸 건 카마엘이었다.

"한 가지 여쭈고 싶은 게 있습니다."

"뭔데?"

"어째서 그입니까."

단칼에 날아든 질문에, 나는 일순 말이 막혔다. 이런 돌직구라니! 카마엘도 생각이 많았던 모양이다. 아니, 그가 살아오면서 이렇게 생각을 많이 하게 될 일이 있었을까.

"대개 애정은 시간에 비례합니다. 성녀님은 이 성국에서 자라나 성국에서 살아오셨습니다. 그에 비하자면 그는 여기에 찰나같이 머물렀습니다. 그의 존재가 이질적이고, 그의 처지가 동정심을 불러일으킬 수 있단 것은 이해합니다. 하지만―"

하지만 그럼에도, 나를 이해할 순 없다는 걸까.

카마엘의 완벽한 무표정에 균열이 일었다. 입을 달싹이던 이내 그가 말을 토해 냈다.

"저는 그가 성녀님을 칼리스로 이끌 줄 알았다면, 제가 그를 진작에 끊어 냈어야 하는 게 아닌가 생각하게 됩니다."

다만 내 뜻에 따르지 않고. 나를 감싸며 내 비밀에 눈감아 주지 않고. 칼리스인을 대하는 처우에 걸맞게 아델을 제거했다면…….

그래, 만약에 카마엘이 내가 아델과 만났던 열 살에 그렇게 했다면 아델이 내 생에서 의미를 품는 일은 없었을 거다. 나는 카마엘을 원망했을 테지만, 아마 길게 이어진 감정은 아니었겠지.

달의 뒷면을 이해하는 나로선 금세 잊고 살아가게 되지 않았을까.

하지만 카마엘은 그렇게 하지 않았다. 성녀인 내 뜻에 따르는 것이 성기사인 그에게 옳았기 때문에. 그는 지금 그것에 회의하고 있었다. 그건 카마엘에게 일어난 변화.

아마 카마엘은, 모든 것이 사리에 맞게 제자리로 돌아올 거라고. 나 역시도 사춘기를 겪듯이 잠시 흔들리며 방황할 뿐 이 자리로 돌아올 거라고 생각했던 것 같다.

사실 거의 그렇게 될 뻔했었다. 나도 내가 그렇게 될 줄 알았다.

정으로 내리친 돌덩이가 완벽하게 다른 모습으로 조각되듯 내 마음이 이렇게 변할 거라곤 예상하지 못했다. 그래서 카마엘이 이해가 됐다.

"나는 여기서 누구도 구할 필요가 없지만, 아델은 오로지 나만이 구할 수 있는 사람이야. 이상하지? 내가 사랑하는 것들은 다 여기에 있는데, 나는 그 하나를 버릴 수가 없어. 다른 모든 걸 놔두고 가더라도─"

거기까지 쏟아 냈을 때, 문득 울컥했다. 눈물이 흘러내려 뺨을 갈랐다.

카마엘은 나와 아델의 관계에 대한 거의 모든 걸 다 알고 있었다. 그렇기에 그는 성국에서 내가 솔직해질 수 있는 유일한 상대였다.

"있잖아, 나는 오랜 시간 아델을 외면해 왔어. 그런데 실은 그게, 내가 아델에게 마음이 없어서가 아니라 도망치고 있었을 뿐이란 걸 깨달았을 때……. 난 더 이상 그렇게 해선 안 된다는 걸 알았던 거야. 카마엘 그건 비겁하잖아. 성녀는 비겁해선 안 되는 존재인걸."

결국, 아델은 나를 설득시켰다. 나는 내가 아델을 변하게 할 수 있다고 믿었고, 그게 어느 정도 이루어졌는지는 모르겠다.

하지만 그보다 더 많이 나를 변하게 한 건 결국 그였다. 내 선택을 뒤엎을 수 있을 정도로.

"이해해 달란 말은 하지 않을게. 하지만 그래, 알아줬으면 좋겠어."

난 손등으로 부비적거리며 눈물을 닦아 냈다. 평소라면 손수건이라도 내밀어 눈물을 닦아 줬을 카마엘은 미동도 없었다.

그의 시선은 내게 똑바로 꽂혀 있었다. 조금도 흔들림 없이. 화가 난 걸까.

잠시 후 그의 입술이 움직였다.

"저는 성녀님이 성국을 떠나지 않길 바랍니다."

난 눈을 크게 떴다. 그건 카마엘이 스스로의 뜻으로 내게 말한, 최초의 바람. 하지만 난 고개를 저었다.

"미안해."

고맙고, 미안하다. 다른 모두와 마찬가지로, 아니 그 이상으로 카마엘은 나를 믿어 주고 지켜 주고 지지해 줬다. 그래서 더더욱 가슴이 아팠다.

"미안해."

나는 연거푸 사과했다. 카마엘은 잠시 나를 들여다보았다. 읽을 수 없는 눈빛이었다.

그는 어설프게 괜찮다거나, 네 뜻대로 하라고 말하지 않았다. 그리 쉽게 납득할 수 있는 일이 아닌 거겠지.

빠르게 마음을 추스르긴 무리다. 카마엘은 내 사과를 받아들이는 대신, 질문을 꺼냈다.

"칼리스에서 무슨 일이 있었는지요."

그에게 필요한 정보가 있을까. 난 고개를 갸웃했다. 칼리스에 대해서 알아낸 것들에 대해선 최대한 상세하게 서류로 작성해서 대사제들에게 넘겼다.

하지만 분명히, 말 못 한 이야기들도 있었다. 나는 그것들에 대해서 카마엘에게 찬찬히 풀어 놓았다.

예컨대 아지스에게 들은 이야기들. 성국과 칼리스의 대립의 역사. 자유의지와 가능성. 신성교국……. 그리고 저주에 대해서.

내 기나긴 이야기를 들으면서, 카마엘도 생각이 많아진 듯했다. 하지만 성기사로서 그가 할 수 있는 말은 하나뿐이었다.

"성녀님께서 최선의 결과를 이끌어 내실 거라고 믿습니다."

형식적으로도 들리는, 건조한 음성이었다. 믿어야 한다고 생각하고 있는 거겠지.

나는 그걸로도 좋았다. 나는, 카마엘이 내게 실망하고 경멸해도 어쩔 수 없다고 생각하고 있었으니까. 그렇게 된다면 무척 슬펐겠지만.

나는 퉁퉁 부은 얼굴로 웃어 보였다.

"노력해 볼게."

문제는 항상 같은 방향으로 해결되는 것이 아니다. 방향을 틀었으니, 이제 새로운 돌파구를 마련해야 할 때였다.

*

그로부터 한 달 뒤, 칼리스의 내전이 종식되었단 소식이 들려왔다. 승리자의 이름을 들었을 때, 나는 안도의 한숨을 내쉬었다.

아드라하트 블라스페미아 칼리스. 아델, 네가 결국 승리했구나.

이어 들려온 것은, 칼리스에서 신왕이 등극했다는 소식. 그야말로 피로 얼룩진 옥좌였다.

부친과 형제들, 외가의 피를 묻히고 자신에게 반하는 수많은 귀족들을 살해하여 왕위를 차지한 남자. 그는 칼리스에서도 전례 없는 폭군이라고 칭해졌다.

폭군이라니. 나는 아델을 칭하는 그 새로운 호칭에 거부감을 느꼈다. 그리고 못내 씁쓸해졌다. 그의 악명에 기여한 내가 뭐랄 수 있겠는가.

그게 대외적인 평가였다. 연합에서는 사납고 잔혹한 이 젊은 왕, 최근에 있었던 야파 왕국이며 신성교국 사태를 진두지휘했다는 그를 무척이나 경계하고 있었다.

왕이 등극하여 권력을 일원화하자마자, 칼리스는 곧 안정을 찾았다. 안정을 찾은 칼리스는 다시 무언가를 준비하기 시작했다.

잠입한 연합의 첩자들도 제거당하자 칼리스는 완전히 암전에 잠겼다.

그러나 칼리스가 할 일은 명확했다. 내부를 수습하는 대로, 군사를 끌어모아 정복 전쟁에 나선다. 그것이 어렵사리 왕위에 오른 신왕이 권력을 강화하고 국가를 통합하기 위하여 할 만한 일이리라.

그리고 칼리스가 움직였을 때, 그들은 이전처럼 조용히 기습 작전에 나서지 않았다. 이전과는 다른 양상으로, 칼리스의 왕이 엄청난 군세를 이끌고 친정에 나섰다. 성국으로 향하는 방향이었다.

칼리스의 칼날이 향한 곳이 어디일지는 명확했다. 여전히 혼란을 앓고 있는 신성교국은 제구실을 하지 못했고 남은 건 성국뿐이다.

위기감이 들끓었다. 성국마저 쓰러진다면, 더 이상 칼리스의 마법에 대항할 만한 세력이 없다. 대륙이 칼리스의 이름으로 통일될지도 모른다.

순식간에 모여든 연합의 병력이 칼리스와 대치했다. 그리고 성국에서는, 한 달 전에 일단락되었던 논의가 다시금 끄집어 내졌다.

하지만 결론은 변함이 없었다. 내 마음이 바뀌긴커녕 그 새 단단히 다져져 있었으므로.

"정말로, 칼리스로 가시겠어요?"

에이레네의 질문에 나는 흔쾌히 답했다.

"가야지. 일단 대화가 잘 되어야겠지만."

"만약 그렇게 된다면 저도 함께 칼리스 가겠어요."

그 말엔, 승낙할 수 없었다. 나는 단호하게 말했다.

"그건 안 돼."

"성녀님을 보필할 사람이 필요할 거예요."

"그래, 맞아. 나를 보필할 누군가가 필요할 테지. 하지만 그게 대사제는 아닐 거야."

칼리스로 끌려가면 힘을 봉인 당할 가능성이 높다. 자의로 가든 그렇지 않든 아델은 내가 성력을 가지고 칼리스를 활보하게 내버려 두지 않을 거였다.

그와 내 사이엔 믿음이 부족했다. 그리고 그 믿음을 단시간에 쌓아 올릴 순 없었다.

그 팔찌, 시간이 좀 지났으니 몇 개쯤 더 만들어 놨을걸.

성국의 사람, 특히나 대사제라면 나와 같이 성력을 봉인 당할 수 있고, 최소한 통제나 감시하에 놓일 거다. 어디다가 가둬 둘지도 모르지.

에이레네가 그런 수모를 겪게 할 순 없었다. 그걸 감수하는 건 나로 족하다. 에이레네가 슬프게 눈가를 일그러트렸다.

"저는, 또다시 성녀님을 칼리스로 보내고 성국에서 소식을 기다려야만 하나요?"

"너무 걱정하지 마, 에이레네. 난 이미 칼리스에서 살아 돌아왔어."

위험할 뻔은 했지만, 해를 입지도 않았다. 그건 아델이 나를 그럭저럭 대우해 주어서긴 한데, 이제는 어떻게 될지.

이번은 두 번째다. 내가 그를 떠난 두 번째. 첫 번째라면 모를까, 두 번째까지 관대하긴 어려울 터였다.

여하간 난 낙관적이었다. 칼리스와 협상을 마치고 이민 가야 할 복잡하고 앞날이 우중충한 상황에서도 긍정성을 잃지 않았거든.

그 모습이, 어쨌든 나를 따르는 이들에게 믿음을 준 것 같았다. 그야 나는 성녀니까 말이지.

"정말, 이게 무슨 일인지 모르겠어요."

에이레네에 이어 방을 찾아든 아리안느가 투덜거렸다. 칼리스에 사로잡혔던 그녀라면 이를 득득 갈며 반대할 줄 알았다.

하지만 예상외로 그녀는 내가 칼리스로 향하는 데 부정적이지 않았다. 정확히는, 그녀는 중립이었다. 난 그 점이 좀 궁금했다.

"아리안느는 왜 반대하지 않아?"

이성적인 아스타 대사제는 물론이거니와 칼리스에 대해서 강경한 집행신관장 아레스도 반대하는데, 그보다 더 감정적인 아리안느가 왜 반대하지 않는지 모르겠다. 그녀라면 무조건 칼리스와 전쟁을 하자고 주장할 것 같은데.

눈썹을 쓱 치켜든 아리안느가 내뱉었다.

"그야 저도 칼리스에 사로잡혀 봤으니까요."

"무슨 뜻이야?"

"칼리스 놈들은, 지독하도록 냉정해요. 인형 같지요. 그들은 사로잡은 저를 통해 얻어낼 것이 있었어요. 목적을 이루기 위해서 몸도 제대로 못 가누는 저한테 폭력을 행사할 필요는 없지만요."

신성교국에 들어서자마자 성력을 봉쇄당한 채, 연기에 휩싸여 정신을 잃었던 아리안느다. 그녀가 기억을 되짚으며 말을 이었다.

"하지만 필요는 중요치 않아요. 성국과 칼리스는 적대국이에요. 필요를 떠나서 그들이 저를 험하게 다루었더라도, 문제 되지 않는, 오히려 당연한 일이었을 거예요. 하지만 그들은 그렇게 하지 않았어요. 단지 저를 사로잡아 두기만 했지요. 그건 이상한 말이지만, 꼭 불필요하게 상대를 해치지 않는다는 것 같기도 했어요."

"그래서 내가 안전할 거라고, 생각하는 거야?"

"네, 제 생각이 이상한가요?"

아리안느의 말은, 상당히 이색적이었다. 칼리스를 향해서라면 호의적으로 볼 수 있는 평가. 아마 그녀가 회의에서 그런 말을 꺼냈다면 질타를 받았을지도 모르겠다.

하지만 여기는 사석이었다. 그녀의 인식 변화가 내겐 나쁘게 들리진 않았다.

아니, 도리어 달갑게 들렸다. 내가 칼리스로 간다면 앞으로 성국과 칼리스와의 관계도 상당히 달라질 테니까.

"아리안느가 그렇게 평가했다면 그런 거겠지. 나도 사실 같은 인상을 받았거든. 날 봐, 칼리스에서도 잘 지냈는걸."

"어련하시겠어요."

나는 후후 웃었다. 불안감이 없는 건 아니었다. 칼리스는 냉정하다. 왕속 특무단은 더더욱 그렇다.

하지만 아델은 내게 화가 나 있는데. 여전히 인도적인 처우를 해줄까? 그래도 때리진 않겠지? 고문하는 것 아니겠지? 그가 나를 믿을 수 있긴 할까.

분노를 제치고 생각해 본다면, 아델도 내 진심을 발견할 수 있을 거다.

……있겠지? 나는 한 가지 결론을 새겼다. 모르면 잘 알려줘야지. 그를 구슬리는 건 내 몫이었다. 이제껏 해 왔던 대로 잘 해결되기를.

내가 마음의 준비를 단단히 하는 사이, 성국에서 보낸 전령은 칼리스로 향하고 있었다.

보통 우리에게 뭔가를 통보해 오는 쪽은 칼리스였기에 우리 쪽에서 누군가를 칼리스로 보내는 건 처음이다. 나는 부디, 우리 쪽에서 보낸 성기사의 목이 온전하길 바랐다.

왜, 그런 거 있잖아? 사신을 보내면 사신의 목을 잘라서 돌려보내고 선전포고하는 거.

하지만 내가 너무 소설을 많이 본 모양이다. 그런 극단적인 사건은 일어나지 않았다.

그 말은 즉 아델의 분노가 이성을 압도할 만큼 크진 않다는 뜻이다.

조마조마해서 기다리는 와중에, 사신이 돌아와 칼리스가 우리 쪽에서 제의한 회담에 응했다고 전했다.

그건 타협 불가능한 상대라고 여겼던 칼리스와 이루어진 역사상 첫 번째 회담이었다.

우리는 칼리스와 성국 가운데 위치한 알로사 평원에서 양국의 지도자가 참석하는 회담을 열기로 했다.

아마 역사에 길이 남을 한 장면이 되지 않을까.

*

일사천리로 고작 이틀의 간격을 두고 날짜가 잡혔다. 출발하는 당일 날까지 긴장감이 이어졌다.

에이레네는 내가 팔려가는 신부처럼 보이기보단, 당당한 월신의 대리자처럼 보이길 원한 모양이었다. 그건 내 의도와도 부합했다.

금사와 은사가 얽혀 섬세하게 수놓인 예복은 내가 이제껏 입었던 그 어떤 옷보다도 고급스러웠다.

머리 위에는 관을 쓰고, 손에는 여왕처럼 홀을 들었다. 머리카락을 틀어 올리거나 묶는 건 속박을 의미한다.

인세에 구속받지 않는 존재, 성녀이기에 난 흑발을 길게 늘어뜨렸다. 화려한 의상을 입고 금빛 눈동자를 빛내는 거울 속의 나는 실로 성스럽고 고아한 성녀처럼 보였다.

"부디 무사하시기를."

에이레네가 마음을 정리했는지 담담하게 말했다. 그녀의 눈빛엔 떠나갈 내 앞에서 동요를 드러내지 않겠단 결의마저 담겨 있었다.

세 명의 대사제가 함께할 예정이었지만, 그녀는 나와 동반하지 않았다.

칼리스에서 순순히 회담에 응했다고 해도, 그쪽에서 무슨 수작을 부릴지 알 수 없는 일이었다.

아델이라면 그 자리에서 우리 쪽 전력을 궤멸시키고 나를 납치해 가려고 하고도 남았다. 그가 그렇단 걸 알고 있었기에, 우리 쪽에선 만반의 대비를 해야 했다.

에이레네는 전투에 적합한 대사제가 아니니, 함께할 수 없다. 가장 전력이 될 만한 아스타, 아레스, 아리안느 그리고 카마엘이 나와 함께하기로 했다.

장소도 우리가 잡았고 만나기로 한 시일도 빠듯하다. 칼리스에서도 음모를 꾸미기엔 부족한 시간이 될 터.

"……잘 있어, 그동안 고마웠어."

다녀올게, 라고 여상하게 말하려던 난 내가 더 이상 돌아올 수 없을지도 모른다는 걸 알아차리고 말을 바꾸었다.

영영 이별은 아닐 거라고 생각하지만, 복잡한 기분이 일었다. 고개를 작게 도리질한 나는 환히 웃으며 말했다.

"에이레네, 다시 만날 때까지 건강하기를."

"예, 성녀님."

난 그녀의 표정을 보지 않고 등을 돌렸다. 더 이상 마음이 약해져선 안 된다. 이제 주사위는 던져졌다. 나는 최선의 결과를 이끌어 내야만 했다.

*

열여섯 살에 그와 헤어진 이후로, 아델을 다시 만나게 된다면 엄청나게 비장한 상황에서일 거라고 생각한 적이 있다.

신성교국에서 다시 만났을 땐, 확실히 그랬었다. 그런데 이번에는 그때보다 상황이 더 나빴다.

아델은 그를 미쳐 버리게 만드는 저주에 걸려 있고, 내게 배신감을 느끼고 있으니까.

어쨌든, 우리는 순탄히 한자리에 모였다. 햇볕이 내리쬐는 정오, 우리는 자그마한 군영 안에 앉아서 대기했다.

양측의 군대가 근거리에서 대치하며 한껏 긴장감을 피워올리고 있었다. 우리가 마련한 회담 장소에, 그들이 걸어 들어올 터.

초조한 기다림 속에서. 시간에 맞추어 저 멀리서 말을 달려오는 한 무리가 보였다.

먹구름이 몰려오듯 시커멓다. 점점 가까워지는 그들을 나는 한 점을 꿰뚫듯 응시했다. 머리카락이 빳빳하게 곤두서는 느낌. 가슴이 두근거린다. 긴장감에 배 속이 얼얼했다.

그들은 마침내 군영이 당도했다. 아델이 말에서 내려섰다. 모두 맞춘 듯이 검은색 갑옷을 입었다.

투구를 쓴 그 누군가가 아델임을 눈치챌 수 있었던 건, 그의 투구가 유독 화려한 탓이었다. 또한 투구의 그늘 아래서 빛을 발하는 새파란 눈동자.

칼리스에서 벌어진 일이 그를 한 차례 다지고, 깎아 낸 듯이 예리하고, 더 깊어진 눈빛이었다.

짧은 새에 성장한 그를 보면서 전율하면서도, 나는 깊은 안도감을 느꼈다.

그가 무사하길 바랐다. 내가 아무것도 할 수 없는 그곳에서.

그리고 아델은 이 자리에 왔다.

그토록 뭔가를 다행이라고 느껴 본 적은 없었다. 내 안에서 물고기처럼 팔딱거리는 심장 소리가 들렸다.

그와 이토록 많은 성국의 눈앞에서 적으로서 대면한 것은 단언컨대 처음이었다.

아델이 천천히 투구를 벗어 들었다. 시체로 산을 쌓으며 왕위를 차지한 폭군이라고 하기엔 섬세하고 아름다운 낯이 공중에 모습을 보였다.

성국 사람들의 눈엔 실제의 악은 눈을 현혹시킬 만큼 아름답다는 말을, 충족하는 외형처럼 보이리라.

조금 거칠어진 안색, 그리고 눈빛. 이지가 살아 있음을 알리듯 또렷했다.

아닌가? 나를 발견한 순간부터, 그의 눈빛은 바뀌었다. 안광을 내뿜는 듯한 번뜩이는 눈빛이었다.

아델, 나를 향한 마음은 잘 알겠다만 그런 시선은 좀 거두어 줄래? 우리 쪽 사람들은 내 안전에 몹시, 신경 쓰고 있거든. 기껏 준비한 협상을 망쳐 버릴 수도 있단 말이야.

사실 그의 눈빛은 아주 잘 봐주어야 나를 향한 열정이 담겨 있다고 포장할 수 있을 정도로 살벌했다. 아무리 봐도 철천지원수를 마주한 것처럼 보인단 말이지.

다가온 그들이 간격을 두고 멈추어 섰다. 회담장 가운데엔 거대한 테이블을 두고 의자가 놓여 있었다.

서로가 서로를 소개하거나 인사를 나눌 분위기가 아니었다. 사실 서로에게 축복의 말을 건넨다는 자체가 모욕이 될 거다. 여기 모인 이들은 적이었다.

"앉으시지요."

지브리안이 일어서서 온화한 낯으로 권했다. 어쨌든 그는, 성국의 일행 중 나를 제외하고 칼리스를 상대로 가장 온건한 태도를 보일 수 있는 사람이었다.

성국인들에게 칼리스인이란 한자리에 앉아 있는 것조차 치를 떨게 만드는 상대였으니까.

실제로 아스타 대사제나 집행신관장 아레스의 표정은 암석처럼 굳어 있었다. 나 참, 이래서야 대화가 되겠어?

아델이 냉담한 태도로 내 맞은편, 가운데 위치한 상석에 걸터앉았다. 검은 망토가 펄럭였다. 왕속 특무단원들이 그의 뒤로 병풍처럼 섰다.

그중엔 익숙한 얼굴, 아지스도 있었다.

"말해 보시지, 나를 불러낸 그 용무란 것을."

거만하게 다리를 꼰 그가 차게 내뱉었다. 살짝 올라간 입꼬리는 미소라고 보기엔 어려운 표정을 만들어 냈다. 싸늘하기 그지없다. 그의 눈은 여전히 내게로 꽂혀 있었다.

왕자가 아닌 왕. 모든 결정권을 가진, 칼리스의 젊은 군주. 아드라하트 블라스페미아 칼리스. 그가 가진 힘과 권력이, 그에게 무게감을 더했다.

하지만 그래 봤자 아델이다. 난 속으로 팽 코웃음 쳤다.

"제안이 있어."

"내 쪽도 제안이 있는데."

내가 입 열자마자 아델이 잘랐다. 나는 미간을 모았다. 또 성녀를 내놓는다면, 전쟁은 하지 않겠다. 뭐 이런 소리를 하려는 거지?

아마 이 자리에서 위협하는 정도로 끝나지 않을지도 모르겠다. 이 기운, 이 분위기. 정말로, 전쟁을 벌일 참인 거 같으니까.

내가 도망친 이상, 나는 아델에 대한 통제권을 상실했다. 도망치지 않겠다고 약속한 건 아니지만, 아델은 그걸 배신이라고 여길 터. 억울하기 짝이 없는 일이었다.

저 형형한 눈빛을 보라. 꼭 나를 씹어 삼키려는 것 같잖아. 내 등 뒤에 카마엘이 있단 게 조금 위안이 되었다.

"들어 봐, 우리의 제안과 그쪽에서 바라는 바가 합치하는 데가 있을 거라고 생각해."

"합치?"

기가 차다는 듯 아델이 웃었다. 난 차분히 말을 이었다.

"이대로 병력을 돌린다면, 칼리스의 왕실에 내린 저주를 풀어 주지."

"너는 이미 칼리스에 왔었고, 저주를 풀 수 없음을 보였다."

아니, 나는 보인 적 없어. 그때는 저주를 풀려고 한 게 아니었는데 그렇게 된 거라고. 저주가 제 것이 된 이상 아델은 그것을 아예 무시할 순 없었다.

성녀님. 옆에서 아리안느가 소곤거리는 소리가 들렸다. 어쨌든, 아델이 내 말처럼 나를 좋아하는 것처럼 보이진 않는 게 사실이다. 나는 여유를 잃지 않고 웃었다.

"틀려. 나는 저주를 푸는 방법을 실행한 적이 없어. 그건 좀 더 복잡한 문제거든."

"복잡한 문제라."

아델의 입가에 사나운 미소가 떠올랐다.

"내가 거기에 전혀, 관심이 없다고 한다면?"

저주 따윈 아무래도 좋다고 생각할 리는 없다. 하지만 아델은, 그보다 더 중요한 게 있단 듯이 날 노려봤다.

다 잡은 고기를 놓쳐 보냈는데, 다시 눈앞에서 어른거리는 심경일까. 그것참 조바심 나겠어. 나는 상냥하게 말했다.

"관심을 가져야 할 거야. 말했듯이, 우리는 합의점을 찾을 수 있을 테니까."

아델이 자세를 고쳤다. 내 쪽으로 조금 기울어진 몸은 한층 더 위협적이었다.

나는 가볍게 그와 시선을 마주했다. 대기 중의 수분이 얼어붙는 듯 팽팽한 긴장감이 돌았다.

아델과 내가 가까운 사이라곤 누구도 믿을 수 없을 듯한 대치였다.

하지만 나는 아델에게 져 본 적 없는 몸이다. 어딜 날 이기려고 드는 거야. 어림도 없지!

저주의 영향으로 난폭해진 아델이 휘까닥 돌아서, 날 공격해 버릴 가능성은 충분했다. 난 그걸 간과하진 않았지만, 두려워하지도 않았다. 여기서 밀리면 평생 밀리는 거다. 마음속에 배수진을 치면서.

　그리고 그렇게까지 다진 내 단호함을 확인한 아델이 조금 물러나는 듯했다. 짜증이 인 얼굴로 그가 뱉어냈다.

　"말해."

　"내가 칼리스로 간다면, 내게 무엇을 약속할 수 있지?"

　더 이상 가늠할 것 없이, 나는 바로 직구를 던졌다. 회담을 전적으로 내게 맡긴 터라, 침묵을 지키고 있던 주변의 대사제들이 술렁거렸다.

　흔들리는 공기 속에서, 동요를 보이지 않는 건 오로지 나 하나였다. 아델의 입이 느리게 떨어졌다.

　"무엇을 약속하다니?"

　내 속셈을 간파하고자 하는 듯, 질문에 날카로움이 서렸다.

　"나는 월신의 대리자이며 월신께 가장 가까이 있는 권속. 그러니 성녀인 내가 포로처럼 칼리스로 갈 수는 없는 일이지."

　내가 칼리스로 가겠단 의지를 보였으면, 너도 내게 뭔가를 보여 줘야 한다. 이 보장 없인, 움직이지 않을 테다. 그게 내 뜻이었다.

　하지만 내가 이렇게 나오는 것 자체가 아델에겐 정말로 예상 외였나 보다. 숨길 수 없는 혼란이 그의 가면 위로 스쳤다.

　다시금 차가워진 얼굴로, 아델이 입을 열었다.

"바라는 것을 말해."

조금 타협의 여지가 생겼다. 나는 여전히 웃는 얼굴로 말했다.

"내게 어울리는 자리를 줘. 포로나 죄인을 대하듯 하지 말고."

감을 잡지 못한 얼굴이지? 아이참, 내가 이거까지 말해 줘야 정답을 찾아낼까. 그도 참, 예상 범주를 벗어나는 일이 발생하면 어쩔 줄 모르는 것 같다.

나는 입을 열었다. 그 말은, 수도 없이 머릿속으로 연습했던 탓인지 생각보다 쉽게 흘러나왔다.

"성녀가 칼리스의 왕족과 혼인하면, 저주는 풀린다."

나는 한 음절 한 음절 또박또박 발음하며 시선에 힘을 주었다.

"그게 내가 받은 신탁이야."

드디어 말하고야 말았다. 뒤늦게 숨 막히는 긴장감이 나를 휘감았다. 나는 여유로운 척 물었다.

"자, 이제 너는 내게 어떤 대답을 주겠어?"

여기까지 말해 줬으면, 아무리 바보라도 답을 찾아낼 수 있겠지?

내 말이 그를 후려친 듯, 아델은 잠시 침묵에 잠겼다. 내가 그의 곁으로 가겠단 말. 그가 바라는 대로 날 손에 넣을 기회가 코앞으로 들이밀어 진 상황 아닌가.

불신의 기색이 떠올랐다. 충격에 커진 동공이 곧 좁혀 들어 예기를 머금었다. 어떤 간교하고, 교활한 계책이 내게 숨어 있는 건 아닌지 샅샅이 파헤치는 듯한 눈.

하지만 그토록 의심이 많은 아델일지라도, 나를 불신하여 쳐 낼 수는 없었다.

나는 성녀였다. 그것이 그가 나를 원하는 이유와 맞닿아 있었 다. 본질적인 의미로 나를 가장 잘 아는 건 그였으니까.

드륵. 의자가 움직이고, 그가 자리에서 일어섰다. 그 차가운 눈 안에 용암이 끓는 듯했다. 차가운 한색의 푸른 눈이 그토록 뜨거웠다.

순식간에 목표에 이르듯 그가 내게로 손을 뻗었다. 무뚝뚝한 발음이 떨어졌다.

"칼리스로 와서, 내 왕비가 되어 주길."

정말, 무드 없고 낭만적이지 못한 청혼이다. 이 살벌한 분위 기 속에서.

하지만 그것이 그의 최선이라는 걸 안다. 미사여구나 특별한 절차를 생각할 여유가 없다.

다른 무엇도 떠오르지 않는 양 오로지 날 쳐다보고 있는 그 눈빛. 그보다 강렬하게 날 바라볼 남자가 앞으로도 존재할 것 같지 않았다.

내게 내밀어진 손과 날 직시하는 새파란 눈동자에선 뜨겁도 록 진심이 배어났다. 이 세상에 단 하나뿐인 존재를 바라보는 듯이. 거기에 어떻게 응하지 않을 수 있을까.

타는 듯한 두근거림이 가슴을 메웠다. 목 안까지 차올라 터져 나올 것 같다.

나는 대답 없이 그의 손 위에 내 손을 올렸다.

전쟁의 서막 같았던 회담은, 무사히 끝을 맺었다.

*

내겐 고작 하루의 시간이 주어졌다. 난 최소한의 인원을 거느리고 칼리스로 향하게 되었다.

칼리스에서, 그리고 아델이 내 말이 거짓이 아니란 걸 증명하길 원했기에 시간이 길게 주어지지 않았다. 그들이 몰고 온 대병을 물리려면 그만한 근거가 필요한 터.

결혼식은 석 달 안에 치르기로 했다. 그 전에 담보로 내 신병을 붙잡아 두는 거다. 이렇게 될 줄 알았다. 그래서 미리 준비를 해 뒀지!

모두가 숙연한 분위기 속에서 내 선택을 지켜보았고, 이제는 내가 칼리스로 떠나야 한단 사실마저도 어렵사리 받아들였다.

수행 사제 몇 명이 날 따를 거라는 데는 동의했지만 그 이상은 함께할 수 없다.

내 선택이 대부분 나를 위하여 내려진 것인 이상, 어떤 명분을 달고 있더라도 성국에 피해를 주고 싶지 않았다.

또한 칼리스에 대한 성국의 적개심이 엄청나듯, 칼리스에도 성국에 대한 적개심이 있다.

나는 조금 더 덜 권위적이고 단출하게 보일 필요가 있었다. 초라한 행렬을 거느리고 찾아든 성녀라면, 칼리스인들의 반발심을 좀 누그러뜨리리라. 백의종군처럼 보일 테니까.

회담의 내용은 내가 칼리스로 향하고 난 뒤에야 만방에 알려질 거다. 성국에도 혼란이 일겠지만, 남겨진 이들이 잘 수습하리라 믿었다.

"그곳에서 얼마나 고된 시간을 보내실지."

마지막으로 단정한 의복을 입고 있는데 에이레네가 안타까운 듯이 말하며 내 머리카락을 빗겨 주었다.

"나는 괜찮아. 칼리스의 신왕은 이전부터 내 편의를 많이 봐줬어. 다만 나와 함께하는 사제들이 더 걱정돼. 위험할지도 모르는데."

아무리 아델이 내 신변에 신경 써 준다고 한들, 한계는 있다. 성국인이다. 어떻게 노려질지 모르지. 왕성에서 이미 한 번 암살 시도를 겪어봤기에 안심이 안 됐다.

"자원해서 가는 이들이에요. 성녀님을 보필하기 위해 칼리스로 가는 것은 그들에게도 영광일 거예요. 저도 함께하고 싶지만, 그건 안 되겠지요."

슬픈 눈빛이었다. 가슴이 따끔할 만큼.

"결혼식 때는, 다시 볼 수 있을 거야."

결혼식 때는 이렇게 일방적인 상황은 아닐 터. 앞으로 아스타 대사제와 결혼식을 어떤 식으로 치를지 쭉 협의를 보겠지. 식은 양측이 참석한 가운데 이루어질 거다.

나는 그동안 아델의 저주를 풀거나 증상을 누그러뜨릴 방법을 찾아봐야지. 혼인으로 변형되어 버린 저주가 풀리면 좋겠지만.

만약 그것으로 해결되지 않는다면 내가 과연 저주를 풀 수 있을까. 그건 나로서도 장담할 수 없는 일.

하지만 나는 아델을 버릴 수 없다. 월신께서 내린 저주이니, 성녀인 내가 수습하는 게 맞는 거잖아.

한 가지 확신은, 아델에게 걸린 저주를 풀 수 있는 누군가가 있다면 그건 나뿐이라는 것. 누구도 다치거나 잃지 않았으면.

"잘해 봐야지."

나는 각오를 다졌다.

*

떠나기 전, 마지막으로 카마엘과 마주했다. 그에게 뭔가를 말해야 할 것 같단 의무감이 든 난, 잠시 말을 삼켰다.

나를 배웅하기 위해, 백은 갑주를 차려입은 그는 오전의 햇볕을 받아 반짝반짝 빛이 났다.

투구의 그늘에서 보랏빛 눈동자가 유독 선명한 빛을 머금었다. 무감정한 듯 신비로운 저 눈. 어린 시절부터 줄곧 나를 지켜 주었던 그.

에이레네와는 달리, 그의 품을 떠난다는 건 맞지 않은 말이었다. 카마엘과 나의 관계에는 끈끈한 결속이 깃들어 있지 않았다.

성녀와 그녀를 섬기는 성기사. 우리의 관계는 퍽 담백하다. 하지만 오래된 정이 있었다. 벌써 그리워지는 느낌이 든다. 난 살짝 웃으며 말을 걸었다.

"기껏 칼리스에서 탈출시켜 줬는데 이렇게 되어서 미안해."

"성녀님은 신탁을 받으셨습니다. 거기에 따르는 것은 옳은 일입니다."

결국 그걸 명분으로 내 선택을 정당화할 생각인가 보다. 그가 날 막아설 수 없는 이상, 그게 현명한 일이었다.

나는 손을 뻗어 카마엘의 손을 잡았다. 하얗고 매끈한 손의 안쪽엔 단단히 물집이 배어 있었다. 난 그것을 들여다보며 말했다.

"나 대신, 성국을 잘 지켜 줘."

새삼스러운 말을 한단 생각도 들었다. 카마엘은 항상 전력을 다해서 성국을 지켜 왔다. 그리고 나를.

하지만 칼리스의 왕비가 될 나를 그가 지키는 건 이제 안 될 말이다. 다시 만나는 것도 요원할 거다.

카마엘은 이제껏 충분히 그의 임무를 다해 왔지. 내 어리광도 많이 받아 주었고. 이젠 이 골치 아픈 성녀한테서 좀 자유로워 질 때도 되지 않았을까.

카마엘도 나와 함께 칼리스로 가길 원했지만, 이전과 마찬가지로 이루어질 수 없는 일이었다.

그는 대사제들보다도 더 잃어서는 안 될 존재. 성국의 검. 그러나 칼리스에서 그는, 위협적인 적이며 적의의 대상이었다. 그는 과거의 성전에서 무수히 많은 칼리스인들을 베어 냈었다.

내가 칼리스의 왕비가 되는 것을 칼리스인들로 하여금 좀 더 원만하게 받아들이게 하려면 그가 함께해선 안 된다.

"그것이 제 임무이니."

그의 손을 꾹 쥔 난 고개를 숙여, 손바닥에 축복의 키스를 남겼다.

카마엘은 가만히, 내가 하는 대로 내버려 두었다. 영광이라며 호들갑스럽게 굴거나 당황하지도 않고, 그저 고요하게.

그러나 내가 고개를 들었을 때,

"저 역시도, 제 소임을 다할 생각입니다."

어떤 결심이 굳어진 눈빛이었다. 내가 뭐라 말할지 망설이는 사이, 그가 먼저 말했다.

"출발할 때가 되었습니다."

그 말이 전혀 이별을 앞두고 할 말처럼 느껴지지가 않아서 조금 의아했던 게 사실이다.

다시 만날 수 있을 거였다. 분명히 그럴 거다. 나는 미소를 머금은 채 고개를 끄덕였다.

*

어제 그 회담 장소에 당도한 난 칼리스에서 준비한 마차에 올라탔다.

나를 따르는 세 명의 사제들. 그들의 표정은 결연했다. 전염병이 창궐하는 지역으로 자원봉사를 가는 의료진의 느낌이랄까. 그보다 더 위험할 순 있더라도 덜 위험하진 않을 테지.

나도 불안하다. 하지만 이럴 땐 윗사람이 모범을 보여야 하는 거다. 나는 그들과 떨어지는 순간까지 최대한 태연한 척해 보였고, 마차에 타고 나서야 한숨을 내쉬었다.

그들은 수행인을 위해 준비된 마차를 타고 출발할 거였다. 그리고 이 마차엔…….

"후회하더라도 소용없어."

뒤이어 곧바로 올라탄 아델이 맞은 편에 앉자마자 말했다. 마왕처럼 검은 옷의 그는 순백의 의상을 입은 나와 퍽 대조되어 보였다.

누가 칼리스의 폭군이 아니랄까 봐, 꼭 악역처럼 입었다.

그가 차갑게 말했다.

"너는 네 발로 칼리스에 가는 거야."

감정의 결이 느껴지지 않은 메마른 음성이었다. 나는 설핏 웃었다.

그건 이미 있어 봤던 일이다. 물론, 그때는 반강제였고 의식 없는 채였지.

난 태연하게 물었다.

"어째서 내가 후회할 거라고 생각해?"

"넌 그리 똑똑한 편이 못되니까."

똑똑지 못한 내가 별로 올바른 판단을 하지 못했다고 생각하는 것 같은데. 그럼에도 아델은 날 칼리스에 붙잡아 두길 원하지 않았나.

아이러니한 일이다. 그것이 조금 슬프게 느껴지기도 했다.

아델에게는 우리가 함께하는 게, 불행이 될 거라고 생각되는 것 같았다. 어쩌면 파멸로 향하는 길을 걷고 있다고 여겨지는 것일까.

하지만 그가 홀로 진주해 왔던 그 길에, 나 역시 함께하기로 결심했다. 나는 그렇게 되도록 내버려 두지 않을 테다. 난 그를 향해 의기양양하게 코웃음 쳤다.

"난 똑똑해. 그걸 네게 증명해 줄게."

아델은 날 뚫어지게 쳐다봤다. 왜, 뭐. 내가 눈빛으로 받아치자 그는 뭐라고 말하는 대신 고개를 홱 돌리며 눈을 감았다.

마차는 다시 정적에 잠겼다. 이것으로 싸움은 시작되었다.

아델의 태도는 뜻밖이었다. 그는 내게 왜 도망쳤느냐며 화를 낸다거나 위협을 가한다거나 특별히 나를 괴롭히지 않았다.

아델은 이제껏 보았던 중에 내게 가장 무관심하게 굴고 있었다. 새삼 결혼할 사이가 되어서 의식하는 건가? 아니면 내가 이렇게 나온 게 의외라서?

아델은 내가 그를 선택할 거라고 추호도 생각한 적이 없었던 듯하다. 내가 그를 버린 것에 대해서 그토록 화를 내고 어필했으면서도.

······눈을 감았긴 감았으되, 자는 것 같진 않구나. 휴식을 취하고 있는 것 같지만, 잠든 사람의 숨소리는 아니었다.

그의 앞에서 손을 휘저어 볼까 싶었지만, 난 아델을 자극하지 않기로 했다.

외조부와 싸우면서 변변한 휴식을 취하지 못했을 그였다. 칼리스로 돌아갈 때까지 여정은 기니 잠시만 내버려 둬야지.

마차를 타고 가면서, 나는 아델과 어떤 대화를 나누면 좋을지 생각했다. 이런저런 이야기를 하기에 좋은 장소였지만, 좋지 않은 장소이기도 했다. 사적이면서도 부산하고 흔들리거든.

그동안 무슨 일이 있었냐고 물어볼까? 헤어져 있는 동안 어떻게 지냈느냐고 해 봐? 나더러 어째서 칼리스에서 도망쳤느냐고 물으면, 그럴듯하게 답해 줄 수 있다.

고민하던 난 어느덧 등받이에 머리를 기대었고, 눈을 깜빡이다가 어느 순간 잠들었던 것 같다.

사실 마차 여행도 꽤 피곤한 일이란 말이야. 칼리스로 떠나야 한다는 불안감에 나 역시도 밤잠을 설쳤거든.

그렇게 이룬 잠은, 기막힐 정도로 달았다.

한참 후 눈을 떴을 때, 나는 어딘가에 안정적으로 머리를 기대고 있었다.

단단한 어깨. 언제 옮겨 왔지? 그러면 소리죽여 움직이는 데 익숙할 테지만. 옆으로 옮겨와 앉는 기척을 전혀 눈치도 못 채고 있었던 내가 좀 한심스럽기도 하다.

너무 마음을 놓고 있었던 걸까. 고개를 꾸벅거리다가 몇 번은 깨었을 만도 한데, 어쩐지 잘도 잤다 싶었다.

"아델?"

잠긴 목소리로 부르자, 바로 시선이 돌아온다. 읽기 어려운, 담담한 눈길이다.

"왜."

"언제부터 이러고 있었던 거야?"

"좀 되었어."

무신경하다고 표현할 만치 불친절하다. 미묘하게 거리를 두는 듯하면서도 어느덧 가까이 온 그의 반응이 낯설었다.

수줍은 소녀 같진 않은데 이건 뭐 하는 거지? 이제껏 아델에게서 찾아볼 수 없었던 행동 양상이다. 헷갈리네.

"더 자."

심지어 나를 재우려고 든다. 아직 졸음기가 남아 있었지만 난 고개를 살짝 저으며 물었다.

"이야기를 좀 할까?"

회담에서 말을 좀 나눴지만, 그도 내 의도를 모를 테고 나 역시도 그의 속내를 완전히 알지 못하는 터. 슬슬 입 열어 봐야지.

나는 냅다 그의 손을 움켜쥐었다. 내가 아델의 손을 먼저 잡아 본 건, 정말로 오랜만인 것 같은데.

아델이 움찔했다. 꼭 갑자기 튀어나온 쥐를 본 듯한 반응이다. 나는 속으로 키득거렸다.

"......할 이야기, 딱히 없는데."

아델이 느릿하게 입을 열었다. 그러면서도 손을 맞잡지도 떼어 내지도 않는다. 그저 가만히 내버려 둔다.

이상했다. 몹시도 수상쩍다. 하지만 분명한 건, 내가 아델의 가면이든 무덤덤한 자세든 그 모든 걸 깨 버릴 수 있단 거였다. 난 속삭였다.

"그래? 나는 많은걸."

얘가 뭔 꿍꿍이인가 의심하고 있는 걸까나. 그건 좀 섭섭하지만, 어쩔 수 없지. 그 정도는 관대하게 포용해 주지.

"난 그동안 네가 어떻게 지냈을지 궁금했어. 걱정도 되고. 밥은 잘 먹고 있는지, 어디 다치진 않았는지⋯⋯."

저주는 어떻게 되었는지. 거기까지 말할까 고민하는 순간, 그의 입에서 차가운 말이 튀어나왔다.

"내가 걱정되었다면, 도망치지 말았어야지."

일순 감정이 새어 나온 듯 뜨겁게 튄다. 격앙이 묻어난 음성. 난 놀라는 대신 평온하게 답했다.

"나는 성녀이니, 성국으로 돌아가야지. 네 숨겨 둔 애인처럼 그렇게 별장에서 네가 찾아올 때까지 기다리고 있을 게 아니라."

달래기보단 반격하는 것을 택했다. 제대로 대우할 상황이 안 되었다곤 해도, 그가 날 그런 식으로 대한 건 사실이니.

"그래서 넌 돌아갔지. 하지만 다시 여기서 칼리스로 향하고 있지. 네 성국의 안전을 위해서 뛰어나온 건가. 내가 약속을 어길 줄 알고?"

성국에 해 끼치지 않겠단 그 약속, 정말로 어길 셈이었는진 모르겠다.

하지만 어차피 그렇게 단단한 약속은 아니었다. 그는 이제껏 차고 넘치도록, 무리하게 느껴질 만치 그 약속을 지키려고 했다. 그게 실은 나를 포기하지 못해서임을 안다.

"아넬, 성국을 얕보지 마. 성국은 강하고 굳건해. 칼리스와의 전쟁을 피하지 않을 만큼. 그러니 나는 성국의 안전을 위한다는 명목으로 네게로 온 게 아니야."

그가 내 의도를 그리 몰고 가는 것도 썩 좋은 기분은 아니었지만, 성국을 토끼 보듯이 말하는 것 역시도 용납할 수 없었다. 성국은 분명히 초식동물이지만, 토끼보단 코끼리에 가깝다. 그리고 코끼리는 사자도 물리치는 법이다.

사실, 아델로선 내 속내를 의심하는 것보다 더 간단한 답을 가질 수 있었다. 아델과 나는 어차피 서로에 대한 특별한 감정으로 인연을 지속해 온 사이였다. 그저, 내 마음이 나를 이곳에 있게 했단 그 간단한 답.

하지만 그는 그 답을 가정하려고 하지 않았다. 마치 확신했다가 그것이 무너지면, 도저히 견딜 수 없을 것처럼. 그리하여 내게 묻는다.

"그렇다면?"

너를 사랑해서 그렇다고 말하기엔, 낯간지럽고……. 사랑이라고 할 만한 건지도 모르겠다. 내가 아델 때문에 가슴이 설레고 두근거려서 잠 못 드는 일은 없었으니까.

도리어 담담하고 평화로운 중에도 간절하고, 그래서 버릴 수가 없고……. 끝끝내 나를 움직이는 그런 거. 중력처럼 늘 나를 옭아매나, 벗어날 수 없다.

고민 끝에 나는 조금 더 돌려 말하기로 했다.

"내가 원한 거야."

아델의 표정에 균열이 일었다.

"너는 성녀고 성국은 네게……."

"전부였지. 하지만 아델, 나는 많이 생각했고 결론을 냈어. 성국보다 너에게 내가 필요하다는걸."

성국은 내가 없을 때도 존속해 왔다. 그러니 내가 없다고 해도 잘 돌아갈 거다.

하지만 아델은, 그렇지가 못하다. 그는 나를 놓지 못하니까. 저주 때문이건 어쨌건 그는 나를 원했다.

성국은 내가 구할 필요가 없지만, 아델은 내가 구할 수 있으니까. 나는 다정하게 속삭였다.

"나는 네 곁에 있을 거야. 그게 내 결정이야."

극단적인 방식이 아니더라도, 함께 할 수 있는 길을 걸어가려고 한다. 그건 혼자만의 의지로 가능하지 않다.

날 향해 박힌 시선이 따가웠다. 마치, 저 멀리 둔 별이 그의 앞에 떨어진 것처럼. 생경하고 신비로운, 기적 같은 뭔가를 보는 듯이 아델이 날 보았다.

그러나 곧 어둠이 내리듯 새파란 눈동자가 짙어졌다. 차가워진 눈으로 그가 선언했다.

"그렇다면 증명해 봐."

뭘? 하고 물으려는 찰나, 그가 품에서 뭔가를 꺼냈다.

익숙한 물건이었다. 이전에 내 손목에 차여 있던, 그리고 히스칼이 풀어 주었던 지긋지긋한 그것. 성력을 봉인하는 팔찌.

하나가 아닐 거라곤 생각했지만, 이걸 또 준비했단 말이야? 나는 눈썹을 치켜들었다. 감정을 배제한 요구가 떨어졌다.

"네 손으로 그걸 네 손목에 달아. 그리고 결혼식 때까지 내 곁에 있어."

잠시 말문이 막혔다. 이게 말이 돼? 나는 팔찌를 내려다본 눈을 들어 아델을 노려봤다. 눈썹 하나 까딱하지 않는다. 진지하게 한 소리다.

아델에겐 먹통 같은 구석이 있었다. 나는 내가 아델을 설득해 낼 수 있는 순간과 그렇지 않은 순간을 꽤 잘 구분해내는 편이었다. 즉, 지금은 설득하기 어려운 순간이다.

어떻게 이 상황을 모면해야 하지? 필사적으로 머리를 굴리는 내게 그가 냉담하게 내뱉었다.

"잠든 새에 채울까 생각했지만, 이쪽이 낫겠지."

어쩐지 날 좀 더 편하게 자게 해 주려고 어깨를 내준 게 아니었나. 잠든 나를 보면서 잘 때 몰래 성력을 봉인할까 말까 고민했던 거였어?

감동은 싹 사라지고 싸늘함이 끼얹어졌다. 갈등이라도 해 줬단 걸 고마워해야 하는지 모르겠다.

내 손으로 팔찌를 찬다면, 내 말을 믿어 주겠다니. 행동으로 증명하란 식. 아델은 내게 확신을 요구하는 거다.

그는 몰래 내게 팔찌를 채울 수 있었음에도 그렇게 하지 않았다. 그건 흔들리고 있단 걸까.

갈피를 잡지 못하는 건 나도 마찬가지다. 그래, 못 찰 것도 없지. 식을 치르면 풀어 준다고 했으니. 고작 석 달이다.

하지만 나는 그때처럼 무력한 상태가 되고 싶지 않았다. 성녀로 살아온 내게 아무것도 할 수 없는 연약한 사람이 되는 건 낯선 경험이다. 찜찜함에 더해서, 한 가지 중요한 이유가 떠올랐다.

"아델, 너는 저주에 시달리고 있잖아? 성력이 없으면 나는 너를 도울 수가 없어."

내가 꿈에서 본 그는, 분명히 저주의 영향 아래에 있었다. 지금은 멀쩡해 보이지만, 그의 몸 깊은 곳에 이질적인 기운이 자리하고 있는 게 느껴진다.

달빛이 짙어지는 밤이면 저주의 효과가 증폭될 거다. 만약 그가 저주에 지배당해 미쳐 날뛰기라도 한다면, 내게도 저항할 수단이 필요하다.

그러나 아델의 부왕이 미치기까지는 오랜 세월이 걸렸다. 그를 막아설 왕속 특무단원들도, 사제들도 내 곁에 있다.

일단 팔찌를 찼다가 그가 어떤 조짐을 보인다면, 그때 풀어달라고 해도 괜찮지 않을까.

"이제껏 내가 경험한 것들에 비하자면, 저주는 그리 대수로울 게 없어."

아델이 담담히 말했다.

"네가 받은 신탁에 따르면 너와 혼인하면 저주가 풀린다고 했지."

아델은 유예를 걸었다.

"석 달이야. 그때까지 내게 믿음을 줘. 나를 약하게 하는 건 결국 너야."

심지가 흔들리면, 저주가 그를 지배하기 쉽다. 일리 있는 말.

내가 팔찌를 차서 도주의 여지를 줄이는 게, 아델을 마음 편하게 할 거다. 그건 정말 웃기고 이상하지만 타당하기도 했다.

하지만 나는 조금 화가 났다. 개목걸이를 하듯, 저 팔찌를 다시 차고 있어야 한다니. 고작 석 달이라지만 이런 경우엔 자그마치 석 달이다.

"정말로, 내가 그렇게까지 하길 원해?"

"그래."

칼같이 대답이 떨어졌다. 진짜 바라나 보다.

"하지만 칼리스에서 내가 위험해지기라도 하면 어떡해. 네 궁에서도, 나는 암살당할 뻔했잖아."

"그때와 달리, 나는 왕이야. 다수의 왕속 특무단원들을 네게 붙여 주지. 그리고 너를 따라온 네 사제들은, 정예일 텐데?"

그래, 내 사제들은 정예이며 전투 사제다. 성기사는 검을 들지 않으면 힘을 쓰지 못한다.

성기사들을 데려왔다간 칼리스의 왕성에선 검을 빼앗길지도 모른다고 생각했기에 부러 전투 사제들로 데려왔다. 성력을 운용한 싸움에 능숙한 이들.

대사제들과는 비할 바 못 되지만, 왕속 특무단원을 상대하기에도 부족함이 없는 전투력을 갖췄다.

"결정은 네가 해."

안 한다고 하면 어떻게 나올 건데? 쏘아붙이고 싶었다. 하지만 그러면 아델의 마음은 닫힐 거다.

선택의 기회를 주는 듯이 보였을 뿐 내가 어떤 선택을 하든 저 팔찌를 차게 될지도 모르지.

아델의 마음은 차게 굳어 있었다. 조금 물러진 지금 내가 그에게 확신을 준다면. 미래를 봐서라도, 이게 가장 빠른 길이었다.

나는 궁지에 몰린 기분이 되었다. 흑색의 팔찌는 표면에 윤이 반질반질 돌았다. 흡사 흑요석으로 만든 장신구처럼.

운명 교향곡이 귓전에서 울려 퍼지는 기분이다. 나는 이 상황을 예상하지 못했던 걸까?

내가 생각한 것보다, 아델은 더욱 극단적이었다. 중간이 없다.

일순 어떤 바람이 나를 휩쓸었다. 그리하여 난 움직였다.

"그래, 좋아."

도살장에 가는 소처럼 뚫어지게 그것을 바라보던 나는 결국 팔찌에 손을 뻗었다. 내친김에 양 손목에 채웠다. 채우자마자 표면에 새겨진 마법진이 빛을 내며 알맞게 줄어들어 안착했다.

거창하지 않은 과정을 거쳐서, 내 성력은 완전히 차단되었다. 온몸에서 힘이 빠졌다. 이전처럼 기절하진 않을 모양이다.

"이걸로 되었어?"

분해하는 날 향해, 아델이 느릿하게 고개를 끄덕여 보였다. 그의 눈빛에 흡족함이 스쳤다. 그제야 조금 믿음을 가져볼 듯이.

내가 아무렇지도 않은 척 순순히 팔찌를 채웠다면, 아델은 그 나름대로 의심을 품었을지도 모르겠다.

갑자기 성력을 봉인당한 성녀를 보고, 나를 따라온 이들이 어떻게 반응할지 앞이 깜깜하다.

난 한숨을 푹 내쉬었다. 아델이 팔을 뻗어 내 어깨를 끌어안왔다.

"넌 안전할 거야. 내가 그렇게 만들 테니까."

기분이 묘했다. 아마 아델은 내가 성력을 잃은 불안감에 착잡해 한다고 생각하는 것 같다. 단순하기도 하지.

아델은 미안한 기색을 내비치지도, 그렇다고 말하지도 않았다. 돌이키지 않을, 후회하지 않을 일엔 사과조차 하지 않는다. 그건 퍽 그다웠다.

성을 내고 싶었지만, 어쩐지 힘이 빠졌다. 난 중얼거리듯이 말했다.

"이제 그동안 네가 어떻게 지냈는지 말해 봐."

"네가 사라졌단 걸 알았을 때 기분이 더러웠지."

아델은 과격한 표현으로 서두를 시작했다. 나를 데려간 이가 카마엘이란 건 알았지만, 성력도 없는 날 데리고 칼리스를 빠져나가는 건 카마엘로서도 쉽지 않은 일일 터.

그는 혹시 외조부 쪽에서 내 신변을 먼저 확보할까 초조감을 느꼈다고 했다.

"국경은 왜 봉쇄했어?"

내가 걱정되었다면, 빠져나가기라도 쉽게 하면 좋았잖아? 어쨌든 칼리스를 빠져나가기만 하면 안전해졌을 텐데.

하지만 아델의 논리는 간단했다.

"너를 보낼 생각이 없었으니까."

어깨를 감싸 안은 손에 힘이 들어갔다. 아델은 이기적이다. 그걸 숨기지도 않지.

그래서 내 존재가 알려질지 모르는 위험성을 감수하고서라도 국경을 봉쇄하는 것을 택했다.

새삼 상기하니 한 대 때리고 싶어지는걸? 난 슬슬 올라가는 주먹을 내렸다. 좀 울컥했다. 다행히 잘 빠져나왔지만, 그래도.

아델은 이렇게 내가 그의 곁에 있는데도, 안도하기엔 이르단 듯이 경계심을 놓지 않는다.

나는 칼리스에서 도망쳤다. 다른 어디에서가 아니라. 그의 나라에서. 그게 아무렇지 않은 사실일 순 없겠지.

"네가 완전히, 칼리스를 벗어났단 걸 알았을 때가 최악이었지."

눈을 내리깐 아델이 회상하며 읊조렸다.

"가급적 빨리 외조부를 처리하자고 생각했어. 어차피, 내가 이기는 건 정해져 있으니까."

거만한 말이었다. 걱정할 만한 상황은 아니었던 것 같지? 나름 마음 졸였는데.

"블라스페미아 공은 어떻게 되었어?"

"쫓기다가 왕속 특무단원에게 죽었어. 내 손으로 처리하고 싶었지만."

"……어째서?"

외조부를 자기 손으로 처리하고 싶었다니, 무시무시한 소리다. 내가 생각한 것보다 아델은 어둑어둑한 구석이 있었다. 내가 얘를 감당할 수 있을지 좀 의심이 드는데.

"좋은 본보기가 되었을 테니까."

아델의 눈은 차가웠다.

"목적에 맞게 나를 길러 냈단 건 잘 알고 있어. 하지만 내가 고작 그의 꼭두각시에 머물 정도가 아니란 걸 알아챘을 때, 그는 물러나서 단지 내 외조부이자 지지자로서의 역할에 충실해야만 했어. 그가 주제넘은 과욕을 부린 거야. 내 손으로 처리했다면, 좀 더 분명한 메시지가 되었을 텐데."

아델이 단칼에 잘랐다.

"내가 누구든 처결하는데 망설이지 않는다는 것을."

그의 눈빛이 번뜩였다. 소름이 일었다.

이제까지 아델은 무심한 편이지 잔인하진 않았다. 하지만 부왕에 이어 외조부를 처결하는 과정이 그를 더 날카롭고 잔혹하게 바꾸어 놓았을지도 모른다.

그러나 그것만으로 설명되지 않는 가시 같은 것이 목에 걸렸다. 그건 내가 몰랐던 아델의 일면 같은 게 아니었다. 뭔가가 아델을 바꾸어 놓은 거다.

내가 아는 한 그에게 변화가 일어날 이유라면…….

아델의 입가에 미소가 맺혔다. 그가 내 뺨을 어루만지며 속삭였다.

"겁먹지 마. 널 어떻게 할 생각은 없으니까."

심연 같은 푸른색으로 물든 그의 눈동자를 바라보면서 난 몸을 떨었다. 막연한 두려움이 일어선다.

그가 고개를 숙여, 입 맞춰오는 걸 느끼면서 나는 눈을 감았다. 심장이 불안하게 고동을 울리고 있었다.

여정 도중에 휴식을 취할 때, 나는 다시 사제들과 맞대면할수 있었다. 당연한 이야기지만, 날 따라온 사제들의 반발은 거셌다.

"성녀님을 죄인처럼 모실 수는 없습니다!"

성녀인 내가 난데없이 성력을 봉인당했다. 불안을 넘어선 분노가 따랐다.

나도 기분이 착잡하다. 섣부른 결정이었나. 아델에게 믿음을주는 것이, 그 순간 무엇보다 중요하게 느껴졌다.

그 전제는 아델이 정상적으로 보였기 때문이다. 분노를 통제하고 내 말에 귀를 기울일 만큼.

그러나 간과한 것이 있었다. 저주. 증상이 심화되긴 이르다고 생각했다. 아무리 그래도 1년 만에 선왕처럼 미쳐 죽진 않을테니까.

하지만 그처럼 노골적인 방식은 아니더라도 저주는 분명히, 아델의 심성에 변화를 주고 있는 것처럼 보였다. 아직 증상이뚜렷하게 드러나진 않았지만, 중요한 건 내가 부쩍 위험해졌다는 것.

아델이 선왕처럼 괴이한 모습으로 변모해서 나를 공격하려고 들면 어떡하지?

하지만 석 달이다. 고작 그 정도 기간에 무슨 일이 있겠어?

그렇게 생각하면서도 나는 대단히 불안해졌다. 내색하진 않았다. 나는 사제들의 마음을 달래 주기 위해 차분하게 말했다.

"내가 자청한 거야. 칼리스에 신뢰를 주기 위해서 필요한 일이었어. 내가 성력을 가진 채 왕성 안을 활보하도록 하는 건 그들에게 위협일 테니까."

"성녀님……."

사제들이 굴욕적으로 고개를 수그렸다. 그들의 마음도 이해가 간다. 나 역시 마음이 편치않으나 이미 일어난 일이었다.

다행히 아델이 나를 따르는 사제들의 성력까지 봉인하지는 않았다. 나를 수호할 이들의 필요성도 느꼈겠고, 왕속 특무단원들로 하여금 날 철저히 감시하도록 할 계획인 것 같았다.

나는 사제들에게 조심히 행동하라고 일러두었다. 적국 한가운데에서, 성력을 봉인당한 성녀와 함께하는 위태로운 상황이었다. 먼저 원인을 제공해선 안 된다.

내 당부에 사제들은 결국 고개를 끄덕였다.

*

우리는 며칠도 채 지나지 않아 칼리스의 왕성에 당도할 수 있었다.

참 감회가 새롭다. 남몰래 빠져나와야만 했던 칼리스의 왕성으로 다시 돌아온 기분이라니.

개선장군 같단 표현은 당연히 맞지 않고 그리 달갑지만은 않았다. 아직 험난한 고비가 남아 있었기에.

수많은 피가 흘렀을 왕성의 외관은 그런 흔적 따윈 씻은 듯이 찾아볼 수 없이 깨끗하고 고풍스러웠다. 그저 한차례 바람이 지

나갔던 것처럼.

나는 이제 이곳에서 새로운 삶을 시작해야만 한다. 아무리 긍정적으로 생각해도 이런 상황에서 마음이 가볍긴 어려웠다.

적어도 아델은, 내 편이었다. 아델은 그 후로 공격적인 말투나 태도로 저주의 여파를 드러내지 않았다. 그는 여정 내내 아주 차분하게 내 곁을 지켰다.

일을 처리하러 종종 자리를 비우긴 했지만, 대개 나와 같은 마차에 머무르며 같은 공기를 마시고 함께 식사했다. 내 잠자리도 그의 바로 옆 막사였다.

마치 눈을 떼기라도 하면 내가 공기 중에서 증발해 버릴 것처럼. 항상 그의 시야 안에 들어있는 느낌이었다.

좀 과민하다고 해야 할까. 나한테 그런 재주는 없는걸.

아델과의 시간은 평범했다. 우리는, 만나자마자 사랑에 빠져 일을 치른 열정적인 로미오와 줄리엣이라기보단 소꿉친구였다. 붙어 앉아서 소소한 이야기를 한다거나, 옛 추억을 끄집어냈다.

아델은 그 와중에도 마차 밖에서 전달되는 서신을 받아 서류를 처리하곤 했다. 어쨌든 정신엔 그다지 문제가 없어 보인다.

칼리스의 왕성에 입성할 때까지 아델은 멀쩡한 상태를 유지했다.

"왕성에 들어서면 난 한동안 바빠질 거야."

아델이 손을 뻗어 내 머리카락을 쓰다듬었다. 아델은 검고 검은 내 머리카락을 좋아했다. 난 아델의 반짝거리는 금발을 좋아하니까 쌤쌤인 셈이다.

나는 금붙이에 홀린 까마귀처럼 아델의 머리카락을 쳐다보다가 퍼뜩 정신을 차렸다. 이제 이곳은 호랑이굴이다.

칼리스에서 왕의 권력은 절대적이다. 하지만 나를 데려오기로 한 게, 아델의 뜻으로만 이루어진 일이라곤 해도 반발은 피할 수 없을 터.

내전이 있은 지 얼마 안 되어 내정도 수습해야 할 아델은 거기에도 대응을 해야 했다.

사실 왕위에 오른 지 얼마 안 되었는데 출병은 너무 성급했잖아?

"낮에는 거의 볼 수 없을 거야. 식사 시간은 맞춰 보겠지만. 그동안 신부 수업이나 받아 두라고."

"신부 수업에서 성과가 나쁘면 왕비가 못 되는 거야?"

혼자 남을 아이를 어르듯 하는 말투가 거슬렸기에 난 눈을 동그랗게 뜨고 물었다. 큰일 난 거 아니냐는 듯이.

"그런 건 아닌데, 부러 망칠 생각은 아니겠지?"

눈을 가늘게 뜬 아델이 의심스럽게 물었다. 아무래도 이 의심병 환자 같은 녀석은 내 모든 게 의심스러운가 보다. 그렇게 내가 신뢰가 없나!

"부러 망치다니, 무슨 소리를 하는 거야."

나도 성녀로서의 위신이 있지, 덜떨어지고 모자라 학습능력이 부족해 보이는 성녀라니! 그런 건 최악이다. 내게도 자존심이란 게 있다고.

"전에 보니 책을 좀 읽던 것 같은데. 뭐, 그 정도 읽을 수 있으면 됐어. 선생을 보낼 테니 적당히만 해. 옷이나 장신구…… 필요한 것들은 시녀장을 붙여 주지."

엄청나게 무시하는 듯한 말투다. 나를 바보로 아는 건가! 아델이 짤막하게 덧붙였다.

"어차피 배울 건 별로 없을 테지. 칼리스에서 왕비가 할 일은 많지 않아."

"어째서?"

"이제껏 칼리스에서는 왕비에게 권력을 주지 않았으니까. 한 왕비가 오래도록 자리에 있었던 적도 없었어."

하긴 후계자들을 그렇게 치열하게 경쟁시킨 걸 봐선, 왕비가 유명무실한 존재였다는 건 알겠다. 어쩌면 광증 때문에 자주 왕비를 살해하고 갈아치웠을지도 모르지.

아델의 아버지가 아델에게 무심했던 건 차라리 나은 상황 아니었을까. 방치가 학대와 동의어일 순 있어도 적어도 학대보단 낫다는 건 부인할 수 없으리라.

그렇다 한들 내가 이제까지의 그것을 받아들여야 할 이유는 없었다. 나는 의지 있게 말했다.

"나는 아무 힘도 없이 네가 찾아오길 기다리는 왕비가 되진 않을 거야."

"네 좋을 대로 해."

내가 권력을 탐내든 말든 상관없단 투였다. 어린 시절부터 목숨을 건 계승권 전쟁을 벌여 왔던 것치곤 무심하게 말하는걸?

아델이 날 돌아보며 말했다.

"네가 하고 싶은 모든 걸 해. 칼리스 안에서, 바라는 게 있으면 뭐든."

칼리스 안에서라는 전제가 마음에 안 들지만, 어쨌든 그는 협조의 의지를 밝혔다.

마차가 멈춰 서자 아델은 날 처소로 안내하라고 명한 뒤, 자리를 뜨려고 했다.

"잠깐!"

난 얼른 아델의 옷자락을 붙잡았다.

"왜."

"내게 아지스를 붙여 줘. 여기서 내가 아는 사람은 그밖에 없잖아."

원래 이런 건 급할 때 물어야 잘 통하는 법이다. 마지막의 마지막에 말이야.

시녀장이나 시녀 몇 명 정돈 아는 얼굴이 있을 테지만, 어쨌든 나와 제대로 된 대화를 나눠본 이는 아지스 밖에 없다. 적절한 핑곗거리였다.

아델이 표정이 변했다.

"또 그를 꼬드겨서 뭘 할 셈이지?"

"아무것도. 그냥 그와는 대화가 될 것 같아서 그래. 이젠 내가 절대로 가지 말아야 할 곳도 없잖아?"

아델이 단칼에 잘랐다.

"그에겐 따로 임무가 있어."

"다른 사람에게 시키면 되잖아. 너는 전에도 아지스를 내게 붙여 줬지. 그건 그의 임무를 누군가 대체할 수 있단 뜻 아니었어? 바라는 게 있으면 하라면서 내 이 정도 소망도 못 들어준다는 거야?"

난 노골적으로 팔찌를 가리켰다. 난 그의 요구대로 이런 걸 차기까지 했는데, 아델이 이 정도도 들어주지 않는 건 명백하게 공정하지 못하다.

아델은 내키지 않는 듯이 한 번 더 끌었다.

"그에게 사심이 있는 건 아니겠지?"

"그런 게 있을 것 같아?"

이 정도 되면 화가 날 수준이다. 아무리 의심병 깊은 아델이라도, 그게 얼토당토않은 말이란 걸 깨닫고 입을 꾹 다물었다.

마차 문턱에 애매하게 기대서서 잠시 갈등하던 아델은, 곧 고개를 끄덕였다.

"그를 보내 주지. 쓸데없는 일 벌이지 마."

난 좋아하는 기색을 숨겼다. 사실 나라고 해서 아지스와 마주하는 게 엄청 좋은 건 아니었다.

날카롭고, 속을 알 수 없는 눈빛을 가진 그에게선 묘한 기운이 흘렀다. 어차피 내 편이 될 수 없는 자다.

내가 아지스를 부른 이유는 하나였다. 아델이 왕이 된 지금은 다를지도 모르지만, 아지스는 명령에 절대적으로 따르는 부하가 아니다.

다른 모든 이들이 침묵하더라도, 아지스는 제 맘 내키는 대로 내게 입을 열겠지. 그리고 그의 입을 열게 하는 건 내 소관이었다.

여독을 풀란 명목으로 내겐 자유가 주어졌다. 몸을 씻고 옷을 갈아입은 난 편안해진 상태로 차를 마시고 있었다.

내 시중은 함께 온 여사제들이 시녀들과 함께 들었다. 나와 달리 성력을 그대로 가지고 있는 사제들은 그리 고단한 기색이 아니었다.

내가 부드럽고 촉촉한, 커스타드 푸딩을 곁들여서 차를 반 잔 정도 비워 낼 때쯤, 누군가가 나를 찾아왔다.

"오랜만에 뵙습니다. 성녀님."

"안녕, 아지스?"

좀 더 이목구비가 날카로워진 아델과는 달리, 아지스는 이전과 별 차이 없는 얼굴이었다. 그는 특유의 느긋함을 풍기며 내게 인사해 보였다.

"왕명을 받고 성녀님을 모시게 되었습니다. 저를 찾으셨다고 들었습니다만."

"그랬지. 할 말이 좀 있어서."

"그건 곤란한 일이군요. 아시다시피, 저는 그때의 일로 단단히 혼쭐이 나서 말입니다."

아지스가 어깨를 으쓱해 보였다.

"대화를 최소한으로 하란 지침을 받았거든요."

"하지만 당신은 그런 지침을 별로 귀담아듣지 않잖아?"

아지스의 입꼬리가 치켜들렸다. 재미있단 미소였다.

"물론, 제가 그런 편이라는 건 부인하지 않겠습니다만."

"내가 당신을 좀 더 편하게 해 주지. 다들 나가 주겠어?"

내가 말하자, 아델의 명을 받았을 시녀장과 나를 지키는 여사제들 모두가 움찔거렸다. 나는 단호하게 덧붙였다.

"명령이야."

그제야 그들이 눈치를 보며 물러나 방문을 닫았다.

아지스가 슬며시 웃었다.

"현명치 못한 판단을 하시는군요. 저는 당신께 안전한 사람이 못됩니다."

"그럴 수도 있겠지."

성력 없는 성녀인 나는 칼리스에서 아델을 제외하고 누군가를 마주하는데 내 권속들을 물려서는 안 됐다. 당연히, 상대가 어떻게 나올지 모르니까.

하물며 무력이 뛰어난 왕속 특무단의 일원. 그가 딴마음을 품고 있다면 위험할 테지.

하지만 그게 눈앞의 이자라면 달랐다. 나는 턱을 괸 채 그의 느긋함을 흉내 내어 말했다.

"당신이 내가 생각한 이가 맞다면, 당신은 여기서 내게 아무 것도 하지 않을 테니까."

그는 내게 아무리 많은 정보를 접하는 왕속 특무단원이라고 해도 알 수 없는 이야기를 해 줬다.

성국에는 성녀가 신성교국에는 법황이 있다. 그렇다면 아마도 그는…….

난 구태여 그의 정체를 입 밖으로 끄집어내어 내가 그를 존중

할 수밖에 없는 상황으로 빠지는 대신 말했다.

"칼리스의 어떤 기밀에 대해서 알고자 하는 게 아니야. 난 그저…… 아델의 상태에 대해서 알고 싶어."

"상태라 하면."

"안 좋은 꿈을 꿨어. 아델이 저주에 사로잡힌 꿈이었지. 그리고 성녀인 내 꿈은 일반인들의 것과 같지 않아. 하나의 예지지. 그에게 무슨 일이 벌어지고 있지?"

내 질문에 아지스는 잠시 침묵을 지켰다. 나는 그의 침묵이 어떤 중대한 고뇌에서 비롯된 것이 아니라는 걸 눈치챘다.

그냥 나를 좀 답답하게 만들고 싶을 뿐이잖아! 심보 고약하긴. 빨리 말하란 말이야!

그가 흐음— 소리를 내며 말했다.

"원래 별로 잠이 없는 분이긴 하지만, 밤이면 잠을 잘 못 이루는 듯하시더군요. 아침이면 옷이 땀으로 흠뻑 젖어 있었습니다. 그리고—"

"그리고?"

"피를 볼 때면, 부쩍 잔혹해지셨습니다. 분노를 드러내더라도 속내는 차가운, 무심한 분이셨는데 말입니다. 아마 성녀님이 손안에서 빠져나간 상실감이 그리 표출되는 게 아닌가 합니다만."

그가 슬쩍 웃었다.

"글쎄요, 왕께서는 요즘 급변하는 날씨 같습니다. 어떤 때는 특유의 냉정함을 잃으신 것도 같지요."

"아델이 완전히 이성을 잃은 적 있어?"

"아직은 없습니다."

아직은. 그건 항상 의미심장하게 들리는 단어였다.

"성녀님이 곁에 계신 것이 그에게 영향을 줄지도 모르지요. 나쁜 뜻으로요."

내 존재가 저주를 움직였는지, 선왕은 나를 보고 광증이 심화되었다. 그는 뭔가의 본능에 지배받는 것 같았다.

아마 저주를 낳은 근원, 월신의 성력을 향한 맹목적인 무언가. 그것이 내 살점을 씹어 삼키고 싶은 살의로 표출되는 이유는 모르겠다.

하지만 범상치 않았다. 그리고 저주에 지배받기 이전에도 아델은 내게 집착하고 있었다. 그 두 가지 요소가 결합 된다면 그 결과는…….

아지스가 내 손목을 흘끗 보며 중얼거렸다.

"그 팔찌는 좋지 않은 선택일 수도 있겠습니다."

그건 내가 위험해질 수도 있다는 말.

"팔찌를 푸는 방법, 알아?"

난 부쩍 초조해진 채 물었다. 아니, 아는 정도가 아니라 아지스는 팔찌를 풀 수 있다. 지금 이 자리에서라도. 그건 히스칼이 가능했던 것처럼, 그에게도 가능한 일.

하지만 아지스는 모호하게 굴 때와 그렇지 않을 때를 잘 구분하는 타입이었다.

"알아도 시행하지 않을 겁니다. 저는 아시는 대로, 방관자에 지나지 않으니까요."

"당신이 개입했기에 일어난 상황이기도 해."

난 항의했다. 그가 나를 왕에게 인도했기에, 이 같은 사태가 초래되었다. 그건 내가 자처한 일이다. 내가 아지스를 협박했지. 하지만 그렇다고 해서 그에게 전혀 책임이 없진 않다.

"저는 때때로 움직입니다. 변수를 초래할 수 있는 상황을 야기하기 위해서요."

"그런데?"

"이미 흐름은 시작되었고 거기에 당분간 제 역할은 없습니다. 저는 최후의 최후에서나 나설 겁니다."

그 단호한 말에 내 입이 닫혔다. 그래, 나는 그에게 명령 따윈할 수 없었다. 그는 애초에 내가 뭔가를 명령할 수 없는 존재인걸.

그는 비극이 초래되길 바라진 않겠지만, 누군가의 희생을 감수할 수 있는 냉정한 이였다. 고로 좀 얄밉다. 난 그 얄미운 얼굴을 빤히 응시했다.

"당신의 성력을 봉인한 건 당신의 선택. 부디 만월의 밤을 조심하십시오."

라고, 그는 월신의 성녀인 내게 말했다. 아이러니하다.

"필요한 것이 있으면 부르십시오."

짤막한 말을 남긴 그는 곧바로 등을 돌렸다.

아지스가 문을 닫고 나가는 소리를 들으며, 나는 손가락으로 날을 셌다.

성국에선 만월의 시기를 중히 여긴다. 달의 모양에 따라 날을 세고, 삶의 계획을 맞춘다. 그리고 만월의 밤이 지나면 다시 새로 시작한다.

그래서 난 어렵지 않게 언제쯤 이곳 칼리스에 만월이 찾아들지 예측할 수 있었다.

"앞으로 일주일."

나는 중얼대며 방 안을 맴돌았다. 석 달 동안 찾아드는 만월의 밤 동안, 저주가 형태를 드러낼 거란 소리일까.

나는 한동안 골똘히 생각에 잠겨 있었다. 암운이 번져 오는 듯한 기분 속에서.

*

"침소는 이곳입니다."

아지스가 물러가고, 밤이 으슥해질 무렵 시녀장이 날 안내한 곳은 어떤 화려한 처소였다. 아델이 전에 쓰던 왕자의 방 못지 않다.

황금으로 이루어진 침대 기둥 위로 자수가 화려한 커튼이 내려오고, 가구는 금박으로 마감되어 있다.

벽지며 벽 모퉁이에 새겨진 조각이며 하나하나가 장인이 솜씨를 기울인 수공예품이었다.

성녀로서 호화로운 삶을 즐기던 내 눈에도 부족함은 없어 보였다. 양식이 좀 낯설긴 하지만, 색다른 멋이 있다.

문득 침대 옆에 있는 문이 눈에 띄었다. 일체가 된 듯이, 벽과 실금 같은 틈으로 구분된 문. 시력이 좋지 않았다면 문인 줄도 몰랐을 거다.

나는 그리로 성큼 다가서서 손잡이를 당겨 보았다. 당연한 이야기지만, 열리지 않는다.

찜찜한 기분이 들었다. 열리지도 않게 할 거면 이런 건 왜 만들어 놨지? 창고인가.

"이건 뭐지?"

"왕의 침소와 이어진 문입니다. 그쪽에서만 열 수 있습니다."

"뭐?"

그런 걸 왜 만들어 놔. 물론 아델이 꼭 나를 혼자 자게 내버려 둘 거라고 생각한 건 아니지만…… 혼자 내버려 둘 것 같기도 했다. 바쁘니까. 근데 저런 쪽문이라니!

내가 민망한 동작으로 운동 같은 걸 하고 있을 때 벌컥 문이 열리면 어쩌란 거야? 뾰족한 위기감이 곤두섰다.

나는 아델과 결혼할 사이였다. 하지만 아직 그것은 예정일 뿐이다.

시녀장이 차분히 설명했다.

"칼리스에서는 두 분 폐하의 침실이 연결되어 있습니다. 그러나 왕의 침소는 여럿이니 꼭 저곳을 찾지 않으실 수 있습니다."

"누가 저 방으로 숨어들어서 문 열고 여기로 침입하면 어떡해?"

"열쇠는 왕께서 가지고 계십니다."

말문이 먹혔다. 나는 가까스로 마음을 추슬렀다. 하긴 아델도 바쁘니까.

"제가 방 안에 있을까요?"

여사제 한 명이 손을 들어 보였다. 상대가 칼리스의 왕이건 어쨌건 협정을 파탄 내는 한이 있더라도, 내 방에 들어서는 즉시 곤죽을 만들고야 말겠다는 듯한 눈빛이었다.

"아니야, 고단할 텐데 쉬어."

만약 사제가 아델을 공격한다면, 저주를 한층 더 깨워 버릴지 몰랐다. 그건 곤란하다.

나는 뒤늦게야 대사제들이라든가, 누군가가 내 결혼 상대자인 칼리스의 왕에 대해서 품평하는 소리를 못 들었단 걸 깨달았다.

많은 경우 침묵은 불만을 내재하고 있다. 칼리스의 왕과 숭고한 희생정신으로 결혼할 내 앞에서, 차마 그를 험담하지 못한 걸까.

그래도 아델쯤 되면 인물도 훤하고 괜찮지 않아? ······라는 건 철저히 내 생각만인가 봐.

하긴 아델은 성격도 그다지. 슬프지만 별명도 자그마치 폭군이다. 나한테라도 잘하는 모습을 보여야 할 텐데, 태도도 틱틱댄다.

변호할 말을 찾아 고심하던 난 곧 사람들을 물리고 침대에 드러누웠다.

겉에 두른 휘장이 화려했던 것과는 달리 하얀 이불보의 침대는 푹신하고 보드라워서 편안했다. 잠들기 딱 좋은 침대다.

아델이 찾아오려나? 생각하면서 눈을 깜빡이던 난, 어느 순간 잠이 들었다. 그건 내게 늘 일어나는 일이었다.

*

이불에 폭 들어간 몸은 노곤노곤하고 방은 어두웠다. 흡사 새 둥지에서 어미 품에 싸여 있는 듯한 아늑함이 있었다.

가볍게 뺨을 쓰다듬고 이내 어깨를 잡아 오는 손길에 나는 잘게 몸을 떨었다. 웅얼대듯이 목소리가 흘러나왔다.

"아델?"

"넌 정말, 언제 어느 때나 잘 자는구나."

한심하단 투로 말하면서 그는 날 일으켜 세우지 않았다. 위에서 내게로 몸을 기울여, 내려다보는 시선이 느껴졌다.

난 눈도 제대로 못 뜨는 상태로 살짝 웃으며 물었다.

"부러워?"

"누군 쉬지도 못하고 일하다가 왔는데, 벌써 잠들다니."

손을 뻗어 얼굴을 더듬으니, 이마의 주름이 느껴졌다. 인상을 쓰고 있는 것 같다.

점점 시야가 돌아왔다. 허공에서 새파란 눈동자와 시선이 마주쳤다.

"씻었어?"

쿵쿵 냄새를 맡자, 어렴풋이 은은한 향 같은 게 느껴진다.

아까보다 더 어두워진 거 보니 거의 자정에 가까워진 시간인 듯하다. 창문 너머로 희미한 달빛이 비쳐들었다.

나는 눈을 깜빡였다. 여전히 졸렸다. 새삼 삐죽이 불만이 들어찼다.

왔으면 조용히 보고 가던가, 아님 잘 것이지 왜 깨운 거람?

아델이 잠든 연인의 얼굴을 말없이 보고 간단 낭만적인 타입이 아닌 건 분명했다.

"오늘 수고했어, 잘자."

그래, 아델도 힘들겠지. 애써 힐난을 참은 난 분명히 말하고 이불을 끌어 올리려고 했다.

여기서 자든 제 방으로 돌아가서 자든 알아서 하겠지, 라고 생각하면서. 무엇보다 졸렸거든.

그러나 아델은 내 잘 자란 소리를 그대로 받아들이지 않았다.

눈을 내리감자마자 앞이 그늘이 내려앉듯 어두워졌다. 감은 눈으로도 빛의 명암은 어렴풋이 구분할 수 있다.

내게로 몸을 숙인 아델이, 입술을 머금었다. 사실 자다 깨서 키스 같은 걸 당하는 기분은, 잠결에 모기가 귓전에서 앵앵대는 기분과 유사하다.

그가 살짝 입술 표면을 깨물고 고개를 내려 목덜미를 훑었다. 난 간지러움에 몸을 뒤틀었다. 아델이 제대로 잠을 깨워 주고 있었다.

"그만해."

아델은 아랑곳하지 않고 어깨를 잡던 손을 내렸다. 어딜 만지는 거야! 화들짝 놀라서 하마터면 걷어찰 뻔했다.

나는 폭력을 행사하기에 앞서, 성녀답게 대화를 시도해 보기로 했다.

"아델, 그만하라고 했어. 안 그러면 네 머리칼을 쥐어뜯을 거야."

난 경고했다? 폭력엔 자질 없는 병약한 소녀라고 해도, 사람 머리카락 뽑는 정도는 할 수 있다. 게다가 난 병약한 소녀도 아니었다. 몸도 튼튼하고 제법 손힘이 셌다. 대머리로 만들어 버릴 테다!

내 반응이 무척 못마땅하다는 눈빛으로 아델이 날 내려다봤다. 어쨌든, 그도 거절엔 익숙하지 않다.

"어차피 석 달이면 넌 완전히 내 것이 될 텐데. 그게 오늘이 된다고 한다 한들 별 차이는 없잖아?"

잠이 완전히 깨었다. 화가 나서.

나는 숨을 골랐다. 그리고 석 달 후에 결혼을 한다 한들 내가 아델의 것이 되는 건 아님을 조목조목 집어서 설파하려고 했다.

당연한 거 아닌가? 결혼해도 난 내 거라고! 성녀인 나에 대해 소유권을 주장할 수 있는 건 오로지 이 육체를 주신 월신님뿐이다.

하지만 이 밤중에 아델을 도발하여 그의 심리 상태에 영향을 미치는 건 별로 좋은 일처럼 생각되지 않았다. 내 수면을 위해서라도!

난 눈을 휘며 상냥하게 웃었다.

"큰 차이가 있지. 식은 석 달이나 남았고, 나는 자고 있었는

걸."

그리고 나는 성녀였다. 조금은 강압적으로 흘러가는 상황에 거부감과 민망한 기분이 들었다. 딱히 규정이나 법 같은 건 없지만, 왠지 성녀는 혼전에 그래선 안 될 것 같기도 했다.

결혼식이 까마득하게 먼 것도 아니고 석 달 남았잖아? 그래, 적당히 달래서 떼어 놓자.

"널 옆에 두고 석 달이나 참으라는 거야?"

그가 불만스럽게 물었다. 낯뜨거워지는 불만이다.

"여기 올 때까지 기다려줬잖아."

기다리긴 뭘 기다려줘. 마차에서 가만히 있었던 게 그럼 기다린답시고 그랬던 거였어?

그 말이 나를 좀 건드렸다. 소유권을 논하는 소리와 마찬가지로, 아델은 마치 그가 나를 위해 참아 주고 배려해 주고 있는 듯이 말했다.

그가 그렇다면 나 역시도 마찬가지인데, 아델은 마치 자신이 내 위에 있는 것처럼 말하고 있었다.

내가 싫어하든 말든 그가 원한다면, 그건 그대로 이루어져야 하는 데도 봐주고 있는 것처럼.

아델은 왕이다. 그게 그에게 당연한 사고방식일지라도, 난 그 걸 용납할 수 없었다. 사실, 누군가가 나한테 이렇게 말하는 경우는 지난 18년간 극히 드물었다.

어둠 속에서 유독 파르스름한 빛을 품은 그의 눈을 똑바로 쳐다보며 난 단호하게 말했다.

"잘 조정해서 식을 당겨 보던지. 아니면 찾아오지 말든지. 둘 중 하나를 선택해!"

그리고 돌아누워 이불 속에 몸을 묻었다. 나는 얼굴이 달아오르는 것을 누르며 볼을 어루만졌다. 숨이 씩씩 흘러나왔다.

정말, 아델과 처음부터 연인 사이였던 것도 아니잖아?

내가 아델을 보고 '오, 당신은 너무 섹시해!'라며 할리퀸 소설처럼 탄탄한 몸과 야성미에 몸이 단 것도 아니건만, 이런 식으로 나오는 건 무리수다. 난 좀 섬세하단 말이야.

"에스델."

아델이 어깨를 움켜쥐고 날 돌아 눕혔다.

"알았어, 알았다고."

짜증스레 말한 아델이 내 옆으로 누웠다.

"그래, 자."

그가 나직이 내뱉었다. 내 뜻에 따르기로 한 것 같다. 퍽 마음에 드는 결론이었다.

나는 전혀 거절하지 않고 눈을 내리감았다. 잠이 쏟아졌다.

아마 아델도 내 곁에서, 순순히 잠들었던 것 같다. 내가 잠든 이후로, 그가 얼마 만에 잠들었는지 모르겠다.

불현듯 잠이 깼다. 여독이 쌓인 몸, 고작 몇 시간 잤다고 풀어질 피로가 아니었다. 그러니 내가 잠에서 깬 이유는 전적으로 외부에 있었다. 나는 심상치 않은 기척에 눈을 떴다.

푸르른 새벽이었다. 사위가 좀 밝아져 있던 탓에, 금세 시야가 회복되었다.

난 아델을 돌아봤다. 서늘한 감각이 심장에 흘렀다. 잘 때마다, 식은땀에 절어있었다고 했지. 그 이유를 알 것 같았다.

얼굴은 잔뜩 찌푸린 아델이 몸을 비틀고 있었다. 지독한 악몽에 사로잡힌 듯 괴로운 낯빛. 그의 손이 이불을 단단히 쥐고 있었다.

고통스럽다면 신음을 내질렀을 것이나, 그것과는 좀 달랐다. 아마 그가 겪고 있는 건, 정신적인 것.

나는 재빨리 손을 뻗어 아델의 뺨을 잡았다.

"아델!"

가위에 눌려 있다면 누군가가 깨워 줘야 한다. 나는 그의 뺨을 툭툭 치며 몸을 흔들었다.

몇 번이고 힘을 주어 그렇게 하니, 아델의 눈이 움찔했다. 그의 낯에 의식이 깃들었다.

그가 눈을 뜬 순간, 새파란 광채가 일어났다. 찰나처럼 일어난 광채였다.

"아델."

나는 조금 겁이 났다. 아델의 시선이 나를 담았다. 그러나 아무것도 담고 있지 않은 눈이었다. 비어 버린 인형처럼.

흐려진 초점이 곧 돌아왔다. 그제야 아델이 내 존재를 인지한 것 같았다.

"아."

한숨을 토한 그가 얼굴을 움켜쥐었다.

"괜찮아? 악몽을 꾸는 것 같았어."

"아무것도 아니야."

아델은 얼버무리려고 했다. 하지만 그렇게 얼버무린다고 해서 없는 일이 되는 건 아니다.

대체 뭐였을까. 고작 꿈에 어떻게 그리 괴로워하지?

"무슨 꿈을 꾼 건데?"

"아무것도 아니라고 했어."

아델은 낮게 가라앉은 음성으로 잘랐다. 밀어내듯 사나운 기색마저 묻어났다.

내가 눈을 동그랗게 뜨자, 그가 누그러진 채 제 옆자리를 툭툭 쳤다.

"조금 더 자 둬."

너무 대놓고, 숨기려는 기색이다. 하지만 아델은 피곤해 보였고, 그가 먼저 눕자 더 이상 캐묻기 어려워졌다.

아델도 이미 알고 있는 거겠지. 그가 겪는 이상 증상을. 나와 결혼하면 그걸로 저주가 해소될 거라고 믿고 있을 그에게, 뭐라 말해야 하나.

짧은 고민 끝에 나는 그대로 아델의 곁에 누웠다. 그리고 그를 지켜보았다. 아델이 다시 악몽 같은 건 꾸지 않기를 바라면서.

그 이후로, 아델은 깨는 일 없이 곤히 잤던 것 같다. 한동안 그를 들여다보다가 어느 순간 다시 잠들었던 나 역시도.

잠에서 깨어났을 땐, 어느덧 정오에 가까워지는 오전이었다. 아델은 이미 내 옆에 없었다.

벌써 일어나서 나간 건가? 벌써라고 말하긴 늦은 시간. 바쁘다고 했지.

나는 자리에서 일어나 앉았다. 성녀라서 신탁을 팔며 칼리스의 왕과 결혼하겠다고 말할 수 있었던 나와는 달리, 아델은 많은 사람들을 납득시켜야 할 거였다.

뭐, 그게 꼭 온건한 방식은 아닐지도 모르겠다. 아델도 소문이 좀 흉흉한 편이지. 그 해결 과정이, 그리 순탄치도 않을 거다.

내가 생각한 게 맞는지, 아침 식사를 마치고 왕성을 돌아보고 싶다고 말했을 때, 아지스가 단칼에 잘랐다.

"당분간은 곤란합니다. 성녀님과 함께 왔단 소식이 알려지고 왕성 전체가 들끓었거든요. 귀찮아질지도 모릅니다."

"호위가 귀찮아진다는 거겠지?"

"예."

아지스는 단호하게 말했다. 자신이 귀찮아질 거라고 말하는 그가 상당히 얄미웠지만, 나는 내 호위가 그만이 아님을 기억하고 있었다.

내 사제들이 칼리스에서 위험해지는 건 바라지 않는다. 지난 번에, 이곳 왕성에서 암살자들한테 목숨을 위협당할 때도 심장이 내려앉는 줄 알았는데.

그때보다 상황이 나아졌을 거라고 생각했지만, 그렇지만도 않구나.

"정원을 산책하는 정도면 가능할 겁니다. 그 이상은 좀."

"그래, 나중에. 당장은 할 일이 있어."

그렇게 말한 난 펜과 종이를 준비시켜 편지를 한 장 썼다. 주기적으로 성국에 연락하기로 한 터였다.

에이레네의 심려를 덜기 위해서라도 적어도 사흘에 한 번은 꼬박꼬박 편지를 보낼 거다.

대충 잘 지내고 있다며 근황에 대해서 뭉뚱그리고, 마지막으로 요청 사항을 적은 난 다짐하듯 중얼거렸다.

"성국에 연락해서, 결혼식을 앞당겨야겠어."

준비하기 빠듯할지도 모른다. 나로서도 아직 마음의 준비가 되지 않았다.

하지만 혼인이 이루어져야 아델의 저주를 어떻게 할 수 있을 것 같다.

내겐 계속 결단이 필요했다. 그 결단이 하필 최대한 빠르게 유부녀가 되어 버리는 것이라니!

진짜 한숨이 나왔다. 각오해야 하는 일이리라.

*

"훌륭하십니다. 칼리스의 예법만 익히시면 따로 학습하실 부분은 없는 듯하군요."

아델의 지시로 찾아온 중년의 귀족이 두어 시간에 걸친 교육 끝에 내게 찬탄을 토해 냈다.

나는 어깨를 으쓱했다. 이래 봬도 이 몸이 성녀라고. 난 성국의 지도자가 될 몸으로서 양질의 교육을 받고 자라 왔다.

칼리스와 성국의 교육은 다르다지만, 상통하는 부분에 대해서는 거의 완벽하게 숙지하고 있다.

"과연 성녀이십니다. 선정된 예법 교사가 내일 중에 찾아올 겁니다."

중년의 귀족이 턱을 쓸었다. 모리스 백작이라고 했었나.

아델이 그럭저럭 믿는 이이니 내게 보낸 걸 텐데. 아무리 아델을 따르는 귀족이라지만 내 존재를 달갑게 느낄 것 같진 않았다.

하지만 그는 내게 거의 감정을 드러내지 않았다. 난 좀 궁금해졌다.

"내가 칼리스의 왕비가 된다는 것에 대해 당신은 어떻게 생각하지?"

그야말로 단도직입적인 질문이었다. 단순히 일부라고 치부할 수 없는 많은 귀족들이 반발하고 있단 건 알고 있다. 그 강도가 얼만큼인지 모르겠고, 아델이 잘 해결하고 있는지도 모르겠지만.

여기서의 난 눈감고 귀 막은 상태였다. 난 지금 벌어지고 있는 중요한 일에서 배제되는 것에 익숙지 않았다.

모리스 백작은 정치적인 부드러움이 배어나는 낯으로, 꼭 그와 같은 투로 응답했다.

"왕께서 정하신 일에, 이의는 없습니다."

그건 믿음이라기보단, 마땅히 그러해야 한단 듯이 들렸다.

"허나 어째서 성녀께서 그토록 경멸하는 이 칼리스에서 살아가고자 하는 큰 결심을 하셨는지 의문스럽습니다."

"내가 칼리스를 경멸한다고?"

"성국은 저주받은 힘을 사용하는 칼리스를 경멸합니다. 그렇지 않습니까?"

그것은 성국뿐만 아니라 칼리스를 대하는 대륙의 인식이었다. 모리스 백작은 그 사실을 상당히 담담하게 언급했다.

"생각은 변할 수도 있는 법. 칼리스에서 전쟁을 벌이는 이유는 결국, 자신들의 옳음을 증명하고자 하는 것 아닌가."

태양신과 월신의 성도들로 가득한 다른 모든 나라에 부정당하기에. 그런 인식을 무너뜨리려면 상대편의 정점을 부숴서 대륙의 질서를 바꿔 놓지 않으면 안 된다.

물론, 그 이유 때문만은 아닐 터. 그러나 힘으로서 세계를 바꾼다는 건, 승자와 힘의 논리를 숭앙하는 칼리스의 기치와 맞닿아 있다.

"강한 나라가 약한 나라를 집어삼키려는 건, 어쩌면 자연스러운 걸지도 모르지. 하지만 아델에겐…… 현 칼리스의 왕에겐 정복욕이 존재하지 않아. 그는 이미 전쟁 같은 삶을 살아왔지. 나는 이것으로 다른 길을 모색할 수 있을 거라고 믿었어."

왕이 야욕에 가득 차 전쟁을 벌이려고 하는 거라면 다른 문제겠지만, 나는 아델이 바라는 건 결국 나라는 걸 안다.

그는 대륙을 피로 물들여 정복하고 칼리스의 깃발을 꽂으려는 대단한 야망을 품은 왕은 아니었다. 도리어 그의 바람은 소박하기까지 했다.

아니, 대단한가? 아델은 나를 원하니까. 성녀인 나를.

"성녀께서는 타협하시려는 거군요."

"그 타협이 더 나은 결과를 이끌어낼 수 있다면."

"제가 이제껏 보아 왔던 월신의 신도들은 타협하지 않았습니다만."

"그들은 그들이 믿는 바대로 충실한 거야. 그러나 나는 판단할 권한을 가진 월신의 성녀이니."

월신께서 발전된 문명의 저쪽 세계를 살아와, 물렁한 머리를 가진 나를 이 자리에 앉힌 것은 단순히 동정심 때문만은 아닐 거라고 믿는다.

나는 흔들리는 눈의 모리스 백작을 쳐다보며 생긋 웃었다.

"나는 변화를 감수할 거야. 그리고 내가 칼리스의 왕비가 된다는 것 자체가 벽을 허무는 일이겠지. 당신은, 마치 내가 억지로 이 자리에 있는 것처럼 생각하고 있구나."

"성녀께서 아무리 우리의 왕이라지만 칼리스인과의 결혼을 바라실 것 같진 않습니다만."

아무래도 나와 마찬가지로 아델도 나와 있었던 일을 떠벌리지 않은 모양이다.

성녀인 나를 손에 넣은 건 아델만 만족시키는 것이 아니라, 상징적인 가치가 있었다.

'결국 칼리스가 성국을 무릎 꿇렸다', 같은.

어쨌거나 칼리스로서는 아리송할 일이었다. 전쟁을 벌일 듯했다가 왜 성녀를 왕비로 맞는 걸로 결론이 난 건지.

자존심을 충족할망정 실익이 있는지 의문이리라. 애초에 성국과의 관계는 개선의 여지가 없는 것처럼 여겨졌다. 아델에게 그걸 결정할 권한이 있다고 해도, 칼리스가 들썩일 만했다.

"그와 나는 참으로 여러 번 마주했지. 서로에 대한 마음이 싹틀 계기가 있지 않았을까?"

나는 모호한 언질과 함께 미소로 얼버무렸다. 왜 아델과 나 사이의 호감은 전혀 전제하지 않는 걸까. 간단히 말해 연애결혼이란 거.

내 말을 곱씹어 보는 듯하던 모리스 백작이 스스로 납득할 만한 대답을 찾아냈다.

"성녀께서는 아름다우십니다. 아마 왕의 눈에도 그리 보였을 테지요."

결론은 나는 희생정신에 더불어서 양국의 미래를 위해 결혼하는 거고, 아델은 내 미모에 반해서라는 거야? 그거 자기 왕을 너무 낮잡아 보는 거 아닐까.

내가 아델을 좋아하는 티를 막 내진 않았다. 그야 좋아 죽겠진 않은걸. 그래서 다들 그렇게 생각하는 건가.

아델이 내가 도망갈까 봐 팔찌를 손목에 채운 것도 내 마음에 대한 믿음이 없어서?

고민하는데 모리스 백작이 말을 이었다.

"왕께서는 냉혹한 분이십니다. 성녀께서 인내하고 견뎌야 할 일이 많으실 겁니다. 그러나 크신 뜻은 새겨듣겠습니다."

그가 성호를 그어 보였기에, 나는 왜 아델이 모리스 백작을 내게로 보냈는지 알아차렸다.

마법의 힘을 숭앙하는 칼리스인은 아무리 외교적인 자라도 신도의 방식대로 인사하지 않는다.

그는 월신의 신도였다. 칼리스에도 월신의 신도가 있었던 것이다. 그의 신앙심이 칼리스에 대한 충성심을 넘어서지 않을 뿐.

나는 얼떨결에, 그를 향해 함께 성호를 그었다.

"이만 물러가겠습니다. 평안하시기를."

자리를 박차고 일어나는 태도가 퍽 깔끔하여, 나는 그에게 질문을 꺼내지 못했다.

그가 떠나고 난 뒤에야 나는 전혀 교집합이 없을 거라고 생각했던 두 부류, 칼리스인이면서도 월신의 신도인 사람들에 대해서 생각했다.

날 때부터 칼리스에서 태어나 칼리스인으로 살아온 자들. 하지만 그렇더라도 월신의 신도가 될 수 있었다. 그게 칼리스인으로서 살아가는 것에 우선하진 않을 테지만. 적어도 그 두 가지는 양극단에서 접점 없이 존재하지 않았다.

그건 내게 희망적인 일이었다. 막막하게 여겨졌던 앞날에 한 줄기 빛이 깃든 듯이.

아델은 그날 밤, 나를 찾아오지 않았다. 내가 밀어내서 삐쳤던 걸까? 바쁜 걸까. 그도 아니라면 그가 악몽에 시달리는 모습을 내게 보이기 싫어서일지도 모르겠다.

나는 다른 무엇보다도, 악몽에 시달릴 그가 걱정되었다. 설마 나 때문에 악몽을 꾸었다고 생각해서 그러는 걸까?

내 곁에서 잠들지 않는 걸로 악몽에서 벗어날 수 있다면 다행이겠지만.

다음 날 아침, 아델의 행방에 대해서 묻자 아지스가 '바쁘십니다'라고 말해 주었기에 걱정은 좀 덜었다. 아지스가 어쩐지 묘한 미소를 머금었다.

"벌써 신혼부부 같군요."

"무슨 소리야?"

"남편이 오기를 목메고 기다린다는 점이 말입니다."

뭐라고? 나는 진심으로 폭력으로 응답하고 싶었다. 그러지 못한 이유는 내가 교양 있는 차기 왕비이며 성력을 봉인당했고, 왕속 특무단원인 그가 내 공격쯤은 쉽게 피해 버릴 거란 점 때문이다.

딱히 기별 같은 게 온 적도 없는데 아지스는 곧 뭔가 아는 듯이 말했고,

"점심 식사를 함께하실 수 있을 겁니다."

그 말은 기막히게도 이루어졌다.

*

"아델."

식당에 들어서며 난 활짝 웃으며 인사를 건넸다. 눈이 충혈된 걸 보니 잠을 별로 못 잤나 봐. 미약하게 피로가 드러난 얼굴로 아델이 식탁에 앉아 있었다.

이렇게 보니 참 반갑다. 아델만 믿고 칼리스로 온 것이나 다름없는 날 너무 홀대하는 거 아니야?

하지만 그런 믿음치고는 아델과 함께 하는 시간이 적은데도, 난 잘 지내고 있었다. 생각보다 난 칼리스와 잘 맞는 모양이다. 그건 앞으로 여기서 살아가야 할 내게 좋은 일이었다.

"잘 지낸다고 들었어."

'잘 지냈어?'라고 묻지 않는 게 아델답긴 하지만, 보고는 받고 있었구나. 반쯤 감시의 느낌이겠지.

"응, 난 잘 지내고 있어. 생활도 생각보다 여유로운걸. 배울 것도 많지 않고. 오전엔 정원을 돌아봤어. 화원이 아주 아름답더라고."

마법으로 관리되었다는 화원. 내겐 이질적인 힘, 마법이 느껴졌지만 온실이 아닌데도 제 계절을 맞은 듯 생생한 꽃들이 인상 깊었다.

삭막할 것으로만 생각했던 칼리스는 막상 겪어 보면 의외인 점들이 있었다. 특히 이 성. 외관도 고풍스럽거니와 내부도 잘 꾸며지고 가꾸어져 있다. 이런 곳에서 산다면 공주님이 된 기분을 느낄 수 있을 거다. 나는 왕비가 될 테지만.

나는 별 대단할 것 없는 소소한 일상에 대해서 기쁘게 이야기했고, 건성으로 듣는 듯하면서도 아델은 내게로 시선을 맞추고 있었다. 마음은 행동으로 표현되기 마련이다.

"잘 적응하는 것 같네."

"적응 못 할 것도 없잖아? 성국에서 난 많은 직무를 맡고 있었다고. 여기선 정말 하는 게 없단 말이야."

그 말을 하면서 나는 왠지 좀 행복해졌다. 그렇지. 내가 성녀로서 그간 좀 열심히 살았었지.

그렇다고 내가 백수처럼 놀고 싶어서 칼리스로 시집온 건 아니지만. 칼리스에서의 내 생활은 저번에나 이번에나 한가로웠다.

"듣기론 특별히 교육받을 필요는 없다더군. 웬만한 지식은 숙지하고 있다고."

"당연한 거 아니야? 난 성녀라고."

난 자랑스럽게 반문했다.

"별로, 네가 뭘갈 배우는 것 같진 않았는데."

눈을 흘기며 난 손가락을 척 치켜들었다.

"아직 혼전이니 결혼식을 준비하면서 성안도 둘러보고 천천히 여기 생활에 익숙해지면 될 것 같다고 해."

모리스 백작이 그렇게 말했다. 그는 날 많이 배려해 주는 것 같았다. 사실 재정이니 뭐니, 칼리스의 내정에 내가 당장 간섭하는 건 무리가 있었다. 나는 왕비가 될 몸이지 아직은 왕비가 아니니까.

"오후에 예법교육을 받고 드레스를 맞춘다던데."

아델은 은근히 세심한 남자였다. 내 스케줄을 다 꿰고 있다니!

"응, 맞아. 있지 성국에서는 거의 하얀 성복을 입고 있었는데, 칼리스에선 좀 더 알록달록하게 입을 수 있잖아? 새로운 기분일 것 같아."

나는 어디까지나 명랑했고, 긍정적이었다. ……는 사실 아델에게 나 안 도망갈 거고 적응 잘할 거라고 피력하는 중이었다. 아델이 좀 알아먹었으면 좋겠다.

내 이런 노력을. 다행히 아델의 표정도 좀 느슨해진 것 같았다. 식사를 하면서 난 아델에게 무엇 때문에 바쁜 거냐고, 잘 되어 가고 있느냐고 물었다.

어쨌든 양쪽 중 하나라도 답을 들으려는 의도였다. 사실 질문을 두 개나 던지면 하나쯤 대답하는 건 인지상정이니까. 하지만 아델에게는 그런 공식은 통하지 않았다.

"글쎄."

덜렁 대답한 아델이 수저를 내려놨다. 별로 식욕이 일지 않는 눈치다. 난 그의 대답에서 일이 순탄하게 풀리고 있지 않음을 직감했다.

"네가 잘 지내고 있으면, 그걸로 된 것 아니야?"

"나만 잘 지내면 네가 억울하잖아."

농담 삼아 말하자 아델의 얼굴에 어이없단 기색이 떠올랐다.

"사고나 치지 마."

조금 뜸을 들이듯 하던 그가 차가운 빛이 감도는 눈으로 말했다.

"뭐든 조만간 해결될 거야."

칼리스에서는 왕의 권력이 지대하다고 들었는데, 그토록 반발이 크다니. 역시 성녀를 왕비로 맞는 건 도저히 용납할 수 없는 일인 걸까.

아니, 적어도 왕비의 자리는 다른 누구에게 양보할 수 없다는 것일지도 칼리스의 왕통에 성국의 피가 섞이는 걸 반대한단 거라기보다는 말이지.

블라스페미아 공도 아델이 그의 가문 사람을 비로 맞는 걸 거부하자 바로 들고일어났잖아.

그때 그녀는…… 죽었을까. 아델의 약혼녀를 자청하던 그녀. 나는 새삼 기억을 떠올렸다. 더 대화는 이어지지 못했다.

시계를 쳐다보며 미간을 모은 아델이 자리에서 일어섰다.

"시간이 되면 또."

나는 재빨리 물었다.

"잠은 제대로 자고 있어?"

"네 옆에 있으면 더 제대로 못 자."

아델은 대수롭지 않은 투로 대답하곤 자리를 떴다. 날 보러 올 정도면, 그때 일로 삐친 건 아닌 것 같지?

하지만 그는 피곤해 보였다. 그의 일에 내가 도움을 줄 수 없음은 자명했다.

드레스를 맞추는 건, 한나절 정도 시달리면 끝나는 일이었고 장신구를 맞추는 것도 순탄하게 끝났다. 내가 모든 것을 시녀들에게 맡겼기에 가능한 일이었다.

예법 교육이야 뭐, 난 나름대로 엄격하게 교육을 받고 자라온 몸이라고. 예법이란 자고로 큰 틀에서 유사성이 있는 법이다.

칼리스란 나라는 성국에 비해서 자유로운 편이었기에 예법도 그리 세세하고 까다롭지 않았다. 난 곧 충분한 여가 시간을 더 얻을 수 있었다.

성국에 있을 때 비해서 그리하는 일 없다곤 하지만, 나는 칼리스에 맨몸으로 온 것이나 마찬가지였다.

필요한 것도, 준비할 것도 있었지만, 단순히 지식뿐만 아니라 둘러보고 숙지해야 하는 것도 있었다. 예컨대 왕성 내부 지리라던가…….

변명하자면 내가 꼭 탈출하려고 그러는 건 아니다. 탈출 전 반파된 선왕의 침소 대신 다른 쪽을 쓰고 있었기에, 이쪽 지리도 좀 알아 놓을 필요성을 느꼈던 것뿐.

당연하잖아. 난 성국의 지리에 대해선 내 손바닥 보듯이 잘 안다고. 여기에서도 다르지 않다.

일정 중 나는 때때로 아델과 마주했다. 아델은 피로에 젖은 채 찾아와 일방적으로 내 이야기만 듣고 갔다.

외출을 통제당하고 왕성의 일부만을 나다닐 수 있었단 점에서 내 상황은 예전과 엇비슷했다. 다른 것은 연락.

며칠 뒤, 성국으로부터 편지가 전해져 왔다. 아델도 날 성국과 완전히 끊어 놓을 마음은 없는 것 같다. 그나마 다행이었다.

성국에선 결혼식의 진행을 앞당겨 보겠단 편지를 주었다. 분명히, 내키지 않은 문투로.

하지만 아무리 당긴다고 한들, 앞으로 한 달은 기다려야 할 거다. 나는 그때까지 지금과 같은 일상을 영위해야 했다.

월신의 저주

　며칠이 흘러 만월의 밤이었다. 아지스가 분명히 만월을 조심하라고 했었지? 나는 잊지 않았다.

　하지만 기억하고 있음에도 달리 뭔갈 준비하고 있진 않은 터였다. 그저 조금, 근심스러운 마음뿐.

　아델이 악몽을 꾼 그날 이후로, 그가 내 침소에 찾아와 함께 잠드는 일은 없었다.

　그의 악몽이 마음에 걸렸지만, 아델이 언급을 피하는 터였다. 내가 왜 나랑 같이 자지 않냐며 묻는 것도 이상했기에 캐묻지 못했다.

　아델은 보름달이 뜨기 전 며칠간 밤에 찾아와서 이야기를 나누고 갔었고, 그날도 다르지 않게 흘러갔다.

　언뜻 물어보니 아델은 그 작은 쪽문을 사이에 두고 내 침소로 넘어오지 않고 건넌방에서 잠을 자는 것 같았다.

그날 창문을 열어 둔 나는, 오래간만에 생생하게 비쳐 드는 달빛을 온몸으로 받고 있었던 참이었다. 구름 끼지 않은 맑은 날. 그토록 선명하고 맑은 원형의 달이라니.

내가 사는 성국에서건 이곳 칼리스에서건 저 달 하나는 예전 그대로의 모습이다.

맑은 달의 정경이 얼핏 샘솟는 그리움을 잊게 만들었다. 열린 창문 너머로 쌀쌀해진 밤바람이 흘러들었지만, 나는 추위를 느낄 수 없었다.

창가 옆에 놓인 안락의자에 편안하게 누워서, 잠시 멍하게 있었던 것 같다. 창밖을 내다보고 있었으나 감각은 살아 있었다.

그러니 내가 전혀 그의 기척을 눈치채지 못한 건 이상한 일이다. 정말로, 소리 없이 흘러드는 빗물처럼 그가 내 곁으로 다가왔다.

어느덧 옆자리에 드리워진 그림자를 깨닫고 살짝 놀란 난 눈을 깜빡였다. 그의 분위기가 평상시와 달라, 인사를 건네려던 말이 쏙 들어간다.

낮에만 해도 조금 충혈되어 있었던 아델의 눈은 깨끗했다. 말끔한 흰자위에 새파란 눈동자가 선명하게 도드라진다.

그 시선은 나를 보고 있되, 실상 아무것도 보고 있지 않았다. 흡사 비어 버린 채 뭔가에 지배당하는 것처럼.

그건 당연히 예사롭지 않은 일이었다. 무기물 같은 고요. 거기엔 인간의 것 같지 않은 이질감이 묻어났다.

"아델."

조심스레 부른 말에 대꾸는 없었다. 아지스가, 만월의 밤을 조심하라고 했었지. 나는 천천히 자리에서 일어섰다.

내 사제들이 밖을 지키고 있을 텐데. 하지만 이 방의 이변을 알아챈 이는 없나 보다. 표현할 수 없이 불길한 감각이 일었다.

조금 더 높은 곳에서 나는 아델과 시선을 마주쳤다. 아델의 눈이 빨려들 듯이 날 바라보고 있었다. 열정이라는 단어가 어울리지 않는 눈빛. 스산한 기분이 든다.

그가 미끄러지듯이 손을 뻗어 내 어깨를 붙잡았다. 뱀처럼 매끈하면서도 조용한 동작. 팔뚝을 움켜쥔 손에 힘이 들어갔다. 욱신거리는 아픔에 난 그의 이름을 불렀다.

"아델."

내 목소리가 들리는 것 같지 않았다. 아니, 그게 아델인가? 그는 뭔가에 사로잡힌 듯했다.

눈빛이 변했다. 흡사 물어뜯기 좋은 탐스러운 먹잇감을 바라보는 것처럼. 그건 아델이 평소에 내게 보이던 눈빛과는 달랐다.

그의 다른 손이 움직여 내 목을 감싸 쥐었다. 그건 결코 친애의 표시가 아니었다. 핏줄이 드러난 팔뚝을 난 불안하게 내려다봤다.

"아델."

그의 손끝이 부르르 떨린다. 내 부름에 깨어나려던 이지를 강제로 잡아 누르듯이 아델이 미간을 찌푸렸다. 짐승의 샛노란 눈처럼 안광이 이는 눈에 서서히 광포함이 서렸다.

아니, 그것은 살의였다. 목의 살갗에 따끔했다. 그의 손톱이 파고들고 있었다. 이대로, 그가 힘을 주기만 한다면—

나는 숨을 죽였다.

"성녀님, 주무시는 건가요?"

창문을 열어 놓고 앉아 있은 지 오래되었다. 마침 잠자리를 봐 주려는 때인지, 사제 한 명이 문을 두드렸다. 대답이 없자 그녀는 다시 한번 소리 높여 나를 불렀다.

"성녀님?"

아델의 시선이 느리게 문으로 향했다. 잠시 신경을 빼앗긴 듯이. 내 목을 잡은 그의 손엔, 그 이상 힘이 들어가지 않았다. 하지만 그대로도 거북한 건 사실이다. 피가 어는 듯했다.

나는 아델이 문 쪽에 집중한 사이, 천천히 손을 들었다. 양손으로 내 목을 쥔 아델의 손을 움켜쥐고 단숨에 떼어 냈다.

"앗!"

균형을 잃은 난 뒤로 넘어졌다. 소리를 들은 사제가 문을 열었다. 내 행동과 사제가 문을 열고 들어선 그 사이에 시간 차이가 거의 없었기에, 아델은 반응하지 못했다.

그는 그 이상하게 고요하고, 짐승 같은 사나움이 들끓는 눈으로 나와 사제를 번갈아 봤다.

"이, 이게 무슨? 성녀님 괜찮으세요?"

사제가 재빨리 안으로 들어서자 뒤를 따라 드는 인기척들이 있었다.

난 앉은 채로 소리 높여 외쳤다.

"아델!"

정신 차리란 말이야. 그러나 아델은 여전히 그 기이한 눈을 한 채로 날 돌아봤다. 다행한 점 하나는, 선왕의 증상과는 달리 그에게서 나타난 증상은 그렇게까지 공격적이지 않단 거다.

도리어 그는 신중했다. 날이 시퍼렇게 갈리되 검집에 든 광기였다.

퍼뜩 열려 있는 창문에 신경이 미쳤다. 아델이 거기서 쏟아져 들어오는 달빛을 온몸으로 받고 있단 것도.

난 직감적으로 깨달았다.

"커튼을 닫아!"

"네?"

"빨리!"

내게로 다가오려던 사제가 방향을 틀어 창가로 다가갔다. 재빨리 고정되어 있는 커튼을 내렸다.

그사이 아델은 자신에게 검이 있단 걸 깨달은 듯했다. 그의 손이 움직여 허리춤에 찬 검손잡이를 움켜쥐었다. 그 모습이 어떤 참혹한 살극을 예고하는 듯했다.

달빛이 걷혀 어두워진 방 안에서 난 다시 한번 그의 이름을 불렀다.

"아델!"

검을 뽑아 들려던 그의 손끝이 멈칫했다. 나는 자리에서 일어서 아델에게 다가섰다.

"성녀님, 위험합니다!"

외치는 사제의 말을 무시하고 난 양손으로 검손잡이를 쥔 아델의 손을 감쌌다.

"정신 차려, 제발."

어떻게 사람의 눈이 어둠 속에서 그토록 새파랗게 빛날 수 있을까? 하지만 눈앞에 있는 건 아델이었다. 내 아델을, 내가 두려워하는 건 가당치 않았다.

"아델. 나야, 에스델이라고."

속삭이자 나를 쳐다보는 아델의 눈이 가늘게 좁혀졌다. 사나운 맹수를 어르듯, 나는 그의 손등을 살살 문질렀다. 그 살벌한 물건 좀 제발 놓으라고. 착하다, 우리 멍멍이!

방 안으로 들어선 사제들이 우리 주변을 조심스레 에워쌌다. 경직된 아델의 몸에서 힘이 빠져나가는 듯했다.

"아델."

연이은 부름과 함께, 아델의 눈빛이 희미해졌다. 다음 순간, 그가 자리에 털썩 쓰러졌다. 어디에 찧어서 뇌진탕에 걸리면 안 되는데!

난 재빨리 아델의 머리를 받쳐 주었다. 안 그래도 상태가 좋지 않은데 머리를 다쳐서 더 좋지 않아지면 그와 결혼할 나로서는 무척 곤란하다.

사제들이 얼른 아델의 상태를 살폈다.

"강력한 기운이 전신에 가득합니다."

"이 기운은, 월신의…… 아니, 아닙니다. 좀 다르군요. 이게 대체……"

월신이 저주가 현현한 모습을 처음 본 사제들은 혼란에 가득 찬 채 나를 바라봤다. 나는 차분하게 말했다.

"그게 바로 저주야. 섣불리 건드리면 안 돼."

그랬다가 미쳐서 폭주하기라도 하면 사태가 곤란한 정도가 아니라 심각해진다.

두려움이 가시고 착잡함이 밀려와 난 잠든 듯이 쓰러진 아델을 내려다보았다. 증상은 몽유병과 유사하나 그와 비할 수 없이 위험하다.

주변의 수런거림이 걸렸는지 곧 그가 눈을 떴다.

"에스델?"

"그래, 나야."

"……왜 내가 여기 있지?"

주변의 상황을 인지한 즉시 아델이 눈살을 찌푸리며 몸을 일으켰다. 나는 대답하는 대신 따라 몸을 일으키며 그를 빤히 살폈다. 기억이 없는 건가.

아델이 미간을 찌푸린 채 이마를 짚었다. 그가 다시금 물었다.

"무슨 일이 있었지?"

의문스러운 눈길로 사제들이 서로를 마주 봤다. 처음 문을 열고 들어섰던 이가 입을 열었다.

"제가 들어왔을 때, 성녀님은 바닥에 쓰러져 계셨습니다. 그리고 폐하께서는……."

그녀의 눈에 분노가 들어찼다.

"성녀님께 위협을 가했던 것 같은 분위기로 서 계셨지요."

아델의 시선이 내 목에 닿았다. 조금, 살갗이 긁혔을 뿐 특별히 흉 질 만한 상처는 아니었다. 하지만 확인하는 데는 충분했다. 내 목에 선명히 남아 있는 그의 손톱자국을.

아델의 얼굴에 균열이 일어났다. 나는 나직이 말했다.

"잠시, 모두들 나가 있겠어?"

"성녀님, 위험합니다."

"성녀님을 왕과 단둘이 있게 할 수는 없습니다!"

"아델은 지금 제정신이야. 정히 그렇다면 바로 문밖에 있어. 무슨 일이 생기면 바로 들어올 수 있도록."

"성녀님!"

"명령이야."

결국 내 말에 복종한 사제들이 느릿하게 방을 나섰다. 문이 닫히는 소리가 들리고 난 심각한 얼굴로 입을 열었다.

"아델, 무슨 일이 있었는지 기억나?"

"……아니."

그가 천천히 손을 뻗어 얼굴을 감싸 쥐었다.

"내가 널…… 죽이려고 했어?"

"그랬지. 하지만 그렇게 적극적이진 않았어. 그랬다면 난 이미 죽어 있었을 테니."

너무 가감 없이 말했나. 적나라한 말로 아델을 비난하려는 건 아니었다. 아델이 자책하게 하고 싶진 않았지만, 그보다 중요한 게 있었다.

"이 팔찌, 풀어 줘."

"안 돼."

"어째서?"

"안 된다고 했어."

사나워진 음성에 난 화들짝 놀랐다. 문이 열렸다가 내가 손짓하자 다시금 닫혔다. 왜 안 되는데?

무심코 물으려던 난 아델이 몹시도 불안정해 보인다는 걸 눈치챘다. 아델이 그답지 않게 혼란한 투로 중얼거렸다.

"……나는 그저 오늘 달이 밝다고 느꼈어. 어쩐지 창문 너머로 흘러드는 달빛에 끌려서 발코니로 나갔었지. 그리고—"

그리고 의식이 끊겼다는 말이리라.

"아델, 네게 할 말이 있어. 괜히 너를 불안하게 하는 것일까 봐 말하지 못했지만, 그 저주는."

그 저주, 단순히 결혼하는 것만으로 풀리지 않을지도 모른다고. 내가 성력을 가지고 있어야 저주를 풀 방법을 찾을 수 있다고, 나는 그를 설득해 보려고 했다.

"다음에, 다음에 말해."

손사래를 친 아델이 듣지 않겠다는 듯이 성큼 벽 쪽으로 다가섰다. 그의 방으로 이어지는 쪽문 앞이었다.

"아델, 다음이 아니라."

손을 뻗어 쪽문을 잡은 아델이 곧 주먹으로 벽을 내리쪘었다. 쾅! 다시금 문이 열렸다. 문틈으로 얼굴을 내민 사제들이 안쪽 상황을 살폈다.

나는 아델이 보인 폭급함에 놀랐다. 아델이 이를 갈며 외쳤다.

"빌어먹을, 문이 안 열리잖아!"

"그야 그 문, 내 방에서는 열리지 않는걸."

침착하게 말했지만 가슴이 떨렸다. 조금 전 내 목숨을 위협한 아델의 행동은 내게 더 낯설게 다가왔으며, 또 두려웠다.

신경질적으로 머리를 쓸어 넘긴 아델이 문 쪽으로 발을 움직였다. 나를 완전히 무시하는 듯한 태도였다.

아니, 그는 나로부터 도망치고 있었다. 어째서?

"아델, 그런 식으로 가 버리면."

두려움을 이기기 위해, 나는 화를 끌어올렸다. 막막한 기분도 들었다. 나는 아델을 향해 다가서려고 했다.

하지만 문 앞에 이른 그가 가로막듯 나를 향해 손을 들어 보였다.

"날이 밝으면 이야기해."

몹시도 지치고, 거칠어진 음성이었다. 꼭 내가 그를 몰아넣는 것 같은 기분이 든다.

나는 입술을 잘근 씹었다. 그리고 등을 돌려 방을 빠져나가는 아델에게 시선을 고정한 채로 말했다.

"날이 밝으면 이야기하자."

대답은 없었다. 아델의 뒤를 따라 나간 난 바깥에 서 있는 시녀에게 말했다.

"그가 방으로 들어서기 전에, 커튼을 모두 내려 둬."

역시 만월의 달빛이 문제인 듯하다. 그가 떠난 뒤 사제들이 내 방을 살피기 위해 들어왔다.

아델이 내 목을 졸랐던 건 사실이나, 몸싸움이 일어나진 않았다. 방은 여전히 말끔하기만 했다.

잠자리가 정돈되는 동안, 사제 한 명이 따뜻한 차를 내왔다.

"고마워."

차를 마시면서 놀란 마음을 추스르는데, 서로에게 손짓한 사제들이 방 안에 있는 거대한 서랍장을 에워쌌다.

뭐 하는가 싶어서 봤더니, 그들은 무겁디무거운 서랍장을 움직여 아델의 방에서 내 방으로 통하는 쪽문 앞에다가 놓았다.

"이 문을 없앨 순 없으니 막아 두는 게 좋겠다고 생각했습니다."

"그가 성녀님을 위험하게 했잖습니까."

이구동성으로 말한 그들에게 난 고개를 끄덕거렸다. 나도 기척 없이 들어와 갑자기 나를 습격하는 누군가의 존재는 바라지 않으니.

잔뜩 긴장한 사제들은 그 밤 내내 한 명도 자지 않고 내 방문을 지킬 모양이었다.

차를 마시고 나자 온몸에 온기가 돌아서, 싸늘하게 식었던 마음에 평온함이 스몄다. 노곤해진 채 침대에 누운 난 눈을 감았다. 날이 밝으면 아델과 꼭 대화해야지, 생각하면서.

그러나 날이 밝아와 눈을 떴을 때, 아델은 이미 제 방에 없었다.

*

"아델은 어디에 있지?"

다음 날 오후, 나는 아지스를 호출하여 물었다. 간밤에 있었던 일을 전해 듣고도 그는 태연한 기색이었다.

애초에 만월의 밤을 조심하라 했던 건 그였으니, 무슨 일이 일어날지 얼추 짐작하고 있었던 건 아닐까.

그렇다고 그를 탓할 마음은 없었다. 나는 아델을 만나야 했고, 그걸 이뤄 줄 수 있는 상대는 그였다.

평소라면 언제쯤 찾아오겠다며 기별을 보내왔을 아델은 감감무소식이었다. 마냥 그를 기다릴 만한 인내심이 내겐 부재했다.

"글쎄요, 때가 되면 찾아오시지 않을까요."

아지스가 어깨를 으쓱해 보였다.

"저도 근무지가 여기로 정해진 터라 전하가 뭐 하고 계신지는 잘 모릅니다."

"그럼 아델과 면담 약속을 잡아 주겠어?"

아델이 나를 회피하고 있다면 사적이 아닌 공적으로라도 자리를 마련해 볼 참이었다. 하지만 아지스의 응답은 깔끔했다.

"전하께서는 현재 어떤 공식적인 면담도 가지시지 않습니다만."

난 눈썹을 치켜들었다. 단도직입적으로 말해야 할 것 같다.

"아델의 상태가 이상해."

"저주 때문이잖습니까."

"선왕은 성녀를 증오했어. 하지만 아델은, 그렇지 않잖아. 그런데 왜 나를 죽이려는 건 같은 거지? 오로지 나만을."

불특정한 누군가를 향한 살의는 아니었다. 성력 때문이라기엔 아델은 내 사제들에겐 그런 반응을 보이지 않았다. 오로지 내게만……. 그러면서도 노골적으로 난폭하진 않다.

"성녀님께 유독 살의를 드러내는 건 왕이 성녀님께 애착을 품었기 때문 아니겠습니까. 증오건 사랑이건 사람을 움직이는 건 같은 법이지요. 저주는 그 표출을 파괴적으로 만들 뿐입니다. 선왕들은 하나같이 악몽에 시달렸습니다. 잠을 못 자면 사람의 성격이 나빠진다고 하니, 왕께서는 앞으로 점점 더 변하실 수 있겠지요. 아무래도 나쁜 쪽으로요."

아지스는 먼 데서 지켜보듯이, 태연하게 말했다. 위로라곤 한 줌 담지 않은 말이 새삼 거슬렸다.

아무것도 안 하면서, 남의 일을 여유롭게 지켜만 보고 있는 것처럼. 철저한 방관이다.

화를 누르며 난 물었다.

"역시 내 존재가, 저주 증상을 유발하는 건가? 이성을 잃기엔, 아델이 저주에 걸린 진 오래 안 됐어."

"비슷하되 다른 힘, 게다가 근원. 그럴 수도 있겠지요."

아지스는 모호한 미소로 입을 닫았고, 그 이후로 내 어떤 질문에도 답하지 않았다.

비록 무사히 만월의 밤을 지나 보냈으나, 그날의 그건 시작에 불과했단 것을 난 곧 깨닫게 된다.

*

아델은 끝끝내 나를 만나러 오지 않았다. 날이 밝으면 대화를 하재 놓고는 코빼기도 안 보인다. 심지어 날 피하고 있다.

부아가 나기도 했지만, 불안했다. 그가 홀로 겪으며 침묵을 지키고 있는 그 모든 것들이.

굳이 아델이 씨름하고 있을 회의장이나 집무실로 쳐들어갈 필요는 없었다. 나는 분명히, 한밤중에 서랍장으로 가려진 쪽문을 부숴서라도 아델과 맞대면할 수 있었다.

하지만 내 쪽에서도, 아델을 찾아가는 게 망설여졌던 게 사실이다. 내 존재가 저주를 심화할 수 있단 것. 그게 마음에 걸렸다. 내겐 좀 더 온건한 해결책이 남아 있기도 했다.

결혼식을 치르면, 일단 팔찌는 풀 수 있다. 아델이 풀어 주지 않더라도, 결혼식 날 대사제들이 참석할 터. 그들에게 팔찌를 풀게 하면 될 거란 계산이 있었다.

성국과 계속 편지를 교류했기에 난 식이 앞으로 삼 주 뒤로 앞당겨졌단 걸 알았다. 생각보다 이른 시기였다.

그런 순조로움과 달리 나는 왕성 안의 분위기가 심상치 않다는 걸 느꼈다.

귀족들이 오가는 본성 쪽에서는 긴장된 공기가 흘렀고, 병사들이며 시녀들의 표정엔 긴장한 기색이 역력했다.

사제들이 왕성 내에서 나름대로 정보를 수집하려고 해 보았으나, 칼리스인들은 내 사제들과 말을 섞지 않는다. 나나 그들이나 따돌림당하는 처지였다.

몰래 움직이려고 해 봐도 아델과 내 처소가 위치한 곳이 아닌 그 이상의 영역에는 사제들의 접근이 허용되지 않았다.

내 눈과 귀를 막고, 아델이 무엇을 하려는 건 아닐까. 그게 혹시…… 내게 해로운 일은 아닐까. 의심이 스멀스멀 피어올랐다. 나는 불안을 추슬렀다.

만약 아델이 나를 어쩌고자 한다면, 번거로운 방법을 쓸 필요가 없을 테지. 내 사제들만으로 왕속 특무단원들을 막아 내긴 버거울 테니까.

"열흘은 너무 길었어."

이 기이한 분위기를 내게 설명해 줄 사람은 아델뿐이었다. 내일은 꼭, 침실 문을 부수고 들어가서라도 아델을 만나야지. 결심하며 난 주먹을 불끈 쥐었다.

이젠 거의 몸에 익힌 칼리스의 예법도 보여 줄 테다. 내가 적응하고 있단 걸 보여 줘서 그를 안심시켜야겠단 계획도 세웠다.

그러나 다음 날, 예기치 못한 사건이 닥쳤다.

*

한가로운 티타임 중이었다. 같이 마실 사람은 없지만, 하루 중 내가 가장 즐기는 시간이었다.

칼리스의 고급 차는 성국에 진상되는 것과는 좀 종류가 달랐다.

입안으로 흘러드는 차향을 만끽하며 디저트를 맛보던 난 불현듯 허공을 울리는 미약한 소음을 포착했다.

난 쫑긋 귀를 기울였다. 이건 꼭, 사람의 목소리 같은데?

"이게 무슨 소리지?"

차를 마시고 있던 난 자리에서 일어나 창문을 열었다.

아아악! 그 순간, 나는 좀 더 뚜렷하게 소리의 정체를 알 수 있었다. 그건 비명이었다. 남녀 할 것 없이, 한데 섞인.

온몸에 소름이 일어섰다. 난 다급히 문을 박차고 나왔다.

"성녀님, 어쩐 일이시온지요."

날 붙잡아 만류하려는 기색이 가득한 얼굴에, 나는 시녀장이 이미 모종의 지시를 받았음을 알아챘다.

그녀 곁에 있는 아지스가 자연스럽게 시선을 피했다. 이곳 칼리스의 왕성에서 무슨 일이 벌어지고 있는지, 그가 모를 리 없었다.

난 시녀장에게 물었다.

"바깥에서 무슨 일이 일어나고 있는 거지?"

"그것은⋯⋯."

"나가 봐야겠어."

난 시녀장을 제치고 나섰다. 아지스는 날 막아서지 않았다. 사제들과 그는 조용히 내 뒤를 따랐다. 걸음이 점점 빨라진다.

처소를 나와 정원으로 들어서니 본성 쪽에서 나던 소리가 더욱 선명하게 들렸다. 처절한 신음과 비명, 삶을 구걸하는.

나는 정원에 난 길을 뛰다시피 가로질렀다. 치렁치렁한 드레스를 입곤 제대로 뛰기 어려움에도 내 발은 빨랐다.

차츰 소리가 잦아드는 걸 느끼며 마음이 초조해졌다. 뭘 해야 할지 모르겠다. 하지만 이대로 가만히 있을 수는 없었다.

짙은 피비린내가 공기 중에 감도는 듯했다. 경비병들이 창을 교차하며 굳게 닫힌 문을 막아섰다.

"출입을 통제 중입니다."

"이리로는 가실 수 없습니다."

순진하게 길을 열어 달라고 호소해 볼 생각은 애초부터 없었다. 칼리스에서 내 명령을 들을 사람은 거의 없다. 난 뒤로 손짓하여 지시했다.

"길을 열어."

"좋은 생각이 아닐지도 모릅니다."

바로 나서는 사제들과는 달리, 아지스가 팔짱을 끼면서 말했다. 표정을 보건대 확고하게 날 막아설 생각은 없어 보였다. 난 단호하게 부인했다.

"더 안 좋은 생각은 무슨 일이 벌어지고 있든 눈감은 채 방 안에 가만히 있는 거지."

사제들이 순식간에 병사들을 제압하고 문을 열었다. 아지스가 감탄한 듯이 턱을 쓸며 말했다.

"이런 적극성이라니. 제가 성녀님을 좋아한다고 말씀드린 적이 있는지요?"

"그 말, 꼭 아델 앞에서 해 주길 바라겠어."

그러면 아델도 네 쓸모를 좀 더 재어 보게 될 테니까. 일침을 가한 난, 활짝 열린 문을 지났다. 나는 사제들과 함께 나아갔다. 비명은 점점 뜸해졌다.

평화로운 내 처소와 본성 쪽의 분위기는 판이했다. 바짝 곤두 선 살벌한 공기에 살이 에는 듯하다. 앞쪽엔 병사들이 가득했다.

하지만 갑자기 나타난 우리를 힐끗거릴 뿐 막아서진 않았다. 나는 그게, 내가 아닌 내 뒤를 여유롭게 따르는 아지스를 봐서 라는 걸 알아챘다.

난 곧 어떤 웅장한 건물 앞에 이르렀다. 각 귀족과 관료가 참 석하는 중요 회의가 열리는 곳. 회담장이었다.

평소라면 귀족들이 드나들며 간간이 얼굴을 보였을 그곳은 병사들에게 삼엄하게 포위된 상태였다.

병장기를 손에 쥔 병사들의 눈빛에 한껏 날 서 있다. 몇 명의 병 사가 문으로부터 단단히 대어 놓은 쇠판을 떼어놓는 참이었다.

쇠판을 대어 놓다니. 그건, 문이 열리지 않게 바깥에서 막아 놓았단 것. 쭈뼛 소름이 일었다.

문이 열리고 있었다. 나는 걸음을 멈추었다. 곧 누군가가 안 에서 뚜벅뚜벅 걸어 나왔다.

나는 뚫어지게 그 누군가를 바라보았다. 처음에는 그자가 아 델인지 알지 못했다. 왜냐하면 내게 아델은 그 선명한 금발로 가장 먼저 인지되곤 했기에.

그러나 피로 젖은 머리와 뺨을 수건으로 닦아 내는 그는, 그 토록 붉었으나 아델이었다.

냉정하다기보단, 아예 감흥 없는 눈으로 아델이 제 허리춤에 찬 검집을 통째로 분리해 내어 부하에게 건넸다.

　온통 피 칠갑한 검집은 안에서 무슨 일이 일어났는지 훤히 비
춰 내고 있었다. 갑주를 마저 벗고 새로이 망토를 두른 그가 명
령을 내렸다.

　"안을 정리하라."

　조금 더 걸어 나와 문간의 그늘에서 벗어난 아델이 쏟아지는
햇빛을 마주하고 눈을 찡그렸다. 그 때문에 그는 거리를 둔 채
서 있는 나를, 뒤늦게야 발견했다.

　아델의 표정이 삽시간에 굳어 들었다. 흡사 불의의 일격을 맞
은 듯한 반응.

　곧 그가 내게로 다가왔다. 피비린내가 훅 끼쳐 왔다.

　"네가 왜 여기에 있지?"

　당황했다기보단 추궁하는 듯이 들리는 말투였다. 나는 차분
히 그를 마주 보았다. 내 마음속은, 결코 차분하지 않았음에도.

　"소리가 들려서."

　"아지스, 그녀가 여기로 올 때까지 넌 뭘 하고 있었지?"

　"막아섰다간 사제들과 싸워야 할 것 같기에 말입니다."

　제게로 돌아온 화살에 아지스가 태연하게 대꾸했다. 나는 아
델의 눈빛이 금세라도 아지스를 베어 낼 것 같단 걸 알아차렸
다. 그리고 거기엔 아지스의 가치를 재어 볼 이성 같은 건 없단
것도.

　난 아델의 신경을 내게로 돌렸다.

　"우리 오랜만이지? 나와 얘기를 좀 해."

이 상황이 충격적이지 않느냐고? 충격적이다. 단지 그게 내 머릿속을 표백시켜 버리진 못했을 뿐. 나는 아델에게 할 말이 있었고, 적어도 그것을 잊고 있진 않았다.

"다음에."

아델은 단박에 나를 피하기로 했던 결심을 내보였다. 그는 '그녀를 처소로 안내하라'고 명을 내려놓고, 자리를 뜨려고 했다. 난 굳이 손을 뻗어 그를 붙잡지 않았다. 대신 말했다.

"아델, 내가 저기로 들어가 보면 좋겠어?"

아델이 우뚝 멈춰 섰다.

"들어가서, 내 눈으로 저 안에서 무슨 일이 일어났는지 확인할까?"

저 안에서 무슨 일이 일어났을진, 짐작이 되었다. 그리고 아델이 그걸 내게 들키고 싶어 하지 않는다는 것도.

호흡을 깊게 들이마시는지 아델의 몸이 크게 들썩였다.

"내게 뭘 바라는 거야."

곧 사나운 기색이 그에게서 떠올랐다.

"네가 나와 대화하길 원해."

굴하지 않고 정면으로 그를 쳐다보았다. 이내 아델이 잇새 사이로 짓씹듯이 내뱉었다.

"그래, 좋아."

그리고 우리는 함께 그 피로 젖은 장소를 떠났다.

오는 길엔 내내 침묵이 따랐다. 아델은 절대로 말을 걸지 말란 분위기를 흉흉하게 풍기고 있었고, 나 역시 생각과 감정을 정리해야 했다.

피에 젖은 상태로 대화를 나눌 만큼 급하진 않았기에 나는 아델이 몸을 씻고 옷을 갈아입고 올 동안 그의 처소에서 기다렸다.

내가 다시 칼리스에 온 이래로 그의 처소에 발을 들인 건 처음이었다. 불안과 긴장감으로 두근대던 심장이 가라앉아 간다. 점점 머릿속이 맑아졌다.

문이 벌컥 열리고, 바로 질문이 날아들었다.

"나와 무슨 대화를 원하는 거지?"

방으로 들어온 아델은 가운차림이었다. 물기에 젖은 금발은 유독 짙어서, 피에 젖었던 아까의 광경을 떠올리게 했다.

난 차갑기 짝이 없는 그의 말투에도 굴하지 않고 꿋꿋하게 입을 열었다.

"아지스에게 들었어. 회담장에 있던 자들. 내가 왕비가 되는 걸 반대한 자들이라고."

대부분이 칼리스의 세 높은 귀족들로, 그 수가 수백에 달한다고 했다. 수백. 회담장 안이니 무기는 가지고 있지 못했겠지만, 저항은 했을 거다. 문까지 막아 놨으니 도망도 못 쳤겠지.

나라를 다스리는 데 때로 유혈 사태가 초래될 수 있단 건 이해한다. 군주에게는 때때로 잔혹성이 필요하다. 하지만 이것은……

"왜 그들을 모두 죽인 거야?"

"왜 죽였냐니. 우스운 질문인데. 해야 할 일을 한 것뿐."

웃음기 없는 표정으로 대꾸한 아델이 내 맞은편 소파에 걸터앉았다.

"그게 꼭 필요한 일이었는지 묻는 거야."

"사람을 죽였다고 성녀답게 훈계라도 할 참인가?"

소파에 등을 깊게 기대고 방만한 자세로 앉은 아델이 코웃음 쳤다.

"쥐새끼처럼 찍찍대는 것이 시끄러워서 치워 버려야겠단 마음이 들었어. 이제 설명이 됐어?"

그 태도가 너무도 차갑고 공격적이라, 가슴이 따끔거렸다.

나는 아델과의 지난 신성교국에서의 재회를 상기하게 되었다. 그때의 그는 내가 그를 배신했다고 생각하고 있었다.

하지만 지금은, 그런 것도 아닌데. 이 싸늘함은 방어적이라고 하기엔 과하다.

"그게 해야 할 일이었다면, 정말로 필요한 일이었다면 어째서 네 부하들은 너를 두려워하지?"

회담장 문을 지키는 병사들, 그를 따르는 왕속 특무단원들에게서 살얼음판을 걷는 듯한 공기가 느껴졌다. 내가 이전에 칼리스에 있었던 때와는 차이가 있었다.

그 당시 아델은 자연스레 그들에게 군주로서 자리매김했었다. 하지만 지금 이건, 군주에 대한 경의, 당연한 섬김, 그런 것이 아니라……

"그들의 눈빛을 봤어. 네가 보인 잔인함에 두려워하는 듯이 보였지. 네가 칼리스의 폭군이라고 불리는 그게, 마치 사실인 것처럼."

"그 두려움이 그들을 따르게 할 거야."

"아니, 두려움은 때때로 반감을 낳지. 내가 아는 너는 똑똑하고 이성적이고 감정을 통제할 줄 알았어. 하지만 지금의 네겐 전혀 그런 모습을 찾아볼 수 없는걸. 지금 네 모습을 봐. 아델, 이게 저주 때문이 아니라고 말할 수 있어?"

아델은 저주에 대한 언급을 피했다. 그게 대수롭지 않은 것처럼 넘어가려는 듯이 보이기도 했다.

그때 느낀 이상한 감정이 다시금 피어올랐다. 나는 재차 추궁하려고 입을 열었다. 그 순간,

"에스텔!"

날카로운 공기가 바람과 함께 고막을 찔렀다. 그야말로 후려칠 듯한 기세였다. 나는 놀란 나머지 눈을 동그랗게 떴다.

나를 사납게 노려본 아델이 시선을 거두며 말했다.

"자꾸만 머리 아프게 찡얼대지 마."

부글부글 끓고 있는 듯이 폭발적이다. 이성이 있는 한 아델은 나를 해치지 않는다. 하지만 그 이성이, 점차 흐려지고 있는 게 눈에 잡힐 듯이 보였다. 더 이상 추궁을 했다간, 아델은 이 자리를 박차고 나갈 거다.

나는 몇 걸음 물러서기로 했다. 마음을 가라앉히고 걱정스러운 목소리로 말했다.

"내가 네 곁에 있는 거. 그거면 다 될 줄 알았는데……. 그렇지 않은 것 같아."

"그건 전혀 상관없는 문제야."

"아델, 우리가 결혼하는 것만으로는 저주가 풀리지 않을지도 몰라. 선왕의 몸에서 저주가 변형되었어. 그래서—"

"그래서, 네 성력을 돌려 달라고? 결국 네가 할 말은 그건가? 내가 너를 해칠까 봐?"

그렇다. 솔직히 긍정할까 머뭇거렸다. 아델이 내 머뭇거림을 비집고 먼저 솔직해졌다.

"널 어떻게 믿고. 넌 이미 한 번 도망친 적 있는데."

눈매가 좁혀지면서 그의 새파란 눈동자가 한층 짙어졌다.

내가 뭐라고 말하든, 그는 구실을 대고 성력을 돌려 달란 이야기로 알아듣는 것 같았다. 그리고 그걸 용납할 수 없음을 계속해서 상기하는 것이다.

나는 내가 도망쳤음에도 돌아왔다고 말하려고 했다. 하지만 아델은 그가 성국으로 진격함에 따라 어쩔 수 없이 일어난 일이라고, 생각하는 것 같았다. 그래서 나는 그저 조용히 물었다.

"나를 믿지 못한다면, 어떻게 믿지 못할 사람을 평생 곁에 두려고 하는 거니?"

양국의 주도하에 결혼한 상태라면 성력을 되찾는다고 한들, 내가 도망치지 않을 거란 보장이 있을지 모른다.

하지만 이건 그런 보장의 문제가 아니었다. 믿음 없이 어떻게 사랑이 있는가.

칼리스에 적응하려고 한 내 그간의 노력이 모래성처럼 허물어지는 것 같았다. 내가 꺼내 보인 진심조차도.

나는 아델에게 불신의 대상인가. 아델은 눈에 보이는 무언가,

확실한 무언가를 찾고 그것을 통해 믿음을 얻으려 했다.

아델과 내 관계는 애초부터, 종잇장 같은 약속이 아닌 감정과 추억으로 이어져 있었는데. 그것을 정면으로 부인하는 것처럼.

"분명히 말하건대, 나는 결혼식을 치르기 전엔 네게 성력을 돌려줄 생각이 없어."

단호하게 말한, 아델은 자리에서 일어섰다. 견고한 철의 장벽이 우리 사이에 선 것 같았다. 그 어떤 말도 그에겐 닿지 않고 벽에 부딪혀 퉁겨지는 듯이.

"두 번 다시 이 이야기는 꺼내지 않았으면 좋겠군. 그렇게 내게 걸린 저주가 걱정된다면 이런 식으로 날 자극하지 마. 그날 밤처럼 당하고 싶은 게 아니면."

나는 아델이, 그날 밤 나를 공격하려 했던 것에 대해서 사과를 할 줄 알았다. 아니면 적어도, 죄책감을 보이거나.

하지만 아델은, 뭔가에 지독히도 몰두하거나 어느 한구석이 고장 난 사람 같았다. 그는 광인처럼 스산한 눈길로 날 굽어볼 뿐이었다.

거기엔 고작 며칠 전에 찾아볼 수 있었던 애정은 씻은 듯이 없었다. 어쩐지 몸이 떨렸다.

냉담한 음성이 뚝 떨어져 내렸다.

"쉬어야겠으니, 나가."

"아델."

아델이 시녀장을 부르자, 문이 열리고 한 여인이 안으로 들어왔다.

"그녀를 침소로."

그가 지시하자마자 시녀장이 내게로 다가서 몸을 부축했다.

"가셔야 합니다."

나는 뭔가를 두려워하는 듯한 그녀의 눈을 보고, 자리에서 몸을 일으켰다. 아델의 명을 제대로 시행하지 못하면, 그녀의 목이 떨어질 것이다.

나는 마지막으로 허공에 시선을 둔 아델 쪽을 한 차례 바라본 뒤, 방을 나섰다. 매끄러운 소리와 함께 등 뒤에서 문이 닫혔다.

나는 곧, 아델이 내 목소리조차 듣지 못하게 될 거라는 걸 알았다. 그리고 거기에 내가 무엇도 할 수 없다는 것도.

*

그날, 나는 방으로 돌아가, 성국이 아닌 이 칼리스의 왕성에서 접신을 시도했다. 이토록 적극적으로 접신을 시도하는 건 신탁을 받은 이후로 처음이었다.

왜냐하면 이 모든 시련이 나 홀로 헤쳐 나가야 할 것이라고 인지하고 있었기에.

성력을 봉인당했지만, 나는 성녀이니 월신께선 내게 답을 주실 수 있을 거다. 그러나 끝끝내 신께서는 내 부름이 응하지 않으셨다.

나는 히스칼이, 태양신을 원망한 것을 불경하게도 이해할 수밖에 없었다. 여전히 나는 이 답이 나오지 않은 상황을 홀로 헤

쳐 가야 했다. 한없는 막막함이 내려앉았다. 그저 불안일 뿐일
까.

내가 너무 조급한 것일지도 모른다. 결혼식은 당겨졌고, 아델
이 심각한 광증을 보이는 것도 아니다.

하지만 난 꼭 언제든 무너질 수 있는 모래성을 딛고 서 있는
듯했다. 또한 어떤 커다란 사건이 다가오고 있는 불길함이 느껴
졌다. 어쩐지 위태로웠다.

칼리스에 온 이래로 난 점차 이 생활에 익숙해졌다. 반대로
아델과의 사이는 적으로 마주했을 때보다 더 멀어진 것 같다.

아델은 그날 이후로 나를 찾아오지 않았다. 아지스의 말에 따
르면 회담장에서 귀족들을 몰살한 사건의 사후 처리로 무척 바
쁘다고 한다.

그러나 난 아델이 나를 피하고 있단 걸 확신하고 있었다. 다
시 찾아가 봐야 하지 않을까. 하지만 엄두가 나지 않는다.

아델과 부딪치는 것도, 그게 저주를 악화시킬지 모른다는 것
도…… 날 차가운 눈으로 거부하는 아델을 마주하는 것도. 그
모든 게 망설여졌다.

그가 변한 게 저주 때문이라면, 저주를 해소할 수 없는 지금
나는 어떻게 해야 하지? 혼란에 잠식당한 난 쉽게 결정을 내리
지 못했다.

그사이 시간은 속절없이 흘러갔다. 나는 수차례 성국과 편지
를 주고받았고, 칼리스에서의 일이 전해졌는지 우려가 가득한
편지에 괜찮다는 답변을 보냈다. 어쨌든 성국에서 개입하는 건

막아야 했으므로.

그렇게 느릿하게 진득한 안개가 사지를 얽매는 듯한 하루하루를 건넜던 것 같다. 전환점을 맞을 결혼식을 기다리면서.

결혼식에 대해선 잘 협의가 되어갔으나 왕성의 분위기는 나날이 침체 되어 갔다.

대대적인 숙청은 끝났으되 왕성에선 여전히 사람이 죽어 나갔다.

나는 어렴풋이 그것이 아델과 관계가 있음을 알 뿐이었다. 시중인들이 하나같이 공포에 차서 입을 다무는 왕성에서 내가 알수 있는 건 많지 않았다. 아예 전혀 알지 못하는 것도 있었다.

그동안 아델과의 관계, 그리고 왕성에서 겪는 협소한 일에 대해서만 주의를 기울이고 있던 나는 왕성 바깥에서 무슨 일이 벌어지는지 까맣게 몰랐다.

칼리스 내부 사정은 내게 소식을 전해 주는 성국에서도 파악할 길 없는 것이었으니.

어둠 속에서 모의 된 그 무언가는, 얼마 지나지 않아 뜨거운 불길과 함께 닥쳤다.

붉은 밤

사건이 터진 건 언제나 그렇듯 밤이었다. 또다시 만월이 찾아든, 달빛 짙은 밤. 사제들은 아델이 지난 만월의 밤처럼 나를 공격해 올까 우려했다.

쪽문은 막혀 있고, 사제 두 명이 방에 들어서서 날 지키고 섰다. 다들 불안한가 보다.

나는 그날 뒤척이다가 늦게야 잠을 이루었고, 다행히 이번에는 아무 일도 일어나지 않는구나 안도했던 것 같다.

그러나 잠을 이룬 지 채 몇 시간 되지 않아, 뭔가가 내 눈꺼풀을 열었다. 밖이 어수선하고 침소의 공기가 술렁거렸다.

몸을 일으키자마자, 문이 열렸다. 사제 한 명이 안으로 뛰쳐들어오며 외쳤다.

"왕성에 불이 올랐습니다!"

나는 급히 창가로 다가서서 커튼을 열어젖혔다. 새카맣고 고요해야 할 하늘은 온통 붉게 물들어 있었다. 흡사 핏빛 노을처럼, 화염과 연기가 뒤섞인 채로. 순백색이어야 할 만월이 불길한 적색을 띠었다.

와아아아! 거대한 함성이 밀려와, 창문을 한차례 흔들었다. 그 파동이 전신을 후려쳤다. 이게 도대체 무슨 일이지? 난데없는 상황에 잠이 싹 달아났다.

"성녀님!"

다른 사제들도 뒤이어 방으로 들어왔다. 그사이 사태를 파악하고 온 모양인지 하나같이 심각한 표정이었다.

"무슨 수를 썼는지, 불길이 번지는 속도가 빠릅니다. 여기까지 번질지도 몰라요. 어서 자리를 피하셔야겠어요."

말을 쏟아 내면서 사제 한 명이 내게 겉옷을 둘러 주었다. 난 뒤늦게 나타난 시녀장을 향해 물었다.

"아델은 어디에 있지?"

"왕께서는 오늘 침소에 들지 않으셨습니다. 아마도 왕성에 계실 겁니다."

저 불타는 왕성에 아델이 있다고? 일순 피가 빠져나가는 듯 섬뜩했다. 나는 애써 이성을 다잡고 물었다.

"지금 무슨 일이 일어난 건데, 반란인가?"

"예, 말씀드리기 불경하오나 그런 듯합니다. 불길이 빠르게 번지고 있습니다. 혹시 저들이 쳐들어올 수 있으니, 어서 피하심이 좋겠습니다."

창백한 얼굴의 시녀장이 침착하게 말했다. 나는 그녀에게 시중인들을 수습하여 내보내라고 이른 뒤, 곧바로 사제들에게 말했다.

"본성으로 가야겠어."

침착한 내 음성에 사제들은 눈을 휘둥그레 떴다. 나는 초조하게 주먹을 움켜쥐었다.

아델이 있는데 나 혼자 도망칠 순 없다. 아델의 강함을 믿어 의심치 않지만, 이 상황에서 그리고 한들 무사할 수 있을까.

이 인위적인 불길, 아마도 마법의 힘일 터. 적이 이만한 준비를 해 왔다면 아델도 위험할 테지.

나는 이제껏 그를 위험 속에 내버려 두어 왔다. 나는 성국에 그는 칼리스에 있었으므로. 내가 개입할 여지란 없었다.

그러나 아델은 이제, 내 손 닿는 곳에 있다. 더 이상은 외면하지 않을 테다. 그건 결심이라기보단 결의였다.

경악한 사제들이 언성을 높였다.

"성녀님, 무슨 말씀이세요! 저긴 너무 위험하다고요."

"불길이 너무 거셉니다. 저리로 갔다간 타 죽을 수도 있어요!"

"나도 알아. 하지만 내 약혼자가 저기에 있지 않니. 나는 본성으로 가야 해."

나는 아주 평온하게, 그것이 진리라도 되는 것처럼 말했다. 내게서 묻어나는 확고함이 일순 그들의 입을 얼렸던 것 같다. 그러나 곧 그들은 반대를 내세웠다.

"그가 성녀님의 성력을 봉인했잖습니까!"

"왕이라고 하나 칼리스인. 칼리스인 따위를 위해서 성녀님이 그런 위험을 감수해야 하다니!"

"약혼자를 내버려 두고 혼자 도망가는 건 나다운 일이겠니? 그리고 나와 그는 협약을 맺었어."

그 말엔 그들도 대답하지 못했다. 성국에서 마음에 들어 하지 않건 어쨌건, 아델과 나는 결혼을 약속한 사이였다. 명분도 뚜렷하다.

내가 여기서 홀로 도망치고, 아델이 패배한다면 칼리스와의 모든 건 원점으로 돌아간다. 나와 아델은 이미 한배를 탔다. 그가 날 배신하지 않는 이상, 나 역시 신의를 지켜야 한다. 그것은 단순한 감정의 영역을 넘어선 의무다.

"오늘은 만월의 밤이고, 너희들은 월신의 사제들이지. 이곳은 칼리스지만, 그래도 그게 도움이 될 거야."

나는 짧게 덧붙였다.

"너희들이 따르지 않겠다면 나 혼자 가겠어."

그럴 수는 없을 터. 나도 안다. 사제들에게 내려진 임무는 나를 수호하는 거다. 그건 임무를 넘어선 사명.

나는 그들이 위험해지길 바라지 않는다. 하지만 어쩔 수 없다. 나는 생긋 웃어 보였다.

"가자."

더 이상 지체할 시간이 없다. 아델이 저 한가운데에 있었다.

사제들은 고개를 떨구었다. 설복의 뜻이다. 나는 서둘러 걸음을 옮기기 시작했다. 아직 어떤 소란도 닿지 않는 침소를 떠나 본성으로.

*

불타는 건물들이 위로부터 파편을 떨어뜨리는 모습은 가히 위협적이었다.

우리는 연기에 휩싸인 길을 입을 막은 채 빠르게 지났다. 사제들이 일으킨 성력이 열기와 연기독으로부터 우리를 보호했다.

아델은 죽지 않았다. 그것만은 알고 있었기에 침착할 수 있었다. 선왕의 경우가 그랬듯 저주에 걸리면, 본성이 흉포해지는 반면 육체적 능력은 비약적으로 향상되는 것 같았다.

그렇게 향상된 능력은 이 열기와 그를 노리는 적들로부터 아델을 지킬 것이다. 왕속 특무단도 놀고 있진 않을 테지.

아니, 어쩌면 내부의 배신이 있었을지도 모르겠다. 배신자 중엔 왕속 특무단원도 있을 가능성이 충분했다. 아델이 근래에 보여 준 잔인한 행보는 누구에게든 위협이 되었을 테니까.

정말로 폭군을 세운 건 아닐까. 의심은 반란에 동조하게 한다.

"폭군을 죽여라!"

어디선가 병장기 맞부딪히는 소리와 함성이 섞여 들렸다. 전투가 벌어지고 있는 본성은 아수라장이었다. 이 드넓은 곳에서, 아델을 찾아내야만 한다.

순간, 쾅! 폭음이 터져 나왔다. 머리 위였다. 갑작스레 폭파된 위 건물에서 무더기처럼 파편이 쏟아져 내렸다.

사제 한 명이 나를 덮치다시피 하며 몸을 날렸다. 떨어져 내린 건물 파편이 바닥을 울렸다.

쿵. 속이 울렁거렸다. 충격에 전신이 얼얼하다. 날 감싼 사제가 먼저 몸을 일으키며 나를 부축했다.

"성녀님 괜찮으세요?"

"나는 괜찮아, 다른 이들은?"

낮은 신음이 들렸다. 먼지가 뿌옇게 피어올랐다가 이내 가라앉은 자리에 세 명의 사제가 쓰러져 있었다.

한 명은 금세 몸을 일으켜 주위를 돌아봤다. 그러나 다른 두 명은 그러지 못했다.

"파편을 막아 낸 충격으로 성력을 급격히 소진하여 기절한 듯합니다."

떨어진 파편이라는 건 파편이라고 표현하기 무색할 만치 거대한 첨탑이었다. 그게 떨어지는 충격은 엄청났을 거다. 허공에서 떨어지는 그걸 비껴낸 것만으로도, 기절할 만했다.

나는 안도의 숨을 내쉬었다. 정말로, 위험하네, 여기. 몸을 추스르며 일어나는 사제에게 손짓하며 말했다.

"너는 정신을 잃은 이들을 데리고 자리를 피하는 게 좋겠어."

"호위가 너무 적습니다."

"그럼 그들을 안전한 곳에 데려다 놓고 합류하도록 해."

내가 여지를 주자, 그녀가 머뭇거렸다. 아무리 나를 수호하는 임무가 중하다고는 하나 이런 곳에 동료를 놔두고 갈 수는 없다. 죽으라는 것과 마찬가지다. 더군다나 이건 성녀인 내가 바라는 바였다.

"어서."

결국 그녀는 동료 두 명을 들쳐 맸다. 곧 다시 돌아와 나를 찾겠노라고 말하는 그녀를 등지고 나는 망설임 없이 남은 한 명의 사제와 함께 출발했다.

온 사방은 붉었고, 연기가 솟아오르는 하늘은 불길한 빛에 젖어 있었다. 사방에선 병장기 부딪히는 소리가 들렸다.

우리는 성력으로 몸을 숨기고 적들의 시선을 피하며 전진했다.

그저 혼란을 일으키는 게 목적인 양 불길은 거셌으나 실제로 건물의 외면에서만 불타고 있는 듯했다. 화재의 파괴성은 덜하단 소리다.

성력으로 보호받고 있었기에 마법의 불길은 내게 영향을 미치지 못했다.

나는 혼잡한 통에서 필사적으로 두리번거리며 아델을 찾았다. 이 혼란의 중심지에 그가 있을 거다.

다행히 반란군이 표식을 두르고 있었기에 적군과 아군을 구분할 수 있었다. 피가 튀고 검과 화살이 날아드는 이곳에서 성력으로 인지에 영향을 미쳐 이목을 피하는 건 쉽지 않은 일.

나와 함께 하는 사제의 집중력도 점점 흐려졌다.

누군가가 성력의 기척을 눈치채고 다짜고짜 단검을 집어 던졌다. 까강! 단검은 옆쪽의 벽을 맞고 튕겼다. 사제의 정신이 흐트러지며 위장이 깨어졌다.

일시에 날카로운 시선이 날아들었다. 우리는 적진에 맨몸으로 놓였다. 나는, 결코 그들이 몰라볼 수 없는 외형의 소유자였다.

"성녀가 여기 있었군."

왕속 특무단원 복장이었다. 내 예상대로, 그들 중 반역도가 섞여 있었던 모양이다. 게다가 나를 발견한 이들은 하필, 적 쪽인 것 같다.

살벌하게 눈을 빛낸 그가 검을 뽑아 들며 주변의 병사들에게 눈짓했다.

"죽여라!"

아니, 포로로 사로잡는 것도 아니고 다짜고짜 죽이라니? 성질도 급하긴! 비장한 표정의 사제가 날 등 뒤로 돌렸다.

"달려서 도망치십시오. 제가 잠시 시간을 끌겠습니다."

"너는."

"성녀님께서 충분히 멀어지시면 몸을 빼겠습니다. 시간을 끄는 정도는 할 수 있을 겁니다."

빠르게 내뱉은 그녀가 다시금 외쳤다.

"가십시오!"

나는 튕기듯이 달렸다. 만월의 밤이 내 두 다리에 힘을 주고 있었다. 가벼워진 몸으로 날 듯이 달리는 날 누구도 뒤따르지 못했다.

한동안 달린 뒤 성안 어딘가 골목에 들어선 난 턱 끝까지 차오른 숨을 내뱉으며 자리에 멈춰 섰다. 회의와 불안이 치솟아 올랐다.

성력을 쓸 수 없는 내가 과연 본성으로 오는 게 옳았을까. 아니, 애초에 아델의 뜻대로 팔찌를 차선 안 되었을까.

칼리스에서 온 이후로 그 무엇도 내 뜻대로 되지 않는다. 나는 이 북새통 속에서, 저 병사들을 뚫고 아델을 찾아낼 수조차 없다. 일순 무력감이 나를 머리끝까지 잠식했다.

나는 자문해 보았다.

그렇다면 에스델, 너는 여기서 포기할 거야?

"그건 아니지."

내 튼튼하고 빠른 두 다리를 믿어 보자. 홀로 돌아다니는 사람을 일일이 붙잡아 세울 여유는 저들에게도 없을 테니까.

나는 뒤로 내려간 후드를 뒤집어쓰고 목에서 단단하게 끈을 붙잡아 맸다. 그 골목을 슬그머니 빠져나와 본성의 중앙부로 걸음을 옮겼다. 그저 예감에 따라서. 아델이 거기 있을 것 같다.

과연. 잠시 후 어떤 장소에 도달한 난 혀를 찼다. 저곳이다. 알현과 각종 의식이 치러지는, 왕이 거하는 진정한 의미의 본성.

거대하고 웅장한 건물은 보호 마법이 걸린 양, 주변에 온통 가득한 불길로부터 오롯하게 자유로웠다.

여기가 맞다. 난 숨을 고르며 모퉁이에 숨어 주변을 둘러보았다. 본성 앞에는 전투가 펼쳐진 흔적이 남아 있었다. 곳곳에 시체가 그득하다.

이미 침투가 끝났을 터. 아델은 이미 저기서 빠져나와 어디론가 향한 걸까.

하지만 본성 내부에서 다수의 인원이 움직이는 기척이 느껴졌다. 빠르게 움직이는, 강한 힘이 담긴 기척들. 아직 끝나지 않은 듯하다.

나는 모퉁이에서 몸을 빼고 조심스럽게 건물 쪽으로 향했다. 위험하더라도, 안으로 들어가 볼 참이었다.

"여기 있다!"

그러나 입구에 다다르자마자, 저편에서 튀어나온 병사들이 나를 발견하고 검을 쳐들었다.

아까 그들이다. 내가 여기로 올 줄 알았던 건가? 화형에 처할 마녀를 보듯 살벌한 눈빛들. 망했다!

뒷걸음치는 내 눈앞에, 장막이 내리듯 검은 망토가 드리웠다.

까만 밤이 펼쳐졌다. 시야가 어두워지고 소리 없이 다가선 기척이 순식간에 내게로 달려드는 이들을 섬멸한다. 은빛 섬광이 허공에 궤적을 그렸다. 병사들은 단말마도 내지르지 못하고 스러져갔다.

가슴이 벅찼다. 흡사 구세주를 만난 기분이었다. 하지만 나를 감싼 그는 이름 모를 구세주 따위가 아니었다.

익숙한 등, 예리하고 정제된 몸의 움직임. 그리고 그 손에 들린 빛나는 은빛 검.

적들을 쓰러트린 그가 허리춤에 검을 꽂아 넣고 내게로 천천히 돌아섰다.

"괜찮으십니까, 성녀님."

희고 단아한 얼굴에서 은은한 광채를 띤 보랏빛 눈동자가 나를 담았다.

"카마엘……."

나는 탄식하듯 그의 이름을 불렀다. 온통 검고 붉기만 한 이곳에서 그의 은발은 너무도 성결한 빛을 품고 도드라졌다. 모든 삿된 것을 정화시키듯 눈부시다. 어둠조차 퇴색시키는 빛이라니.

그는 신이 내린 성기사였고, 그 사실은 누구도 부인할 수 없으리라.

눈에 익은 얼굴이 고요하게 날 마주 봤다.

"어떻게…… 여기 있는 거야?"

항상 예상치 못한, 그러나 필요한 순간에 나타나는 그였다. 이번에는 유독 절묘했지만……. 그와 여기서 마주한 상황이 낯설었다. 그야 이곳은 칼리스의 왕성 아닌가.

"성녀님의 안전을 위해서 제가 칼리스로 침투해 있어야 한다는 데 모두가 동의했습니다."

카마엘은 아무렇지 않은 듯이 평온하게 답했다.

"지켜보다가 이변이 생겼다는 걸 알고 바로 왕성으로 침투했습니다."

그게 참, 별일 아니라는 투다. 칼리스에 침투하는 게 그렇게 간단한 일인가? 카마엘의 숨은 재능을 발견한 듯하다. 첩보원.

마음이 한시름 놓였다. 난 맥없이 중얼거렸다.

"다행히 날 찾았네."

"도중에 사제들을 만나서 계신 방향을 가늠할 수 있었습니다. 늦지 않아서 다행입니다."

"응, 정말로."

목이 멨다. 여기까지 오는데 사실, 잔뜩 긴장되고 두려웠다. 나는 별로 고난과 역경을 견디는 데 익숙한 캐릭터가 아니라고! 더군다나 목숨이 위험한 전쟁통이라니.

와아아! 저편에서 거센 함성이 밀려와 고막을 때렸다. 피아를 식별할 수 없는 함성, 저들이 이리로 몰려온다면 위험해질 수 있다. 힐끗 그쪽을 바라본 카마엘이 나를 향해 손을 뻗었다.

"가시지요."

이 아수라장으로부터 틀림없이 나를 끌어내어 안전한 곳으로 데려다줄, 단정하고 힘 있는 손이었다.

나는 그 장갑 낀 하얀 손을 잠시 뚫어지게 바라봤다. 머릿속이 멍하다. 가자고? 칼리스가 이렇게 되어 버렸으니, 성국으로 가자는 건가.

사실 협정이고 뭐고, 왕성이 불바다인데 내가 위험을 감수하고 남아 있을 건 없다. 내겐 떠날 명분이 생겼다. 하지만.

"카마엘."

이대로 떠날 거였으면 애초에 본성까지 오지도 않았을 테지. 협정은 나와 아델 중 어느 한쪽이 죽지 않는 한, 지켜질 거다.

카마엘이 때맞춰 나타난 게 감격스러우면서도 무척 반가웠다. 이왕 함께할 거면 카마엘 쪽이 백 명의 사제보다 더 든든하니까.

미안하지만, 나는 아델을 찾아서 여기로 왔다고, 함께 들어가 보자고 말하려는 참이었다.

아아악— 본성 안에서 무참한 비명이 울려 퍼졌다. 비명은 끊길라치면 다시 시작되었다. 한두 사람의 것이 아니었다.

제법 가까운 위치. 쫓기고 쫓기다가 최후에 죽음을 맞닥트린 듯한 단말마가 퍼뜩 정신을 일깨웠다.

나는 본성의 입구를 쳐다보았다. 활짝 열린 거대한 문 안은 고요한 어둠에 잠겨 있었다. 왠지 공포물스러운 느낌이지? 등골이 오싹하다.

다른 소리가 이어졌다. 쿵, 쿵, 쿵. 내부로부터 거대한 괴물이 발을 내딛듯 울리는 그 소리에 쭈뼛 소름이 곤두섰다.

뭔가가 이리로 다가오고 있었다. 들어갈 엄두가 나지 않는다. 나는 흠칫 물러나 카마엘 뒤로 숨었다. 본능적인 행동이었다.

나와 달리 카마엘은 미동도 없었다. 그는 허리춤에 손을 가져간 채, 짙게 깔린 어둠을 응시했다. 나와는 달리 아주 차분하게. 그의 냉정함이 두려움을 달래 준다.

울림이 잦아들고, 어둠 속에서 천천히 누군가가 걸어 나왔다. 한결 가벼워졌으나 사람의 걸음이라기엔 다소 무겁고, 기괴한 발소리. 발끝으로부터 서서히 드러난 그 누군가를 보고, 나는 흠칫 몸을 떨었다.

내가 알던 그가 맞는가. 그의 등장은 카마엘의 등장과는 전혀 다른 인상을 심어 주었다. 낯섦이란 단어론 설명할 수 없는, 강렬한 이질감.

부자연스러운 정적이 전신에 밴 냉혹한 눈의 아드라하트. 어둠 밖으로 나왔으되 등 뒤에 펼쳐진 본성의 어둠이 망토처럼 그의 배후에 도사리고 있었다.

그는 나의 아델이 아니었다. 새파란 눈동자가 이상하도록 붉은 기운을 띤 채 나를 응시했다.

"에스델."

무표정한 얼굴에 언뜻 미소 같은 것이 어렸다. 형태는 미소이나, 전혀 즐거움이나 호의를 담지 않은 표정. 기괴함만이 느껴졌다. 상태가 심상치 않다.

"또, 도망가려는 거지?"

스산한 음성이었다. 뭔가에 도취된 것처럼 들리기도 했다. 그가 너무나도 위험해 보여, 난 질겁하며 재빨리 부인했다.

"아니야! 나는 도망 안 가."

도망치려 했다면, 어째서 내가 여기에 있을까. 이미 처소에서 도망갔겠지! 하지만 현재의 아델에겐 그 논리적인 생각이 가능하지 않은 모양이었다. 그의 입꼬리가 비웃듯 가볍게 들렸다.

"그러면 왜 저자는 여기에 있지? 너는 전에도 그와 함께 도망쳤었지. 이번에도 그러려던 것 아닌가?"

"아니—"

"결국, 네가 내게로 온 건 거짓이었던 거야."

훅 내뱉는 숨결에 사나움이 담겼다. 그는 단박에 결론을 내렸다. 사고를 건너뛰다 못해, 이미 답이 정해져 있다는 듯이.

"너는 나에게 기대하게 하고, 그 기대를 짓밟았지. 결국 성녀인 넌 영원히 내 것이 되지 않을 거야."

검을 쥔 그의 손은 붉었다. 아니, 전신이 붉었다. 그의 피가 아니었다. 그가 베어 낸 이들의 피.

이미 저 안에서, 수도 없는 적들을 베어 넘기고 온 그는 이미 전장에 흠씬 젖어 든 것 같았다. 저릿할 만치 벼려진 살기가 느껴졌다.

"내가 아닌 그가 네 옆자리에……."

광기 서린 눈빛은 이제 완연히 붉었다. 그건 질문조차 아니었다. 광인은 말이 통하지 않는다. 나는 암담하게 그 사실을 깨달았다.

카마엘이 조용히 움직였다. 내 앞을 가로막으며 검을 뽑아 들었다. 검 끝을 향한 것은 아니나, 분명한 경계를 담아 날을 세운다.

성검의 서늘한 날이 은빛으로 반짝였다. 이 혼탁한 곳에서 유독 선명하게 느껴지는 빛이었다.

"그렇게는 안 되지."

아델이 무표정하게 읊조렸다. 매끄러운 동작으로 그의 검이 허공에 올랐다. 검 끝이 카마엘을 향해 겨누어졌다.

동시에, 무엇이든 파괴하지 않곤 배기지 못할 강렬한 적의가 그의 전신으로부터 뿜어져 나왔다.

새파란 눈이 담긴 눈매가 웃듯이 부드럽게 휘어졌다. 그 눈은 기이하게도 붉었다. 내부로부터 붉은 눈물로 젖어 드는 듯이.

"물러나 계십시오."

카마엘이 입술을 달싹였다. 그의 음성이 내 귓전을 스치는 동시에, 굉음이 울려 퍼졌다.

카강!

난 화들짝 놀라 뒤로 물러섰다. 아델의 검격은 비정상적으로 빨랐다. 인간의 속도인지 의심 갈 만큼.

그가 손에 든 검 또한, 푸른기 도는 검신이 평범해 보이지 않았다. 검 손잡이부터 끝까지 가득한 강력한 마력. 그걸 휘두르는 힘.

아델을 마주한 이가 평범한 검사였다면, 검째로 두 동강이 났으리라.

그러나 상대는 카마엘이었다. 침착하게 아델의 첫 검격을 받아낸 카마엘은 바로 공세로 전환했다.

캉! 카강! 캉! 치열한 접전이 펼쳐졌다. 쉴 새 없이 검이 맞부딪히며 교차하고, 그 기세에 땅이 패고 바람이 갈렸다.

차마, 끼어들 수 없다. 나는 팔찌를 움켜쥐었다. 손이 상하더라도, 힘껏 빼내려고 했지만 손목에서 고정되어 꼼짝도 하지 않는다. 손을 잘라 내기 전엔, 이 팔찌에서 벗어날 순 없을 것 같다.

나는 이를 악물고 그들의 싸움을 지켜보았다. 살의로 충만한 아델은 흉포하고 거칠었으나, 그를 맞상대하는 카마엘은 차갑고 날카로웠다.

저주가 아델의 마력을 증폭하고 있었다. 검을 내지르는 한 번 한 번이 무시무시한 힘을 담고 있으나, 그리 효과적이진 못했다.

카마엘이 너무도 냉정하게, 위축되거나 휩쓸리지 않고 최소한의 움직임으로 그의 공격을 비껴내며 반격을 가한 탓이다.

성국의 제일의 검. 성기사 카마엘은 단 한 번도 누군가에게 패배해 본 적이 없었다. 가슴이 조여들어 나는 가쁘게 호흡을 내쉬었다.

카마엘의 검이, 아델의 몸을 스쳐 조금씩 상처를 낼 때마다 심장이 터지는 것 같았다.

아델은 점차 새로운 피로 젖어갔다. 다른 누군가의 피가 아닌 그의 피로.

활성화된 저주가 상처를 빠르게 아물게 하고 있었지만, 성검으로 낸 상처는 그리 잘 아물지 않는다. 아델의 움직임이 차츰 둔해져 갔다.

나는 빨려들듯이 그들의 움직임에 집중했다. 방심이 틈을 만든다지만 카마엘은 다 잡은 사냥감을 앞에 뒀다고 마음을 놓는 성격이 아니다.

그는 만전을 기하여 조금씩 아델을 패배로 몰아넣었다. 마침내 아델의 손아귀에서 벗어난 검이 바닥을 굴렀다.

캉, 크그그그.

"카마엘!"

무척 그들의 움직임에 집중하고 있었던 난 놓치지 않고 벼락같이 외쳤다. 헐떡이는 숨이 공기 중에서 흩어졌다.

아델의 목을 향해 날아들던 카마엘의 검이 우뚝 멎었다. 난 연달아 빠르게 토해냈다.

"약속을, 떠올려 줘."

나와의 약속을, 그는 결코 잊지 않았으리라.

'정말로 만약에, 아델을 죽여야 하는 상황이 온다면 딱 한 번만. 그를 살려 보내 줘. 어떤 일이 있더라도.'

아델과 이별한 열여섯 살의 어느 날, 나는 카마엘에게 말했다. 나는 그때 그 약속을 해야 할 것 같단 강렬한 예감에 사로잡혔었다. 그 예감이 나를 움직였다. 그 약속이 이 순간을 위한 것임을 난 불현듯 깨달았다.

카마엘은 정지한 채 말했다.

"그가 성녀님께 위협을 가한 이상, 협정은 깨졌습니다. 그는 이제 적일 뿐입니다."

흐트러진 호흡이 섞인 그 음성은 조금, 지친 듯이 들렸다.

"카마엘, 그러지 마."

내 눈앞에서, 아델이 죽는 걸 볼 순 없다. 나는 천천히 그들 쪽으로 다가섰다. 아델은 이미 만신창이가 되어 서 있었다.

그 시선이 느리게 내 쪽으로 옮겨졌다. 이미 날 담고 있지 않은 눈이었다. 이지가 남아 있지 않은, 공허한 살의로 번뜩이는 눈.

비수처럼 심장을 파고드는, 날카로운 아픔을 느꼈다. 내가 여기로 온 게 잘못이었던 걸까.

아니, 그 이전에 널 붙잡고 진작 저주를 풀려고 해 봤어야 했나? 날이 밝으면 너는 제정신으로 돌아올 수 있을까.

"그는 녹록한 자가 아닙니다. 살려두면, 성녀님을 또다시 노릴 텐데 제가 그때에도 막을 수 있을 거라고 장담할 수 없습니다."

지금도 나를 보고 있는 저 시선. 사악하고 혼탁한 기운으로 가득한 모습.

아델은 나를 애정으로 바라봤었다. 비틀린 태도와 말투에 감춰져 잘 드러나진 않았지만, 난 그걸 알 수 있었다. 그러나 그 마음이 저기 어디에 있지?

하지만 의심할 길 없는 것은, 저주가 아니었더라면 아델이 내게 위협을 가하지 않았을 거란 거다.

"아델은 어쩔 수 없이, 저주에 지배당하는 것뿐이야. 그는 무고해."

상황은 최악의 형태로 전개되었다. 하지만 위험을 감수해야만 했다.

"나는 저주를 풀고, 아델을 원래대로 돌려놓을 거야."

아델이 통제되지 않는 괴물로 변모한 거라면, 나는 그를 다시 인간으로 바꿔 놓을 거다.

그러기 위해선 카마엘의 도움이 필요했다. 아델을 제압하고 그를 데려가야 했다. 성국에선 방법을 찾을 수 있을 거다. 아델은 지독한 광증에 시달리는 병자였고, 그를 사로잡은 저주는 아주 독하고 깊은 병이었다.

나는 여전히 검을 거두지 않고 있는 카마엘을 향해 호소했다.

"카마엘, 제발 나를 도와줘."

카마엘은 예전부터 아델을 크나큰 위협이라고 여겼다. 내가 칼리스로 가는 것도 바라지 않았다. 아마, 이것을 좋은 기회라고 여길지도 모르지.

"제게 사정하실 필요 없습니다. 저는 항상 당신의 뜻에 따릅니다."

그러나 카마엘은 검을 내렸다. 단정하게 느껴질 만치 망설임이나 감정이 배제된 동작.

그는 늘 나의 뜻을 위해서 움직였다. 그가 보기엔 그릇된 길일지라도. 그의 정의에 따르는 것이 나를 괴롭게 만드는 길이라는 걸 알기에.

나는 그에게 수도 없이 미안하고 고마웠다. 그 감정이 이토록 강렬했던 순간은 이제껏 없었을 만큼.

카마엘이 내게로 시선을 돌렸다.

"날이 밝으면, 그때—"

말을 내뱉는 순간, 퍽! 둔탁한 소음이 대기를 울렸다. 거대한 뭔가가 그를 후려친 양 카마엘은 맥없이 나가떨어졌다. 땅이 지진이라도 난 듯 울렸다.

단 한 번이었다. 아델이 단 한 번도 카마엘에게 적중시키지 못했던 공격을 성공한 것이다. 그건 내가 초래한 틈.

전신의 피가 일시에 **빠져**나가는 듯했다. 아델이 미끄러지는 듯이 카마엘을 향해 움직였다. 그새 회복했는지 너덜너덜한 옷 아래로 아물어 가는 붉은 선이 보인다.

그에 반해 카마엘의 육신은 남다른 회복력을 가지고 있지 못했다. 입가에 피를 흘리며 용케 놓치지 않고 검을 들어 올리던 손이 걷어차였다.

콰직! 으스러지는 듯한 소리를 내며 검이 튕겨져 나갔다. 나는 소스라치게 놀라 그들에게로 달려갔다. 괴력을 품은 손이 카마엘을 내려치기 직전이었다.

"아델!"

목구멍이 찢어질 만치 세차게 내지르자, 아델이 내게로 주의를 돌렸다. 입안에서 쇠냄새가 났다.

애초에 그가 노리던 건 나였다. 온몸이 떨렸다. 긴장과 두려움으로 뛰는 심장이 가슴을 헤집고 튀어나올 것 같았다. 날 쳐다보자마자 아델은 카마엘의 존재를 잊은 듯했다.

그가 천천히 내게로 발을 내디뎠다. 그 느릿한 동작에 온몸이 얼어붙는 듯했다. 새파란 붉은 눈이 어느덧 눈앞까지 다가왔다.

"에스델."

가르릉거리는 듯이, 혹은 뱀이 쉭쉭 대는 듯이 스산하게 들리는 음성. 이게, 어떻게 아델이지? 낯설고, 그 때문에 더욱 두려웠다.

사실 이거, 아델이 아닌 거 아닌가. 어떤 괴물이 아델의 탈을 쓰고 내 앞에 나타난 것 아닐까. 공포와 함께 의심이 들어찼다.

무표정한 얼굴에 희미한 미소가 맺혔다.

"내가…… 두려운가."

그의 눈동자에 비친 난 새하얗게 질린 채 눈물을 머금고 있었다. 투명한 금빛 눈동자가 부서질 듯이 촉촉하게 젖어 있었다.

아델의 등 뒤로 카마엘이 몸을 일으키려는 것을 보았다. 하지만 이미 충격을 입은 몸이 말을 듣지 않는 듯했다.

목전까지 죽음이 다가와 있었다. 이번에야말로, 누구도 나를 구할 수 없을 것 같은 죽음이. 그의 손이 내 뺨에 와 닿았다.

"자꾸 도망치려는 널 어떻게 하면, 영원히 가질 수 있을까 생각해 봤는데."

그 손이 느릿하게 내려와 목을 움켜쥐었다. 아델의 입가에서 미소가 진해졌다. 일그러지는 얼굴이 잔혹함을 내보였다.

"네 피를 마시고 네 심장을 파먹을 거야. 그러면 넌 영원히 내 것이 될 테지. 얼마나 달콤할까."

정제된 형태로 드러나는 광기. 나는 애써 웃었다.

나 호러 영화 여주인공인 거야? 너무도 무서운데, 너무 무서워서 도리어 생존 본능이 머리를 팽팽 굴러가게 만드는 느낌이었다.

"다른 방식은 안 될까?"

"어떤 거……?"

말이 통하긴 하나. 아델의 시선이 내 사소한 입술의 움직임에 조차도 주목하고 있었다. 허튼수작을 부렸다간 이 목을 틀어쥔 손이, 내 몸과 머리를 분리시켜 버릴 거다.

난 빠르게 조잘거렸다.

"보통 남자가 여자를 자기 걸로 만든다고 하는 방식?"

위기의 순간에도 낯이 뜨거워진다. 무슨 소릴 지껄인 건지 나도 모르겠다. 아무리 결혼할 사이라도 시답지 않은 소릴 하필 이런 쪽으로 하다니!

"아아, 그거."

아델이 피식 웃었다.

"별로 안 끌리네."

목을 죄는 손에 힘이 들어갔다. 숨이 막혔다. 아아, 안 통하나. 그럭저럭 고비를 넘겨 왔다 싶었는데, 결국 이렇게…….

여전히 하늘은 붉었고 만월의 빛은 지독히도 강렬했다. 붉게 물든 달빛이 그를 지배하는 양 아델의 눈은 광기에 젖어 있었다. 목을 졸라 죽이는 게 온건하다고 여겨질 만치.

험하게 살해당하지 않아서 다행일까. 정신을 차리면, 아델은 분명히 후회할 텐데.

나는 내가 죽고 난 후의 아델에 대해서 생각했다. 아무것도 남지 않은 폐허에 홀로 남은 그에 대해서.

이번 생에서 나는 제법 행복하게 살았다. 그래서 또다시 겪을 죽음이 그토록 비극적이라 느껴지지 않았다. 하지만 홀로 남을 그가 너무도 가여워서, 분명히 외롭고 고통스러울 것이기에,

눈물이 났다. 툭 떨어진 눈물이 그의 손등을 두드렸다. 아델이 흠칫 몸을 떨었다. 손에서 힘이 빠졌다.

숨통이 트인 난 단숨에 공기를 빨아들였다. 찬물을 끼얹듯 정신이 또렷해진다. 난 손을 뻗어 그의 뺨을 붙들었다.

"아델."

나는 그를 향해 속삭였다.

"나를 죽이는 게, 정말 네가 바라는 거야?"

저주에 사로잡힌 영혼에게 말을 전하는 방법 따윈 모른다. 하지만 아델은 흔들렸고, 틈을 보였다. 이것이 내게 허용된 공격의 기회. 나는 그를 향해 쉼 없이 떠들었다.

"그게 네가 바라는 거냐고. 너는, 나와 함께 하길 원했잖아. 그래서 내가 여기 이 칼리스에 있는 거잖아. 나를 봐. 나는, 네 왕비야."

아델의 미간이 구겨졌다. 균열이 일며 그의 낯빛이 흔들렸다. 눈빛이 흔들렸다. 그의 몸을 감싼 이질적인 기운이 연기처럼 흩어졌다.

나는 좀 더 푸르러진 그의 눈동자와 시선을 마주할 수 있었다.

"너는 나를 해치지 않을 거야. 나를 좋아한다고 했잖아."

나는 계속, 속삭였다.

"네가, 이 자리에 내가 있게끔 몇 번이고 나를 지켜 주었지."

선왕에게서, 그리고 나를 향해 오는 위협에서.

너는 차라리 나를 포기하거나, 나를 이 세상에서 없애서 네 마음을 편안케 할 수 있었다. 제 한 목숨 보전하는 것조차도 힘든 험난한 삶에, 위험을 보탤 게 아니라.

아델이 나를 향해 품은 감정은 죽여서 완전히 가지고 싶은, 그런 어둡고 흉악한 마음이 아니었을 테다. 저주가 그를 그렇게 이끈다고 할지라도.

"그러니까 제발 정신 차려. 그깟 저주가 널 조종하게 내버려 두지 마."

그의 몸에 내린 저주가 얼마나 강력한 것인지 알 듯하다. 사나운 파도처럼 치밀어올라 이성을 부수고 지금도 저항하는 그를 지배하려고 날뛰고 있다.

거대하고 사악한 힘. 어째서 그런 것이, 월신의 성력으로부터 비롯했는지 알 수 없지만.

"아델."

이름을 부르는 행위는, 영혼을 일깨운다. 달빛이 짙어지는 듯했다. 그의 몸이 떨렸다. 두 개의 지각이 엇갈려 발생하는 지진처럼. 충돌이 일어나는 것 같았다.

그가 손을 뻗었다.

퍽. 난 순식간에 밀쳐져서 바닥으로 나동그라졌다. 찧은 머리며 등이며 엉덩이가 온통 욱신거린다.

난 신음을 내며 몸을 일으키려고 했다. 그러나 내 앞으로 뻗어진 손바닥이, 나를 가로막았다. 닿지 않았음에도 짓누르는 듯하다.

그림자를 드리우며 그가 나를 내려다보고 서 있었다. 그의 눈동자에 다시 붉은 빛이 차올랐다. 등불이 꺼졌다 켜지다가 하듯, 진해졌다가 옅어졌다가를 반복한다.

어느 순간, 흘러든 구름이 달빛을 가렸을 때 아델이 급히 숨을 들이마셨다. 손으로 얼굴을 감싸 쥔 그가 고통스러운 듯이 말했다.

"나는 이걸 통제할 수가, 없어."

뚝뚝 끊기는 음성에선, 저항감이 묻어났다. 까맣게 먹히는 의식에서 간신히 피어오른 한 가닥의 빛처럼. 그토록 희미한 목소리로 아델이 말했다.

"의식을…… 유지할 수가 없어. 아마도, 이제 곧 난 사라질 거야."

나는 그가 말한 곳이 언젠지 알아차렸다. 느리게 흘러가는 저 구름이 사라져 다시금 저 붉은 달빛이 내리쬘 때.

"지금 널 지킬 수 있는 건 아무것도 없어. 살고 싶다면, 나를 죽여……."

그의 손끝이 내 허리춤을 가리켰다. 나는 무심결에 안쪽 주머니를 더듬었다. 단단한 물체가 손에 잡혔다.

난 홀린 듯이 그것을 끄집어내어 검집을 뺐다. 그리고 흠칫 놀랐다.

하얀 날을 가진, 가볍고 자그마한 단검이었다. 그럼에도 벼려진 날 끝은 충분히 누군가를 해칠 수 있을 만큼 날카로웠다.

정말 만약의 만약을 위해서, 호신용으로 넣어 둔 것일 테다. 가슴이 섬뜩하다.

아델이 반쯤 몸을 일으킨 나를 향해 상체를 기울였다. 허덕이는 숨결이 내게로 와 닿았다.

독연을 머금은 듯 매캐한 숨. 저주에 잠식당한 그의 전신에선 시체의 것과 같은 한기가 느껴졌다. 그것은 죽음을 연상케 했다.

"어서."

아델이 내 손을 펴고 억지로 단검을 쥐어 주었다. 하얀 날이 그를 향해 겨누어졌다.

"무슨 짓을…… 하려는 거야. 아델, 그만둬!"

"날 죽이지 않으면 네가 죽어."

냉정한 어조로 떨어진 그 말은 절대적인 진실이었다. 하나의 생명이 된 저주가 노리는 건 나였다. 그것은 아델의 몸에 깃든 후로 더욱 명확해졌다.

의식이 흔들리고 있음에도 아델의 손은 흔들리지 않았다. 강압적일 만치 세게 내 손을 쥐고, 단검의 끝을 자신에게로 향하게 한다.

"어서."

난 부들부들 떨 만치, 힘을 잔뜩 주고 버티고 있었다. 아델이 하려는 것에 저항하고 있었다. 난 고개를 저었다.

"내가 너를 해칠 수 있을 리 없잖아."

눈가에 맺힌 눈물이 투둑 흘러내려 뺨에 물길을 이루었다.

절망적이고 참담하고 무력한 상황이 나를 짓눌러 하나의 길로 몰아넣을지라도. 내겐 해서는 안 되는, 할 수 없는 일이 있었다.

"나는 절대, 그렇게 못해. 내가 죽더라도."

내가 죽고, 네가 홀로 남겨지는 것이 걱정되는 마음은 진심.

하지만 내가 살기 위해 너를 해치는 건 내겐 아예 용납할 수 없는 일이었다. 그 용납할 수 없는 마음보다 강한 건 없었다. 처음 너를 구하기로 결정했을 때처럼.

차라리……. 나는 한결 가벼워진 눈으로 아델을 마주 보았다.

내가 월신의 성녀이기에, 월신께서 내리신 저주를 이런 식으로 돌려받는 것일지도 모른다. 그것도 내가 감당해야 할 하나의 인과겠지.

"에스델, 제발."

내 입에서 토해졌던 그 말이 그의 입에서 흘러나온 순간, 아델의 낯빛에 절망이 번졌다.

구름의 굴곡 사이로 언뜻 붉은 달빛이 드러났다. 석양이 내리듯, 아델의 눈빛이 새빨갛게 붉어졌다. 그가 바로 날 내동댕이쳤다.

"악!"

손목이 꺾여 단검을 놓친 난 바닥에 몸을 찧었다. 머릿속이 하얗게 비어 버리는 통증에 잠시 정신을 차리지 못했다.

눈을 들었을 때, 나는 코앞까지 뻗어 온 붉은 손을 보았다. 이번에야말로 죽는구나. 심장이 싸늘하게 얼었다.

그러나 그 손이 코앞까지 이르른 순간, 기적처럼 다시 어두워진 하늘.

바닥에 쓰러져 떨고 있는 나와, 나를 죽이려 했던 자신을 보고 아델이 할 수 있는 선택은 단 한 가지뿐이었으리라.

그는 내 옆에 떨어진 단검을 주워들어, 단숨에 제 심장을 찔렀다.

콰득!

소름 돋는 소리가 귓가를 스쳤다. 그 움직임이, 너무도 빨라 나는 잠시 상황을 인지하지 못했다.

벼락이 내려치듯 정신이 들었다. 충격이 전신을 일깨워 육신의 통증을 잊게 했다.

나는 뒤늦게 그를 향해 손을 뻗었다. 바르르 떠는 손이 아델의 어깨에 닿았다.

내 쪽으로 반쯤 기울어진 채, 무릎을 꿇은 그의 입에선 피가 줄줄 흘러나왔다. 초점 없는 두 눈이, 내게로 고정되어 있었다. 새파랗도록 맑은, 보석같이 선명한 눈동자였다.

눈앞에서 일어난 일이 무엇인지, 이해가 되지 않아 나는 눈을 깜빡였다.

왜 아델이 숨을 쉬지 않는지, 왜 그의 가슴에 단검이 꽂혀 있는지……. 뱃속에서, 가슴 속에서 뭔가가 터져 나오는 것 같았다. 뜨겁고 뜨거운 물살이.

나는 곧 내 입에서 토해지는 소리를 들었다. 흐느낌보단 비명처럼 들리는 소리가 고막을 때렸다.

목구멍이 타는 듯이 아팠다. 그런데 그 아픔으로도 부족한 뭔가가 있었다. 누군가가 나를 칼로 난도질하고 있더라도, 이보다 고통스럽진 않으리라. 살아 있는 채로 갈가리 찢기는 듯한 이것은.

"내가, 죽는 게……."

차라리 그게 나았을 텐데. 쏟아지는 눈물로 눈앞이 흐렸다.

나는 아델을 조심스레 부둥켜안았다. 그의 몸은 아직 뜨거웠지만, 서서히 식어 가고 있었다. 나는 그를 안은 채로 생각하고 또 생각했다.

슬픔에 빠져드는 것이 아니라 어떻게 하면 이것을 돌이킬 수 있을지. 현실을 부인하면서.

나는 아델의 죽음을 용납할 수 없었다. 그걸 돌이키기 위해선 무엇이라도 할 수 있었다. 그래, 무엇이라도.

"저주가 풀렸군요."

어느덧 다가온 발소리가 내 앞에서 멎었다. 난 눈을 깜빡여 남은 눈물을 쏟아 냈다. 맑아진 시선을 들었다.

아지스였다. 이 소란통에 혼자 몸을 피해 있었는지 멀쩡한 모습이었다. 그가 침착한 눈동자로 아델을 관찰하듯 훑었다.

"월신의 저주가 풀렸습니다. 저주를 푸는 조건을 충족시켰기 때문이겠지요."

"조건이라고?"

"이제껏 어떤 칼리스의 왕족도 충족시키지 못했던…… 누군가를 위해, 자신을 희생하는 마음입니다. 자기희생은 가장 강한 힘을 발휘합니다만, 결국 이렇게까지 되어서야 풀렸군요."

얼굴이 확 일그러졌다. 모든 게 끝난 뒤 나타나 담담하게 말하는 그가 지독히도 거슬렸다. 절박한 마음이 순식간에 분노로 변주되었다.

"그게 무슨 소용이야! 아델은 이미 죽었는데! 당신은 대체 뭘

한 거지?"

그는 내 팔찌를 풀어 주거나, 아델을 막아서거나 저주를 풀거나 어쩌면 뭐든 할 수 있는 힘을 가졌다. 그럼에도 그의 역할을 그저 지켜보는 것으로 제한했다.

힘과 선택지를 가진 방관은 냉혹하기까지 했다. 그런 주제에 여기에 나타났단 게, 참을 수 없이 화가 났다.

"자 봐, 이게 당신이 바라던 모습이야?"

"저로서도 비극을 선호하진 않습니다. 이는 제가 초래한 결말이 아닙니다."

"관조니 자유의지니, 그딴 소리 하지 마! 히스칼은 자길 내버려 뒀다고 태양신을 원망했지만, 내가 보기에 가장 끔찍한 건 당신이야! 힘만을 던져 주고 그저 지켜봤을 뿐인, 당신이. 아델을 봐. 그를 선택하여 저 자리에 올려 세워 놓고, 바로 곁에서 당신은 아델이 저주에 휘말려 죽도록 방치했어! 당신은 그걸 막을 수 있었는데도!"

"에스델 세라피아."

그의 눈빛이 미세하게 변했다. 나는 개의치 않고 마음에 담은 말을 모조리 쏟아 냈다.

"직접 인간의 몸을 입고 이 땅에 내렸으면서 당신이 한 게 뭐가 있지? 권속조차 돌보지 않으면서 당신이 그러고도 신인가?"

나는 마법의 시초이자 신의 화신인 남자를 분노를 담아 노려보았다.

그는 인간에게 불을 가져다준 프로메테우스였다. 나는 성녀로서 신과 숱하게 대면해 왔고, 그렇기에 그가 누구인지 어렴풋이 깨닫고 있었던 것이다.

그가 인간이 아니란 걸 알아서, 결코 인간의 관점에서 움직이지 않는다는 걸 알면서도 나는 화가 났다. 도저히 그를 증오하지 않고는 참을 수 없을 만치.

잠시 침묵하던 아지스가 입을 열었다.

"저를 비난하는 것도 이해합니다. 하지만 분명한 건, 제가 이 상황이 돌이킬 수 없는 상황은 아니라는 걸 알고 있단 겁니다. 한 가지 방법이 있으니까요."

"방법……이라고?"

아델이 죽었는데, 그 무언들 의미가 있느냐고 난 되물으려고 했다. 그러나 내 안에서 실자락 같은 것이 작게 움틀거렸다. 나는 그것의 이름이 뭔지 알았다.

희망.

아지스가 나를 보며 희미하게 웃었다.

"제게 그를 살릴 방법이 있다고 하면, 화를 푸실 겁니까."

"뭐?"

"대가를 치러야 할 겁니다. 결코 작지 않은 대가겠지요. 감당할 용의가 있으십니까?"

쏟아지듯 뒤이은 말에 난 눈을 깜빡였다. 벅차도록 치솟아 심장을 울리는 전율에 휘둘리지 않으려고 노력하면서, 애써 입을 열었다.

"그걸 말이라고 해? 당연하잖아. 어떤 대가를 치르더라도 상

관없어. 아델을 돌려줘, 아델이 그랬듯, 내 목숨을 건다고 해도
—"

"당신의 목숨을 걸 필요까진 없습니다."

"그러면?"

비척거리며 몸을 일으켜, 내게로 다가서는 이가 있었다. 한쪽
팔을 움켜쥔 채로 걸음을 옮겨 내 곁으로 왔다. 카마엘.

나는 부러 그에게 시선을 주지 않고, 아지스를 똑바로 쳐다보
았다. 아지스의 입술이 움직여 나직하게 대답을 꺼내놓았다.

"당신이 버려야 하는 것은, 당신의 삶입니다."

"내 삶이란 건."

"성녀로서의 삶. 모든 힘을 잃고, 당신이 날 때부터 가졌던 모
든 특권을 내려놓고, 단지 평범한 인간이 되어—"

아지스가 묵직한 무게를 담아 물었다. 그의 눈빛은 헤아릴 수
없이 깊었다.

"살아가실 수 있겠습니까?"

"뭐야, 그건."

나는 웃었다.

"당연하잖아."

사실 슬쩍 눈치를 봤다. 카마엘이 옆에 서 있었거든. 하지만
그는 아델의 모습을 보고 달싹이던 입술을 꾹 다물었다. 그리고
아무 말도 하지 않았다. 그것이 내 선택을 존중해 주겠단 듯이
보여, 가슴이 찡했다.

카마엘은 항상 내 편일 거다. 내가 성녀가 아니게 되더라도,

258

그 하나만은 변치 않을 테지.

"손을 주십시오."

아지스에게 난 순순히 손을 건넸다. 여전히 아델을 끌어안은 채로.

사실 아델은 그의 권속인데 희생은 내가 치르는 게 좀 불공평하긴 하지만, 어떤가.

아델을 살릴 수만 있다면. 그게 내 일방적인 희생으로 이루어진다고 해도. 상관없다. 진심으로.

숨 쉬지 않는 아델 같은 건 끔찍하니까.

아지스는 뜸을 들였다. 그리고 나를 흔들기 위한 말들을 폭포처럼 쏟아부었다.

"마지막으로 묻겠습니다. 후회하지 않겠습니까? 당신이 믿는 것이 그의 애정이라면, 그것이 얼마나 허물어지기 쉬운 것인지 말씀드려야겠군요. 인간의 감정은 변하고, 당신이 가진 것이 오로지 그것뿐일 때 더 변하기 쉽습니다. 그를 살리는 게, 그만한 가치가 있는 일입니까."

나는 일순 월신님을 생각했다. 그리고 성국에 있는 대사제들의 얼굴도. 내가 성녀이기에 함께였고 가족이었던 이들.

에이레네, 이카루스, 아리안느. 지브리안, 아스타, 아레스 …….

비록 칼리스로 오게 되었지만, 나는 여전히 성녀였다. 성녀가 아닌 나는, 영영 그들에게서 멀어지게 되는 걸까. 그 한결같은 애정들, 더 이상 바랄 수 없을지도 모르지.

그러나 무르고 싶은 마음은 들지 않았다. 과분하도록 많이 받아 온 삶이었다. 평범해지는 것도 나쁘지 않을 터.

"나는 미래에 대해선 몰라. 하지만 지금 이 순간 뿌리칠 수 없는 현재가 있단 걸 알고 있어. 후회해도 내가 해. 당신이 할 일은, 그를 살리는 거야."

게다가 내가 가진 게 아델의 애정뿐이라니? 내가 성녀라는 것밖에 내세울 게 없는 사람이란 소리야?

내가 눈을 치뜨며 노려보자 아지스가 짧게 소리 내어 웃었다. 그의 손에서 내 팔목에 걸린 팔찌가 바스러졌다.

그토록 견고하게 나를 얽매던 족쇄가, 이렇게나 쉽게. 전신에 잊어 왔던 성력이 들어찼다. 마지막이라 유독 환하고 황홀할 만치 눈부시게 느껴지는 힘이었다.

아지스가 아델의 심장에 박힌 단검을 뽑아냈다. 난 눈살을 찌푸렸다. 멎었던 눈물이 조금 흘렀다.

죽은 피가 흘러내리는 그곳에, 그가 내 손을 가져다 대었다.

"따라 하십시오."

잘라 말한 그가, 정신을 집중했다. 기묘한 울림을 담은 음성이 울려 퍼지기 시작했다.

[지금 여기, 생명이 가신 육신에 다시금 삶을 허락하고자 하노니 그 대가를 바치리다. 내가 바칠 것은 달빛의 축복을 받은 에스델 세라피아, 성스러운 이름.]

"지금 여기, 생명이 가신 육신에 다시금 삶을 허락하고자 하노니 그 대가를 바치리다. 내가 바칠 것은 달빛의 축복을 받은 에스델 세라피아, 성스러운 이름."

나는 천천히 그의 말을 따라 읊조렸다. 그것은 흡사 내 안 저 깊숙한 곳, 영혼으로부터 내는 목소리 같았다.

뿌리째 뽑아내듯이, 내 근원으로부터 성력이 끌려 나오고 있었다. 그리고 그것을 이끄는 것은 아지스.

다른 사람이라도 된 듯한 눈빛. 파랗고 붉고 무지개색의 어지럽고도 신비로운 빛이 그를 후광처럼 휩싸고 있었다.

아지스가 엄중히 선언했다.

[월신의 적녀로서 하사받은 힘을 대가로, 그에게 새로운 생명을 부여하리라.]

"월신의 적녀로서 하사받은 힘을 대가로, 그에게 새로운 생명을 부여하리라."

그 말을 끝까지 읊조린 순간, 몸에서 힘이 빠졌다. 나는 헉, 소리를 내며 허리를 굽혔다. 물살처럼 빨려 나가는 성력 때문에 몸을 가눌 수 없었다.

어깨를 붙잡아 부축해 주는 손길을 느끼고 시선을 들었다. 카마엘.

그가 놀란 듯 눈썹을 치켜들었다. 드문 감정 표현이었다.

나는 그의 눈 속에서 내 모습을 발견했다. 은은하게 빛나던 내 눈동자에서 금빛이 가시고, 순식간에 새까만 어둠이 들어찼다.

나는 검은 눈의 소녀가 되어 있었다. 내 눈동자가 금빛이었던 건, 성력의 영향이었던 걸까. 그렇다면 이제······.

나는 반쯤 두려움에 사로잡힌 채로, 고개를 움직였다. 확인해야만 했다.

아델은 아지스의 무릎 위에 머리를 기댄 채 누워 있었다. 어느덧 고이 감긴 눈은 평온했다. 흡사 영면에 든 사람처럼.

그러나 내게서 빠져나간 그 어마어마한 성력이 아지스의 인도대로 그에게 빨려들고 있었다.

마력은 성력을 거부한다. 하여, 칼리스인에게 성력을 사용하는 건 상대를 해치는 일이다.

그러나 죽음을 맞이해 모든 기운이 소진된 몸이라면. 그리고 아지스라면 내가 태양신의 신성이 깃든 다리를 고쳤듯이, 내 성력으로 아델에게 생명을 줄 수 있으리라.

아델의 몸은 순순히 성력을 받아들였다. 내 안에서 뿌리째 뽑아낸 성력은, 사람 하나를 살릴 수 있을 만큼 강력했다.

전신의 자잘한 생채기로부터 깊게 팬 상처며 심지어 심장을 꿰뚫은 상처까지도 모조리 하얗게 아물며 나아갔다.

그의 육신이 회복을 마쳤을 때, 남은 성력을 모두 그 안에 밀어 넣은 아지스가 마치 노크하듯 아델의 미간을 살짝 두드렸다. 그건 아마도, 잠든 영혼을 일깨우는 것.

나는 숨을 죽이며 기다렸다. 그리고 마침내—

"음."

짧은 신음과 함께, 그가 눈을 떴다. 눈이 부신지 눈살을 찌푸리면서. 심장이 쿵쿵 뛰었다. 내 안 깊숙한 곳에서 파드득 피어오른 환희가 나를 가득 채웠다.

흐린 눈빛으로 사방을 훑던 그의 시선이 내게로 꽂혔다. 그와 나는 잠시, 말없이 서로를 마주 보았다.

살아 움직이는 그를 보는 것에 이토록 안심하게 될 줄은 몰랐다.

아델은 어디까지 기억하고 있을까. 설마, 기억상실증에 걸린 건 아니겠지? 내 검은 눈을 보고, 어떻게 생각할까. 낯선 사람인 줄 아는 거 아닌가.

괜한 걱정에 잠기던 참이었다. 그가 급작스레 몸을 일으켰다.

그 바람에 아델의 머리에 턱을 찧은 아지스가 나동그라져 신음을 냈다.

왠지 통쾌한걸? 그가 한숨을 내쉬며 턱을 쓱쓱 문질렀다.

"성질도 급하시지."

"에스델."

너무도 멀쩡하게 일어난 그를 보니, 좀 낯설었다. 방금 죽어 있던 사람 같지가 않잖아.

하지만 태연스레 생각하면서도 심장은 따로 놀아서 알아서 감격하고 있었다.

나는 아델이 손을 뻗어, 내 눈가를 어루만지기 전까지 내가 울고 있었단 걸 깨닫지 못했다.

하도 울어서 퉁퉁 붓고 눈시울이 달아오른 얼굴을 아델이 곤혹스러운 듯이 쳐다보았다.

"이게 어떻게 된 거지? 넌 왜 그렇게 울고 있는 거야?"

인지가 둔해져 있던 탓에, 뒤늦게야 깨달은 그가 내 어깨를 콱 붙잡았다.

"눈 색은 왜 그래."

아무것도 기억 못 하나? 속 편하기도 하지. 삶의 모든 고통과 시련을 단 하룻밤 동안 겪어 낸 듯한 나는 머리가 하얗게 새지 않은 게 용하게 느껴질 지경이었건만.

정작 당사자는 아예 백지인 듯하여 마냥 기쁨으로 차올랐던 마음이 누그러지며 얄미운 기분이 들었다.

너 때문에, 난 이렇게나 마음고생을 했는데. 몸 고생도 했지. 성력도 잃었고! 이제 성녀도 뭣도 아닌걸.

"팔찌는 어디로 갔지?"

아델이 눈살을 찌푸린 채 깨끗해진 내 손목을 더듬었다.

좀 더 시야가 넓어진 건 좋은데, 그다음으로 신경 쓰이는 게 팔찌야?

나는 이제 다 나았을 그를 한 대 정도는 때려 줘도 괜찮지 않을까 진지하게 고민했다. 이대론 몹시 억울한 기분이 드는데.

"약혼녀분이 눈에 가장 먼저 들어오는 그 심정은 이해하지만, 주변을 좀 둘러보시지요."

나가떨어진 아지스가 몸을 일으켜 세우며 불만스럽게 말했다.

그제야 아델의 시선이 사방을 훑었다. 아델의 낯이 딱딱하게 굳어 들었다. 그도 그럴 것이, 주변이 거의 초토화 되어 있었거든.

불타고 무너진 건물들. 온통 피투성이에 폐허가 되어 버린 장소.

아델이 시선을 내렸다. 그의 옷은 너덜너덜했다. 내 옷차림도, 그보단 나을 뿐 이리저리 찢기고 흐트러져 있었다.

심지어 옆쪽엔 팔이 부러진 카마엘이 서 있다. 카마엘을 발견한 아델의 눈빛이 사나워졌다.

죽었다 살아나면 좀 만사에 초연해지는 건 아닌가. 성질머리는 그대로다.

난 아델의 옆구리를 부러 세게 찌른 뒤 카마엘을 쳐다보며 미안한 표정으로 물었다.

"카마엘은 괜찮아?"

팔이 부러졌잖아. 게다가 던져져서 바닥에 내리꽂혔으니 전신에 타박상을 입었을 것이다. 그를 먼저 치료하고, 아델을 살렸어도 괜찮았을 텐데. 그럴 겨를이 없었다.

몹시도 미안해지는 기분에 난 눈을 깜빡거렸다. 카마엘이 제 팔을 내려다보며 차분하게 말했다.

"제 걱정은 마십시오. 뼈를 맞춰 놓았습니다. 만월의 영향으로 회복이 빠릅니다. 팔도 곧 나을 테지요."

만월의 밤은 저주뿐만 아니라 월신의 권속들에게도 영향을 미친다. 카마엘에게도 예외는 아니었다.

그제야 아델은, 자그마치 성국 제일의 성기사의 팔이 부러질 만한 모종의 사건이 여기서 있었고, 그게 자신과 관계가 있다는 데 가닥이 닿은 듯했다.

"무슨 일이 있었던 거지?"

그 질문에, 아무도 답하지 않았다. 나는 어떻게 답해야 할지 몰랐기 때문이고, 카마엘은 애초에 답할 생각이 없는 듯했다. 아지스는 어깨를 으쓱했을 뿐이었다.

불길은 잦아들었고, 어느덧 사방은 연한 푸른빛으로 물들어 있었다. 길고 혹독했던 밤이 가시고, 새벽이 찾아드는 것이다. 곧 해가 밝겠지.

아델이 중얼거렸다.

"악몽을 꾼 듯한 기분이야."

이마를 짚는 게, 아직 머릿속이 혼란한 듯하다. 하긴 그는 죽기 전까지 미쳐있었으니까.

"당분간은 기억이 희미할 겁니다. 안정을 위해서, 서서히 기억나도록 해 놨으니까요."

아지스가 태평하게 말했다. 그는 왠지 모르게 들뜬 투로 덧붙였다.

"깨어나셨으니 날이 밝으면 모쪼록 이 사태를 어떻게 할지 명해 주시길 바랍니다."

이 골치 아픈 상황을 수습할 책임자가 다시 돌아와, 기쁘단 듯한 기색이었다. 정체가 밝혀졌는데 여전히 왕속 특무단원으로 살 참인가.

아델은 미간을 찌푸렸고, 나는 웃었다. 화마는 지나갔으니, 이제 잿더미를 치워 낼 차례였다.

*

　그 붉었던 밤이 지난 이후, 사태의 수습을 위해선 제법 많은 시간이 필요했다.

　나는 당분간, 카마엘과 함께 왕도를 떠나 있기로 했다. 성국으로 돌아가는 것이 아니라 왕성 인근의, 한때 내가 머물렀던 작은 저택에 가 있기로 한 것이다.

　성력을 잃은 내가 안전하게 거처할 곳이 필요하기도 했고, 성국의 검인 카마엘이 왕성에 머물 수도 없었기에 결정된 사안이었다.

　확실히 아델이 성국을 향한 진군을 멈추고 나를 왕비로 삼겠다 공표한 것에 대한 반발은 거셌다.

　'붉은 밤의 난'으로 명명된 그날의 사태는 아델이 몰살한 귀족들의 잔당과 외조부의 잔존 세력이 벌인 것이라고 한다.

　하지만 칼리스에서는 살아남는 자가 강한 것. 아델은 반란군을 제압하여 자신에게 왕좌를 차지할 자격이 있음을 증명해 보였다.

　모두가 아델에게 고개를 조아리며, 승리한 그들의 왕과 그의 결정을 받아들였다.

　사태를 수습하는 데 앞장선 것은 아지스였다.

　'제가 폐하를 보필하겠습니다. 그건 아직 제 역할인 듯하군요.'

　아델은 생각보다 쿨하게 아지스의 정체를 받아넘겼다.

'네가 뭐든 상관없어. 쓸모만 있다면.'

……아니, 마법의 시조든 뭐든 '내 아래 있으면 내 부하일 뿐'이라는 생각일까. 그래서 아지스는 정체를 들켰는데도 실직자가 되지 않을 수 있었다.

어라? 결론이 좀 이상한걸. 뭐, 정체가 밝혀졌다고 해도 아지스의 효용 가치가 떨어지는 건 아니니까.

그는 여전히 왕속 특무단원으로서 유능했고, 그가 사라지면 아델이 바빠질 거였다. 그리고 되살아난 아델의 상태를 돌볼 수 있는 건 아지스 뿐이기도 했다.

나는 모든 성력을 잃고 능력치 면에선 평범한 여자가 되어 버렸다. 마치 족쇄를 차고 있었던 나날이 이렇게 되기까지의 예비 과정이었던 것처럼.

모든 진실을 들은 아델은 불분명한 기억 속에서 눈을 찌푸렸었다. 그는 아지스의 권유에 따라 나와 카마엘을 보내면서, 떠나기 전 나를 잡아 세웠다.

그는 검은 눈의 내가 낯선 것처럼, 뚫어지게 날 쳐다보았다. 그리고 말했다.

'조금만 거기서 기다려.'

확신에 가까운, 단호한 음성. 나는 그 말을 추호도 의심하지 않았다. 그렇게 말했다면 아델은 자신이 한 말을 지켜서, 내가 돌아올 수 있게 만들 거다.

누구의 눈에도 띄지 않게 떠나가야 했기에, 긴말을 나눌 시간은 없었다. 곁에 있어 주고 싶었지만, 내가 남았다간 짐이 될 테지.

카마엘은 당분간 날 호위해야 한단 사실을 순순히 받아들였다.

'성국으로 돌아가지 않아도 괜찮겠어? 카마엘은 부상을 입었잖아.'

'금방 나을 겁니다. 성녀님을 호위하는 건 이 상태로도 가능합니다.'

'그치만, 나는 성력을 잃어서 이젠 더는 성녀라고 할 수 없는걸. 카마엘에게 계속 의존하는 것도 폐를 끼치는 것 같아.'

'폐가 아닙니다. 성녀님은 제게 언제나 성녀님이십니다. 성력을 가지고 있지 않더라도.'

정말, 흔들림 없이 말하는 그에게 감 받지 않을 수 없었다.

확실히 내가 카마엘과 맺어졌다면 그건 성국의 모두가 바라는 결과이지 않았을까.

그래, 그랬다면 모두가 바란 대로 나는 아무것도 잃지 않고 기쁨 속에서 행복하게 살아갔을지도 모른다.

엇나가고 엇나가 여기에 이르게 된 것 같으면서도, 후회하는 마음이 들지 않는 것이 묘했다. 이제는 끝난 일이었다.

작은 저택에 도착한 나와 카마엘은 평화롭게 그곳에 머물렀다.

아델이 준 증표를 보여 주자 그곳의 시중인들은 우리에 대해 침묵을 지키면서 보필했다. 그들은 때때로 보고하듯 왕도의 소식을 전해왔다.

나는 아델이 다시금 왕도를 장악하고 안정시키는 일련의 과정에 대해서 전해 들었다.

잘 지내고 있구나. 불안했던 마음도 서서히 가셔졌다. 아델과 내 결혼은 무기한 미뤄졌다. 어쨌든 왕성이 불탄 칼리스가 그럴 상황은 아니었거든.

카마엘은 그 사이 성국과 연락을 주고받았다. 성국에서는 나더러 돌아오라고 하는 것 같았다.

하지만 성력도 금안도 잃어버린 성녀로서 돌아가는 건 아닌 듯하다. 모두 충격받아 버릴걸.

성국은 내게 모든 걸 잃고 아무렇지 않은 듯 돌아갈 수 있는 곳이 아니니까.

내가 이걸 선택했으니, 만약 돌아가게 된다면 좋은 모습으로 돌아가야겠지. 금의환향이 아니면 성국의 땅을 밟지 않을 테다. 난 마음을 굳혔다.

일상은 무료하리만치 서서히 흘러가 다시 만월의 밤이 찾아들었다.

나는 창가에 앉아서 하늘을 바라보고 있었다. 구름 한 점 없는 맑게 갠 밤이다.

그리고 하늘의 정중앙을 장식하는 건 쟁반같이 둥근 달.

월신의 성녀로 태어나 한 번도 꺼린 적 없는 저 달이 뜨는 밤마다 많은 일들이 벌어졌다. 그중에는 악몽을 꿀 만한 사건도 꽤 있었지.

그럼에도 저 보름달은, 내 눈에 아득할 만치 아름다웠다. 맑은 하늘에서 흘러드는 달빛이 성력을 잃은 내 몸을 부드럽게 적셔 오는 것 같았다.

차분함, 명료한 이지, 그리고 마음의 안정.

비록 더 이상 내게 힘을 전해 주진 못하더라도 이 만월의 달빛은 여전히 내게 효력을 발휘한다.

어느덧 앞으로 다가온 발소리에, 나는 퍼뜩 고개를 들었다. 카마엘이었다.

무슨 일이냐고 물으려던 난 흠칫 놀랐다. 그의 눈이 금빛으로 젖어 있었다. 내 앞에 선 카마엘에게서 여러 개의 악기가 울리듯 신묘한 음성이 흘러나왔다.

이젠 다신 들을 수 없을 거라 여겼던, 그 음성.

[에스텔, 잘 지내고 있니?]

"빙의……하신 건가요?"

[강신이라고 표현해 주지 않겠니. 농담할 여유가 있는 거 보니 괜찮은 것 같구나.]

농담한 게 아니라, 카마엘의 몸을 통해 말씀하시다니! 정말 깜짝 놀랐다고. 나는 목소리를 가다듬고 말했다.

"오랜만이에요."

어쩌면, 원망이 묻어나왔는지 모르겠다. 카마엘의 입가에 그의 것 같지 않은 온화한 미소가 걸렸다. 그것은 분명히, 아름다웠다.

[나를 원망하고 있는 거니.]

"그렇지 않다고 말한다면 거짓말이겠지요. 제게 너무 많은 것을 선택하게 하셨어요."

[하지만 너는, 잘 해냈잖니.]

다정하게 말하는 그 목소리를 듣는 순간, 눈물이 왈칵 쏟아졌다. 나는 울먹이는 목소리를 억누르며 물었다.

"제가 뭘 잘했는데요? 저는 월신님께서 주신 힘을 잃어버렸어요. 이제 월신님과 이런 식으로밖에 소통할 수 없는 걸요."

[그래서 그를 살린 것을 후회하니?]

"아뇨, 안 그래요. 그래서 죄송해요."

훌쩍거리기 시작한 내 눈물을 다정한 손길이 바로 닦아 주었다. 반듯하고 긴 손가락이 내 눈가에서 눈물을 훔쳐 낸다.

가슴이 덜컹, 내려앉는 듯했다. 다정한 카마엘이라니! 낯설지만 엄청나게 멋있었다. 카마엘의 몸으로 이렇게 다정한 태도를 보이시면 어쩌려는 거야!

카마엘이 진작 이렇게 행동했다면 난 그에게 홀랑 넘어가 버리지 않았을까.

[그렇다면 그걸로 족하지 않겠니. 너에게 선택할 책임과 권리를 준 건 나인 것을.]

"그래도요."

싱긋 웃은 카마엘, 아니 월신님의 표정이 일순 변모했다. 온화하나 오래된 바위와 같은 근엄함이 눈빛에 서린다.

그의 주변을 둘러싼 대기가 묵직하게 가라앉았다. 나는 그의 눈을 보고, 그가 어떤 중요한 이야기를 꺼내려고 한단 걸 알아챘다.

[태초에 세 개의 힘이 있었다. 세 개의 힘은 특별한 힘을 가진 세 명의 인간에게 깃들어, 의지를 가졌다. 그들은 그 힘으로서 신성을 얻어 초월적인 지위를 가지고 세상에 영향력을 끼칠 수 있게 되었단다.]

신들이, 실은 인간이었다고? 나는 눈을 부릅떴다. 뭐라 말할 새도 없이 놀랄 만한 이야기가 쉼 없이 이어졌다.

[나와 태양신은 각자의 나라를 세워 세상을 조율하길 바랐지만 다른 하나는 거기에 동조하지 않았지. 그는 인간들 틈으로 내려가 그들에게 섞여서 마법이란 힘을 퍼뜨림으로써 인간들 스스로 가능성을 펼치게 하려고 했지. 그것은 많은 피와 전쟁을 불렀다. 마법이란 힘을 가진 자들이 칼리스란 나라를 이룰 때까진, 무수히 많은 세월이 필요했다. 그러나 세력을 일으킨 그들은 얼마 지나지 않아 세상을 흔들기 시작했다.]

그것이 칼리스의 정복 전쟁.

신들의 힘이 저물어 가는 시대라고 아델이 말했던 기억이 있다. 그것은 인간들이 신성과 같은 마법을 손에 넣어, 신들이 발휘하던 영향력을 대체한단 뜻 아니었을까.

태양신과 월신의 세력은 균형을 이루지만, 마법은 좀 다르다. 그건 시초의 손아귀를 떠난 힘. 인간들 사이로 퍼져 한계와 제약을 벗는다.

"그……랬군요."

[칼리스의 존재는 대륙에 변화를 불러일으켰지. 나와 태양신의 세상은 평화로울망정 정체되어 있었단다. 변화가 필요하단

것. 나 역시도 어느 순간 느끼게 되었다. 내가 너를 데려와 성녀로 만든 건, 그저 네가 가여웠기 때문만은 아니란다. 외부 세계에서 온 너라면 변화의 씨앗이 될 수 있을 거라고 생각했기에 그리했던 것이지.]

나는 바짝 귀를 기울였다. 나직한 음성이 부드러이 흘러들었다.

[그리고 너는 그를 만났지. 칼리스의 왕자를. 마법의 시초가 꾸민 짓이었을까. 아니, 그렇다 한들 마치 무언가 알 수 없는 흐름이 너를 인도하는 것 같았다.]

처음 아델과 만났던 순간을 기억한다. 돌이켜 생각해 보면 기적 같은 우연. 그 넓은 성국에서, 나는 어떻게 그를 만날 수 있었던 걸까. 그때, 그 시간에.

[중간중간, 파멸로 이르는 선택지가 있었다. 너와 그가 갈라섰을 때, 미움과 증오의 상처만이 남아, 전쟁으로 이어졌을 가능성도 충분했단다. 그건 변화이긴 하지만, 피폐한 변화였을 거야. 하지만 그렇게 되지 않았어. 너는 그와 함께하는 것을 택했단다. 전쟁도 일어나지 않았고 저주도 풀렸지. 내가 예상했던 많은 결과 중에서 가장 긍정적인 축에 속하는 성과를 거두었는데, 성력을 잃었다고 한들 네 선택을 탓할 수 있을까.]

"그럼, 안 죄송해도 된다는 소리인가요?"

의심스럽게 묻자 월신께서 웃었다.

[……그래. 단지, 나는 네가 잃은 것들이 안타깝구나. 너는 평생 성녀로서 살아왔잖니. 평범한 사람으로 살아가는 건, 네게

상실감을 느끼게 하겠지. 이번 생에서만큼은 네가 많은 것을 가지고 행복하게 살기를 바랐건만, 안타까운 일이로구나.]

"도로 주시면……."

[그건 안 된단다.]

너무도 단호한 대답이었다. 너무 많이 바랐나. 난 뻔뻔스러워진 자신에 반성했다. 난 슬쩍 화제를 돌렸다.

"마법의 시초란 자, 정말 비호감이에요."

[나도 그를 좋아하진 않는단다. 하지만 그래, 그가 옳았던 것도 있었지. 선택할 수 있는 자유를 주어야 한다는 것.]

많은 생각이 들게 하는 말이었다. 잠시 침묵이 깔렸다. 나는 불쑥 입을 열었다.

"한 가지 궁금한 게 있어요."

[말하려무나.]

"그 신탁은 뭐였어요? 만약 제가 아델과 결혼했다면, 정말 그걸로 저주가 풀렸을까요?"

내가 그 신탁을 받고 얼마나 당황했는데! 눈을 흘기자 월신께선 피식 웃으며 설명했다.

[저주를 걸 때 선차적으로 부여할 수 있는 조건이 있고, 후차적으로 부여할 수 있는 조건이 있다. 그 신탁은 후차적으로 건 조건이란다.]

"그것이 유효했나요?"

[아마도. 저주를 풀진 못해도 약화시킬 수 있었겠지. 저주가 변화했고, 내 통제를 벗어났더라도 말이다. 저주는 힘이 되었

지. 마법도 달과 태양의 성력도 아닌 제4의 기묘한 힘이. 하지
만 그렇더라도 근원의 영향력은 무시할 수 없는 법이니.]

"아지스는 저주를 푸는 조건이 자기희생이라고 말했어요."

[거창한 표현이란다. 그저 누군가를 자신보다 더 위하는 마
음, 그것이 있었다면⋯⋯.]

"하지만 아델은 항상 저를 위했는걸요."

아델은 어린 시절부터, 위험을 무릅쓰고 나를 도와줬다. 근데
그게 희생정신이 아니란 말이야? 대체 무슨 기준인 거지.

월신께서 가벼이 고개를 저었다.

[그는 자신을 위해서 너를 도운 거란다. 그는 너를 맹목적으
로 가지고 싶어 했거든. 네게 집착하여 널 온전한 상태로 손에
넣으려고 했어. 그건 같은 듯하나 다른 마음이란다. 그의 저울
에서 항상 소유욕이란 추는 너를 위하는 마음보다 우위에 있었
지. 그 우열은 그가 자기 자신조차 포기할 수 있게 된 마지막 순
간에 바뀌었고, 그래서 저주가 풀리게 된 거란다.]

서서히 이해가 되었다. 난 가슴께를 문지르며 볼멘소리를 냈
다.

"자진으로 풀린 저주라니⋯⋯ 정말 끔찍했는걸요. 정말, 그
런 거 다신 겪고 싶지 않아요."

그때의 끔찍했던 광경이 눈앞에 생생했다. 다시는 떠올리기
싫은 악몽 같은 기억. 결국 좋은 쪽으로 결과가 났다고는 해도
⋯⋯.

월신께서 안쓰러운 듯 내 뺨을 쓸었다.

[다시는 그런 일이 일어나지 않기를 바라야겠지.]

그 말에 비로소 난 정말로 모든 게 끝났다는 것을 느꼈다. 내가 태어나기 전부터 태어난 이후까지 지긋지긋하도록 이어져 오던 저주가 정말로 끝난 것이다.

내 안에서 물결처럼 번져가는 여운을 느끼며 나는 다른 질문을 꺼냈다. 아쉬움에 가득 찬 질문을.

"카마엘이 떠나면, 다시 뵙긴 어렵겠지요? 정말로 오랜만에 뵈었는데."

[아마도 직접적인 소통은 어렵겠지. 이 칼리스에서 내가 내릴 만한 육신을 찾는 건 쉽지 않은 일이니. 대사제가 방문한다면 모를까. 어쨌든 성국에서라면, 다시 나를 볼 수 있지 않겠니.]

"성국에서요?"

[이제 너는 둥지를 떠난 거란다. 하지만 둥지를 떠난 새라도, 가끔 둥지를 들릴 수는 있는 거겠지. 모든 것이 정리되었을 때 말이다.]

그의 눈이 잔잔한 빛을 머금었다. 신성한 달무리. 내게는 자애롭고 따스하게만 느껴지는 빛이었다. 나는 활짝 웃었다.

"그럴게요."

부드러운 눈으로 한동안 나를 들여다보던 월신께서 마침내 고개를 들었다.

[이제는 그만 가야겠구나. 그의 의식이 깨어나려 한단다. 이 이상 성국 제일의 성기사의 몸을 차지하고 있을 순 없으니.]

칼리스에서 월신님을 뵌 것만으로도 기적적인 일이었다. 내가 아델을 살림으로써 성력을 소진시켰으니, 운용할 수 있는 성력도 많이 줄었을 텐데 좀 무리하신 듯하다.

그가 고개를 기울여 내 이마에 입을 맞추었다. 카마엘의 몸으로 무슨 짓이냐고 항의하고 싶었지만, 솔직하게 얼굴이 붉어졌다.

그런 내 심정을 눈치채셨는지 그의 입가에 짙은 웃음이 서렸다.

[그러면 다시 보게 될 때까지 무탈하게 잘 지내기를. 나는 항상 네 행복을 바란단다, 에스델.]

내가 바쳤으나 내게 남은 이름 에스델 세라피아. 이제 성녀가 아닌 나라는 한 사람의 이름이었다.

다음 순간, 카마엘의 눈빛에서 초점이 사라졌다. 균형을 살짝 잃는 듯하던 그가 재빨리 몸을 바로잡았다. 그리고 의아한 눈으로 주변을 돌아보았다.

"성녀님, 제가 왜 여기에……."

순발력이 좋은데? 절대 욕실에서 넘어져서 뇌진탕에 걸리는 일 같은 건 없겠어.

나는 카마엘을 향해 미소를 보였다. 그는 내 미소와 그의 몸에 가득한 성력에서 답을 유추할 수 있었던 모양이었다.

"월신께서 다녀가신 겁니까."

"응, 이야기를 좀 나누었어."

"월신께서 어떤 이야기를 하셨습니까."

그답지 않은 호기심이다. 하긴 칼리스 땅에, 그것도 그의 몸을 빌려서 월신께서 내리시는 게 흔한 일은 아니지.

"내가 행복하게 살기를 바라신대."

"……그것은 제 소망이기도 합니다."

"알아, 그래서 고마워. 모두."

성국에서의 그리운 얼굴들이 생각났다. 아마 그들을 다시 보려면 시간이 좀 걸릴 거다. 내 생각보단 덜 걸리길 바랄 수밖에.

에필로그

쏜살같이 며칠이 흘렀다. 참으로 오랜만에, 고적한 저택에 손님이 찾아들었다. 그 손님은 내가 기다렸던 사람이었다.

한 달도 더 지났지? 가깝다곤 해도 왕도 밖인 여기에 바쁜 그가 들릴 짬이 없었을 거란 건 이해한다.

하지만 이해하면서도 부루퉁해지는 건 있었다. 생명의 은인을 이렇게 방치해 두다니! 나쁜 녀석이잖아. 변변한 감사 인사도 제대로 못 들었는데.

새가 지저귀는 이른 아침이었다. 아델은 홀로 저택을 방문했다. 창가에 앉아서 막 차를 마시려던 때였다.

누군가의 방문을 알아채고 자리에서 일어나자마자 문이 열렸다.

말끔한 진청색 예복 위로 망토를 두르고, 허리에는 검을 찼다. 그사이 더욱 성숙해진 그가 거기 서 있었다.

고귀하게 느껴지는 새파란 눈동자가 낯설도록 뚫어지게 날 바라보았다. 더 잘생겨졌잖아! 내가 성녀가 아니라 평범한 사람이 되어서인지 아델이 왠지 연예인처럼 보인다.

후광이 서린 듯한 안면이 훤하고 반질반질했다. 오랜만에 봐서 그런가?

조금 당황해 버린 난 곧 손을 올려 살짝 흔들었다.

"안녕."

가볍게 고개를 끄덕여 인사해 보인 그가 카마엘에게 말했다.

"이야기를 나누게 자리를 좀 비켜 주지."

그답지 않게, 카마엘을 정중하게도 대한다. 별로 정중한 말투는 아니었지만, 이제까지 아델이 카마엘에게 쓰던 말투를 생각하자면 매우 정중해진 거다.

그의 말투가 어떻건, 카마엘은 아델의 말은 안중에도 없다는 듯이 바로 날 바라봤다. 어쨌든 그에게 있어서 그걸 결정하는 건 나였던 것이다.

"조금만, 자리를 비켜 줘."

나는 생긋 웃으며 말했고, 그제야 카마엘은 발을 움직여 방을 나섰다. 아마 바로 방문 너머를 지키고 있겠지.

저주가 풀렸다지만 카마엘이 아델을 경계하는 건 여전했다.

"앉아."

내 권유에 따라 느릿하게 의자에 앉은 아델이 말없이 날 빤히 바라봤다.

오랜만에 왔는데 그 태도는 뭐람? 감격에 와락 끌어안는 재회를 바란 것까진 아니었지만, 이렇게 밋밋하고 모호한 태도도 좀 그렇다.

"그동안 잘 지냈어? 왕도의 일은 잘 해결되었고? 많이 바빴나 봐."

결국 말을 시작한 건 내 쪽이었다.

"그랬지."

성의 없이 들리는 대꾸였다. 눈썹을 확 치켜들었다. 괜스레 자존심이 긁혔다.

성력이 없어졌다고 날 얕보는 건가? 물론, 성력이 있을 때도 아델은 날 얕보았다.

나는 가정을 바꿨다. 눈 색이 변해서 애정이 식었나. 어쩜 반응이 이렇지?

화를 버럭 내려던 나는 조금 성질을 죽이기로 마음먹었다. 명색이 성녀 출신인데 성질대로 살면 안 되지.

좀 친절해지기로 마음을 바꿔 먹은 난 차를 따라서 그에게 건네주었다.

"자, 마셔."

천천히 찻잔으로 향하던 그의 손길이 멎었다. 어쩐지 손끝이 떨리는 듯했다.

난 고개를 갸웃거렸다. 왜 이러는 거람. 오랜만에 날 만나서 새삼 가슴이 떨리는 건 아니겠지?

난 그동안 아델에게 수전증이 생겼을지도 모르겠다는 가설을 세웠다. 되살아난 후유증이랄까.

"……좀 더 빨리 올 수 있었는데, 생각을 좀 했어."

차에 입도 대지 않은 아델이, 찻잔을 들여다본 채 입을 열었다.

"시간이 필요했거든. 기억나지 않은 것들을, 기억해야 할 것 같아서."

"이제는 전부 기억해?"

"그래."

아지스라면 그에게 무슨 일이 일어났는지, 기억을 되살려줄 수 있었겠지. 떠올리곤 죄책감을 느꼈던 걸까.

알 수 없는 기색이 그의 안면 위로 스치고 지나갔다. 그가 눈을 찌푸렸다. 아델은 곧 담담하게 입을 열었다.

"나는 너를 죽이려고 했어."

나는 언뜻, 그가 괴로워하고 있음을 느꼈다. 그 말을 입 밖에 내기 위해서 그가 주먹을 틀어쥐어야 했단 것도.

"내가, 이 손으로 너를 말이야. 만약 네 성기사가 없었다면 틀림없이, 그렇게 되었겠지."

"아델……."

나는 그의 탓이 아니었다는, 뻔한 말을 하려고 했다. 이제는 다 끝난 일 아니냐고. 그렇게 되지 않기 위해서, 스스로 목숨을 끊지 않았느냐고. 너는 그걸로, 나를 지켰다고.

하지만 아델이 손을 들어 내 말을 가로막았다.

"네가 죽더라도 널 갖길 원한다고 했지만, 사실 내가 바란 건 살아 있는 너였던 거야. 그래서, 잠시나마 이성이 돌아왔을 때 그렇게 했었던 거지."

"그랬어, 너는."

나를 끝끝내 해치지 않았지. 나는 그걸로 족하다고 보았지만, 네겐 아니었던 건가. 넌 왜 이제 와서 그토록 어두운 눈으로 나를 바라보는지.

"나는 어린 시절부터 널 차지하고 싶었지. 네가 성력을 잃고, 더 이상 도망칠 수 없게 되어서 내 곁에 머물길 바랐어."

그 말을 토하며 아델이 안면을 감싸 쥐었다.

"모든 힘을 잃은 너를 보고, 내가 바라는 게 이루어졌다는 걸 알았어. 하지만 내가 진정으로 바란 건, 이런 게 아니었다는 것 역시도 깨달았지."

날개 꺾인 새를 보는 것처럼, 그는 날 봤다. 그의 눈은 뭔가를 억누르고 있는 것처럼 느껴졌다.

흡사 목이 졸리는 것 같은 음성으로 그가 말했다.

"너는 내게 밤하늘의 유일한 달이었으니. 에스델, 네가 옳았어. 너는…… 옳은 선택을 했던 거야. 열여섯의 그날에."

패배를 자인한다는 듯이, 결국 그가 그 말을 떨어트렸다.

"성국으로 돌아가."

고막을 똑똑히 파고드는 소리에 난 아득함을 느꼈다.

"너는 이제 나를 위해서 무엇도 대가를 치를 필요가 없어. 나는 네게 많은 것을 빼앗았어. 너는 성국에서 평화롭게 살 수 있었지. 그런 너를, 데려와 이 모든 것을 겪게 하고, 힘까지 잃게 했는데 이 칼리스에서 살아가게 한다는 건—"

말끝이 떨렸다. 그러나 흔들림이 사라지고, 그가 단호하게 말을 끊었다.

"네가 그럴 필요는 없어."

꼭 차이는 것 같은 기분이 드는데. 속이 부글부글 끓으면서도 철렁 내려앉는 감각이 있었다.

나는 숨을 천천히 들이마셨다가 다시 내쉬었다. 한 가지, 물어야만 하는 것이 있었다.

"그래서, 아델. 너는 이제 나를 원하지 않는 거니?"

"나는 단 한 순간도,"

아델의 눈에 힘이 들어갔다. 그는 한 음절 한 음절 끊어 발음했다. 내게 답을 들려준다. 불변의 답을.

"너를 원하지 않은 적이 없어."

어렴풋이 알 것 같았다. 그가 마지막 순간에 깨달은 자기희생이란, 결국 자신의 마음마저 포기하는 법이었다. 그것이 아델에게 일어난 변화.

하지만 그 변화는 내가 바라지 않는 것이었다. 왜 하필, 지금에 와서? 뒷북도 정도가 있다.

"아델, 있잖아. 나도 하고 싶은 말이 있는데."

나는 최대한 나긋나긋하게 말하려고 노력했다. 사실, 속은 편치 못했지만.

늘 당기기만 하던 녀석이 밀어내니까 더 거절당하는 기분이 드는걸!

"정말, 많은 말이 하고 싶었는데 네가 그러니까 싹 잊히는 거 있지?"

그동안 뭐 하고 지냈니, 이제 몸은 괜찮아?, 왕도는 좀 안정이 되어 가나. 미루어진 결혼식은 언제쯤 치를까…….

내가 그린 것은 그와의 미래였다. 그런데 그 미래를 나 혼자 생각했단 것에, 화가 났다. 그래서 나는 화를 내기로 했다.

"죽다 살아나니까 사람이 어쩜 그렇게 무책임해져?"

난 찻잔을 탁 내려놨다. 컵을 쪼갤 듯이 부러 거세게.

죽은 줄 알았던 그가 살아났고, 제대로 된 말을 나눌 새도 없이 혼란이 사그라질 무렵 헤어졌다. 기쁨에 찬 재회를 기대한 내가 잘못이었던 걸까?

"에스델."

"넌 정말이지."

혀를 찬 나는, 나를 쳐다보고만 있는 아델을 향해 손가락을 쳐들었다.

"성력을 바쳐서 내가 널 살려 냈으니, 책임을 져야 할 것 아냐. 날 성국으로 돌려보내면 다 될 줄 알았어?"

난 의심스럽게 물었다.

"아니면 설마, 성력이고 뭐도 없고 눈도 금빛이 아닌 난 이제 가치가 없다는 거야?"

설마 아델이 내게 반한 포인트가 금빛 눈동자는 아니겠지? 금발 미녀도 아니고 금안 미녀라니! 아니면 강한 여자가 취향이 었나?

의심이 새록새록 피어오르는 찰나, 아델이 정색을 하고 부인했다.

"그럴 리가 없잖아. 난 단지 네가,"

짧게 뜸을 들인 그가 말을 이었다.

"……불행해질까 봐."

내 남은 생을 안 좋은 사건뿐이었던 이 칼리스에서 살아가게 하는 것. 그는 내가 무너져내리는 것이 두려운 걸까.

덜 뻔뻔해진 건 좋은데 어쩐지 그답지 않게 의기소침해진 듯했다.

"왜 불행해질 거라고 생각해?"

"모든 걸 잃고 내 곁에 머무르는 게, 네게 불행이 아닐 수 있나?"

자조하는 듯한 기색이었다. 난 손을 뻗어 아델의 뺨을 감싸 쥐었다. 생긋 웃으며 아주 힘껏 꼬집었다.

눈을 찌푸린 아델이 내 손목을 잡아챘다.

"무슨 짓이야?"

그가 눈빛으로 짜증을 드러냈다. 그래, 그 성격 어디 안 가지? 죽었다 살아나도 성질머리는 어쩔 수 없다. 그러니까 지금 착한 척 말하고 있다고 해도.

"너, 설마 여전히 내가 전쟁 협박 때문에 어쩔 수 없이 네 곁에 있는 거라고 생각하니?"

"너는 내가 그렇게 하지 않았다면 내 곁에 있지 않았을 테지."

"아델, 있잖아. 만약에 나를 그런 식으로 원한 게 네가 아니라

다른 누군가였다면—"

나는 분명한 어조로 선언했다.

"나는 전쟁을 벌여서라도 절대, 굽히지 않았을 거야."

암암, 예를 들어 칼리스의 선왕이라거나 하는 이들이 그랬으면 내가 굴했을쏘냐. 앞장서서 전쟁하자고 했을걸?

내가 성녀로서 희생정신이 특출난 것도 아닌데 웬 할아범이랑 결혼할 순 없는 거였다.

그러니 내가 칼리스의 위협에 굴했다는 식으로 말하는 건, 좀 문제가 있다고.

아델은 입을 꾹 다물었다. 흔들리면서도, 쉽사리 넘어오지 않을 눈빛이다. 내가 성국으로 돌아가는 것이 최선이라고 믿고 있는 듯이.

내가 이렇게까지 말했는데도 버틴다 이거지? 자존심이 상했다. 나는 특단의 수를 강구해야 함을 느꼈다.

"좋아, 네가 정 그렇다면 내가 선택지를 줄게."

"선택지?"

"응, 간단하게 이지선다야 들어 봐."

나는 부러 눈을 휘며 상냥하게 웃어 보였다.

"첫째, 네가 날 책임진다. 둘째, 네 말대로 성국으로 돌아간다."

그리고 재빨리 덧붙였다.

"두 번째를 선택하게 한다면 나는 이대로, 성국으로 돌아가 바로 카마엘과 결혼할 거야."

방 밖에 있는 카마엘이 움찔하는 것이 눈에 잡힐 듯이 보였다. 팔아먹어서 미안해, 카마엘.

나는 마음속 깊이 사죄했다. 너무 알뜰살뜰 그를 이용해 먹는다.

아델의 표정이 순식간에 사나워졌다.

"에스델."

으르렁대듯이 말하는 그를 향해 난 태연자약하게 어깨를 으쓱해 보였다.

"왜, 당연한 거 아니야? 카마엘은 너 이전에 내 결혼 상대자로 유력하게 거론되었던 남자라고. 내가 성녀가 아니더라도 카마엘은 나를 외면하지 않을 거야. 성국으로 돌아간다면 성력도 없으니 이젠 성녀 일도 못할 텐데 카마엘이랑 결혼해서 살림하지 뭐, 잘됐네!"

"에스델!"

아델의 음성이 완전히 험악해졌다. 나는 콧방귀를 끼며 빈정거렸다.

"설마 나더러 성국으로 돌아가서 아무랑도 맺어지지 말고 혼자 살라고 말할 셈이야? 너는 칼리스의 왕으로서 누군가와 결혼해서 잘 먹고 잘살 텐데, 나는 그러지 말라고?"

"그렇게 빨리, 결혼을 생각할 건 없잖아."

내 말을 부인하지 않는다는 게 두 배쯤 빈정 상했다. 나는 팔짱을 꼈다.

"왜 빠르면 안 돼? 그렇게 하는 쪽이 내게도 좋을 텐데. 성국으로 돌아간 이후에도, 내 선택에 네가 관여할 수 있다고 생각해?"

쾅 소리가 날만치 세게, 난 테이블 위로 손을 얹었다.

"나는 분명히 선택지를 줬어. 그래도 괜찮다면, 두 번째를 택해, 어서."

아델의 새파란 눈이 짙어졌다.

"왜, 이런 식으로 나를 몰아넣는 건데."

그가 자리에서 벌떡 일어섰다. 목이 아프도록 그를 올려다보게 된 나 역시도 따라 일어섰다.

"네가 겁쟁이처럼 구니까."

나는 언젠가 아델이 내게 했던 소리를 그에게 되돌려 주고 있었다.

'나약하고, 겁쟁이지. 그래서 넌 내게서 돌아섰어. 내게 끌리면서도.'

누가 나약하고 겁쟁이란 거야. 그건, 지금의 너인걸.

"내 생각은 묻지도 않고, 나를 위한다는 명목으로 포기하려고만 드니까!"

아델은 나를 바보 취급하고 있다. 피해자나 희생양 취급을 하고 있는 것 같기도 했다.

그가 결정을 내리고, 거기에 나는 어쩔 수 없이 따르는 존재고, 옳은 판단은 그가 할 수 있는 것처럼.

물론 그에게 내가 그동안 상당히 숙여 주었으니 그렇게 느낄만도 하다. 그건 네가 저주 때문에 이성을 잃을까 봐 그랬던 거라고!

"아델, 넌 정말 바보야. 너 같은 바보 멍청이는 태어나서 처음 보았어! 네가 나한테 해야 하는 말은 그런 게 아니야."

난 그를 노려보다시피 하면서 빠르게 내쏘았다.

"모르면 책이라도 읽고 좀 배우지. 머리는 뒀다 뭐에 쓰는지 뻔한 말도 못 한담! 미안하다. 사랑한다. 내가 행복하게 해 주겠다. 그러니 곁에 있어 달라. 왜 이 쉬운 말을 못—"

어깨를 단숨에 낚아채며, 그가 내 입술을 틀어막았다. 박력 있게 입으로 틀어막은 게 아니라, 손으로.

화났나? 난 읍읍 거리면서 그의 손을 떼어 내려고 애썼다. 한숨처럼 그에게서 음성이 흘러나왔다.

"에스델 너는, 내가 오늘 그 말을 하기까지 얼마나 많은 밤을 지새웠는지 모르지. 내가 얼마나, 너를 보내기 싫었는지도."

그의 말에선 화가 난 듯도 하고, 화라기엔 미묘한 듯도 한 억눌린 열기가 느껴졌다. 난 잠자코 귀를 기울였다.

"이건 네가 초래한 거야."

아델이 입을 틀어막은 손을 놓았다. 내 손목을 잡아당겨 그의 앞으로 이끌며 어깨를 틀어쥐었다.

그가 눈을 맞추며 나직이 속삭였다.

"사랑해, 에스델. 네가 내 왕비로서 내 곁에서 평생 함께하기를 원해."

그 말이 깊숙이 묻어 놓은 심장을 드러내듯이, 열기처럼 훅 밀려왔다. 뜨거웠다.

나는 눈을 깜빡였다. 정말, 시킨 그대로 한다. 삐죽하게 생각하면서도 왠지 모르게 눈시울이 뜨거워진다.

가슴이 두근거렸다. 청혼을 받은 느낌이다. 이전에도 유사한 말을 듣지 못한 건 아니지만, 이와 같진 않았다. 마음과 마음이 통하는 듯이.

아델이 턱을 들어 올렸다. 나는 눈을 감았다. 그려진 듯이 열정적인 입맞춤이 이어졌다.

어깨를 감싸 쥔 손이, 나를 완전히 끌어안고 제 품에 넣었다. 놀랍도록 너른 품이었다. 깃털처럼 가벼운 키스를 남긴 그가 속삭였다.

"그러겠다고 대답해."

나는 그러마 대답하려고 했다. 그러다가 불현듯 깨달았다.

아델은 단 한 번도 내게 사랑을 갈구하지 않았다. 마치 그것이, 애초에 그에게 허락되지 않은 것처럼.

내 마음을 끌림이나 호감, 박애 따위로 표현하면서, 단 한 번도. 내가 어떤 의미로 그의 곁에 있더라도, 그저 곁에 있는 것만으로도 족하다는 것처럼.

한참 동안 나는 아델에게 끌린다는 걸 인정하면서도 내 마음이 어떤지 확신할 수 없었다.

왜냐하면 아델을 향한 감정은, 델 듯이 뜨겁다기보단 대개 잔잔한 봄바람이나 반짝이는 조약돌 같은 것이었기에.

그건 우정보다 조금 더 깊어진 애정 정도에 불과하다고 여겼다. 그저 정이 깊어진 정도에 불과할 뿐이라고 생각했던 것도 같다.

하지만 그것이 얼마 전, 뒤집혔다. 그럴 수밖에 없는 사건이 있었다.

"있잖아. 네가 죽었을 때 난, 숨을 쉬기가 힘들었어."

정말, 가슴이 찢어지는 것 같았지.

"그런데, 나는 한 번도 그렇게 슬퍼 본 적이 없거든."

슬퍼 본 적은 많다. 할머니를 잃었을 때도 그랬다. 하지만 그건 월신님께는 죄송하게도, 엉엉 울긴 했어도 버텨 낼 수 있는 슬픔이었다.

아델이 죽었다고 생각했을 때처럼 숨이 막히고 정신이 마비되는 듯하고 미칠 것 같은 기분은 이제껏 한 번도 느껴 본 적이 없었다.

"그래서 알게 된 것 같아."

나는 손을 올려 그의 심장께를 짚으며 속삭였다.

"사랑해, 아델."

그 말을 꺼내는 건, 생각보다 쑥스럽지 않았다. 조금 긴장한 채로 난 아델을 주시했다.

날 바라보는 시선이 멍하다고 생각했다. 흐릿해진 초점이 돌아오고, 나를 잡은 손에 잔뜩 힘이 가해졌다. 난 살짝 미간을 찌푸렸다.

"아야."

"진심이야?"

아프다고 소리를 냈으면 미안하다고 해야지. 추궁을 해 오다니. 나는 입술을 삐죽거렸다.

"그럼, 명색이 성녀였는데 거짓말이겠어?"

거기까지 내뱉은 난 흠칫했다. 아델의 그런 표정은, 처음 보는 것 같았다. 말로 설명할 수 없는 표정이었다.

새파랗게 짙어진 눈. 어떤 얼굴을 해야 할지 몰라, 그저 안면을 굳히고만 있는. 그러나 가슴 깊숙이 충만해지는 무언가가 거기에 깃들어 있었다.

그제야 살짝 부끄러워진 난 말했다.

"그리고 생각해 봐, 바보야. 칼리스 왕의 저주를 푸느라 성력을 잃어버린 내가, 무슨 면목으로 성국으로 돌아가겠어? 네가 책임져야 할 것 아냐."

돌아간다고 해서 몰매를 맞거나 하진 않겠지만, 내게도 양심이 있었다. 아니, 양심 이전에 돌아가려는 생각도 안 했다고.

잠시 후에야 아델이, 나를 힘껏 끌어안았다. 그는 내 귓가에 대고 속삭였다.

"……꿈이 이루어진 것 같은 기분이야."

그 말이, 내 마음 깊숙이 스며드는 듯했다. 어딘지 쩡했다.

나는 가슴속으로 퍼져 나가는 따사로운 물결 속에서 미소 지었다. 앞으로는, 같이 꿈꾸게 될 거다. 그게 무엇이든.

아델이 먼저 방을 나섰다. 나는 약간 간격을 두고 방을 빠져나왔다. 문을 등지고 서 있던 카마엘이 물었다.

"왕성으로 가시는 겁니까."

"……응, 그렇게 되었어."

그 말이, 무엇을 의미하는지 그도 알 터였다. 카마엘은 나와 함께할 수 없다. 성국 제일의 성기사인 그에게 칼리스의 왕성이란 들어서선 안 될 곳.

훗날 그를 초대할 수 있는 날이 올 수 있다면 좋겠지만, 지금 당장은 안 된다. 혼란이 막 가라앉은 곳이니.

그는 성국으로 돌아가야 했다. 그동안 묵묵하게 날 지켰던 카마엘과 헤어져야 할 때가 오니, 벌써부터 가슴이 허전하고 시렸다.

아델에게 카마엘과 결혼해 버리겠다고 말한 데는 약간 진심이 있었을지도?

"성국에서 저를 대신할 호위를 보내올 겁니다."

부상당한 동료들과 함께 돌아가야 했던 사제들이 떠올랐다.

그날 밤 나는 그들에게 소식을 전할 틈도 없이 카마엘과 함께 아델의 징표를 가지고 부리나케 거처를 이동했다. 이동한 이곳은, 그들이 알지 못하는 장소였다.

카마엘이 바로 전갈을 보냈기에, 사제들은 혼란한 왕도의 정세에 휘말리지 않기 위하여 그대로 성국으로 귀환하게 되었다.

그들도 고생이 참 많았지. 또다시 성국의 사제들을 고생시킬 수는 없다. 그래, 나는 이제 성녀가 아니니까.

"물려 줘, 내겐 더 이상 그들의 호위를 받을 자격이 없는걸."

"성녀님께서는, 언제나 제게 성녀님이십니다. 그리고 다른 월신의 권속들에게도 그건 마찬가지일 겁니다."

"그렇게 말해 주니, 고마워."

생긋 웃는 나를 향해, 잠시 망설이는 듯하던 그가 다시 입을 열었다.

"만약, 성녀님께서 성국으로 돌아가고자 하셨다면, 저는 성녀님이 말씀하셨던 삶을 성국에서 실현해 드릴 수 있었습니다."

응? 이건 무슨 소리람. 설마 카마엘과 결혼해서 살림하겠다는 그거, 정말로?

귀가 밝은 그가 방문 하나 틈을 두고 못 들었을 리 없다곤 생각했지만, 이렇게 말할 줄은 또 몰랐다.

아닌가. 그는 항상 내가 원하는 것을 이루어 주려고 했으니.

"하지만 이것이 성녀님의 선택이라면."

뭔지 모르게 아쉬워하는 것 같다. 설마 아니겠지. 좀 낯부끄러워진 난 눈을 깜빡거리며 그를 응시했다.

그걸로 끝날 줄 알았는데, 카마엘은 뜻밖의 말을 꺼냈다.

"……후에라도 언제든 돌아오실 수 있게, 자리를 마련해 두겠습니다."

나는 애매한 미소로 답했다. 그건 꼭 이혼하고 돌아와도 상관없다는 말처럼 들렸기 때문에.

물론, 카마엘이 내가 잘살지 못하고 돌아오길 바라서 저런 말을 하는 것은 아니리라.

"그녀는 돌아가지 않을 테니, 그 자리 같은 건 집어치워."

비딱한 음성이 들려왔다. 말을 몰고 온 아델이 내게로 손을 내밀었다. 나는 그 손을 맞잡으며, 카마엘을 돌아봤다.

조금 더 대화를 나누고 싶었는데, 아델이 독촉하듯 탁탁 발을 굴렀다.

그래, 떠나야겠지. 나는 왕성으로, 그는 성국으로. 지체하면 마음만 더 가라앉는다. 웃으며 헤어질 수 있을 때, 떠나자.

나는 애틋하게 인사를 남겼다.

"성국으로 돌아가는 길이, 순탄하길 바라."

"다시 뵈오는 그 날까지 건강하시길."

"카마엘도 잘 지내고, 모두에게 안부 전해 줘."

"예, 출발하시는 대로 저 역시 떠나겠습니다."

카마엘은 끝끝내 내 등 뒤를 지켰다. 그건 퍽 그다웠다.

나는 아델이 끌어 올려 주는 대로 말 위에 올랐다. 아델이 등 뒤에서 팔을 둘러 왔다. 날 붙잡은 그가 바로 말을 몰아 출발했다.

나는 뒤를 돌아봤다. 묵묵히 서서 이쪽을 쳐다보고 있는 카마엘의 모습이 사라질 때까지 계속, 시선을 떼지 않고 쳐다봤다.

아, 눈물이 날 것 같다. 그가 보이지 않게 되자 나는 얼른 눈가를 비볐다. 정말로, 끝인 것 같은걸. 영영 이별은 아닐 테지만.

내 앞엔, 이젠 칼리스에서의 삶이 펼쳐져 있었다. 성녀로서가 아닌 칼리스의 왕비로서의 삶.

그런 걸 보면 내 새로운 인생도 참 재복이 넘친다고 해야 하나. 성녀였다가 왕비가 되는 거잖아.

그리고 내 곁엔, 나를 위해 목숨을 바칠 수 있는 남자가 있었다.

사실 가장 큰 복은 그것 아닐까. 동등한 위치에서, 같은 걸 바라보고 기쁨과 슬픔을 나누며 함께할 수 있는 사람.

내 인생 전체에 비하자면 짧은 시간만을 함께했는데, 이토록 단단한 결속감이라니. 나와 아델은 머지않아 완전한 가족이 될 거였다.

오래도록 돌아왔지만, 결국은 이렇게 되기로 예정되어 있었던 건지도 모르지.

당분간은 알콩달콩 연애도 해 보고, 싸움은 좀 그만하고, 못해 본 것도 하다가…….

그렇게 함께 행복해졌으면 좋겠다.

나는 슬쩍 아델을 쳐다보았다. 어쩐지 토라진 듯한 표정이다. 내가 카마엘과의 이별을 섭섭해하는 게 마음에 들지 않은가 보다.

불현듯 언젠가는 그에게 내 전생에 대해서 말해 주어야겠다고 생각해 본다.

아델이라면 '그랬어? 약해 빠졌었네.'라고 말해 버릴지도 모르지만, 그래서 내가 좀 삐칠지도 모르지만, 괜찮을 거다.

과거는 과거로 흘려 보낼 수 있을 만큼, 기나긴 미래가 기다리고 있을 테니까. 그리고 여기, 함께할 사람도.

"아델."

"왜?"

"아무것도 아니야."

난 배시시 웃었다. 어처구니없단 눈빛이 되긴 했지만 그의 표정이 스륵 풀렸다. '뭐야.' 중얼댄 아델이 내 머리에 턱을 올렸다.

"무겁잖아."

"날 사랑한다며, 참아."

……애, 왜 이렇게 닭살 돋게 하지? 하지만 나른하게 웃는 얼굴이, 근사한 것만은 사실이었다.

우리는 쉼 없이 투닥거리며 왕성으로 향했다. 아마 앞으로도 이렇게 이야기하고, 다투고 울고 웃으며 살아가겠지.

확실한 건, 그게 퍽 우리다운 일이라는 거다.

외전

성녀님의 행복

내가 칼리스로 온 지 6년. 그동안 많은 변화가 있었다.

칼리스의 왕인 아델은 하늘이 붉게 물든 그 사건을 계기로 반대 세력을 모조리 쓸어 버렸다. 저주에서 풀려났기에 그의 자격을 문제 삼는 이도 사라졌다. 여전히 폭군이라는 악명은 자자했지만 말이지.

아델과 내 주도로 칼리스와 연합 사이에서는 평화협정이 맺어졌다.

마법은 악하거나 삿된 힘이 아닌 태양신이나 월신의 성력과 같은 종류의 또 하나의 힘으로 인정받았다. 또한 공식적으로 그 전파를 허가받았다.

물론 그게 순탄하지는 않았지. 어휴, 정말 고생했다고!

내 공이 컸다. 성국과의 회담에서 내가 태양신과 월신과 마법에 얽힌 진실을 전하며 잘 설득했다.

세 힘의 근원은 다르지 않고, 마법이 그 자체로서 악한 힘이 아니라는 것 말이다. 다루는 사람의 문제지, 힘은 도구일 뿐이다.

신성교국은 여전히 대혼란인 상황. 칼리스의 압박을 이기지 못한 그들은 타협을 택할 수밖에 없었다.

성녀인 내가 칼리스의 최중심부, 왕비로서 들어앉아 잘 감시해 보겠다는 말에 어느 정도 설득이 된 듯했다.

성국과 신성교국이 동의한 일이다. 연합에서는 반박할 이유도 힘도 없었다. 그들은 여전히 칼리스에 겁을 먹고 있었으니, 차라리 이런 식으로 평화를 보장받는 쪽에 끌렸던 듯하다.

칼리스는 더 이상 부정할 수만은 없는 강력한 나라였기에.

마법의 힘을 공인받는 대가로 칼리스는 점령하고 있던 야파 왕국을 해방시켜 주었다. 점령 당시 피신하여 망명 중이던 아라곤 왕자가 왕위에 올랐으니, 다행이 아닌가 한다.

그는 칼리스에 이를 득득 갈겠지만, 어쩔 수 있나. 야파 왕국 건은 내내 마음에 걸렸던 터라 잘된 일이다 싶었다.

나는 아델의 곁을 지키며, 두 나라 간의 문제가 정리될 때쯤 그와 결혼했다.

그래, 결혼! 내가 유부녀가 되었단 말이야! 전생까지 포함해서 첫 결혼이었다. 마음의 준비란 게 다 되어 있을 것 같은 나이인데, 전혀 그렇지 않단 말이지.

내가 칼리스에서 머문 지 일 년쯤 되는 때에 열린 결혼식 날,

난 너무도 떨렸다. 정말이지 온몸이 달달 떨려서 추위에 떠는 게 아닌가 싶을 정도로 말이다.

사실 결혼식이 제날짜에 치러진 건 기적에 가까웠다.

성국과 칼리스는 사이가 참 좋지 않다. 평화협정도 맺고 서로 교류하기 시작했음에도 오랜 세월 쌓아 놓은 앙금이 단시간에 사르르 녹아내리는 것은 불가능했다.

나는 전직 성녀이긴 했어도 여전히 성녀 대우를 받고 있었다.

칼리스 왕의 저주를 풀기 위해 성력을 잃어버렸음에도 성국에선 날 내치지 않았다. 내겐 마냥 관대한 이들이기도 했지만, 그 또한 월신의 큰 뜻이라고 편하게 받아들이기로 한 듯싶었다.

하지만 다른 쪽에서는 고집을 굽히지 않았다.

'성국에는 성국의 방식이 있습니다. 성녀께서 칼리스로 가시는 것이니 마땅히 성국의 방식에 따라 예식을 치러야지요.'

'칼리스의 왕비가 되시는 것 아닙니까. 성녀께서 칼리스의 방식에 맞추시는 것이 옳습니다!'

'성녀께서 칼리스의 예복을 입고 결혼을? 안 될 말입니다. 적어도 결혼식에서만큼은 신부 쪽에 따르는 게 적절하지 않겠습니까.'

'여기는 칼리스이고, 칼리스의 왕실에는 전통에 따른 혼례절차가 있습니다!'

뭐 이런 식으로 엄청나게 옥신각신하며 싸워 댔다. 서로 양보나 타협을 하지 않으려고 드니, 복장을 정하는 것부터 예식 순서까지 정하는 데 한세월이었다.

양쪽 다 나와 아델이 결혼하는 걸 별로 좋아하지 않는 건 확실해 보였다. 축복받기는커녕 모두가 내켜 하지 않는 결혼식이라니! 슬픈데.

나야 성국엔 찔리는 게 있고, 앞으로 살아갈 건 칼리스이니 어느 쪽도 편들 수 없어서 우물쭈물했지만 아델은 달랐다.

아델이 결혼식이 미뤄지면 책임자들의 목을 치겠다고 정말로 폭군처럼 말하고 나서야 결혼식은 일사천리로 진행되었다.

그 때문에 결혼식은 거의 성국의 방식에 따르게 되었다. 월신에 대한 기도를 생략하는 건 어쩔 수 없었지만 말이다.

결혼식 당일 분위기는 참으로 살벌했다. 우리 성국 사람들과 칼리스인들은 정말 흑백으로 나뉜 것처럼 딱 갈라서 있었고, 복장도 완전히 반대였다. 로미오와 줄리엣의 결혼식을 연상케 하는 풍경이었다.

우리 성국 사람들은 특히나 침통한 분위기였다. 꼭 내가 돈 때문에 팔려가는 효녀 심청이 된 것처럼!

부친의 눈을 낮게 하기 위해서가 아닌 세계 평화를 위하여 결혼으로 나를 희생한다고 생각하는 것 같았다.

아이구, 내가 아무리 꽃에서 나왔다지만 그런 건 아니란 말이야.

당장에라도 눈물을 흘릴 듯한 에이레네의 얼굴을 생각하면 결혼식이란 건 별로 떠올리고 싶은 기억은 아니다.

그래도 내 손을 꼭 잡아 주었던 아델의 손길이 위로가 되었던 것 같다. 그 새파란 눈동자로 날 응시하며 씩 웃어 주는 모습이

어찌나 설레고 든든해 보이던지.

물론 그 후에 '든든함은 개뿔!'이라고 생각하게 되었지만.

"후, 그래. 그동안 정말 힘들었지."

잘나고 똑똑하고 왕으로서 유능할지 몰라도 아델은 남편으로선 매우 덜되고 모자란 편이었다.

물론, 내 기준이 현대에 맞추어져 있고 성녀였던 내 신분이 그와 동등하며 그 때문에 요구치가 높았다는 건 인정한다.

아델은 평생 누군가에게 굽히고 조율하며 맞춰 살아 본 적이 없었을 테니까!

아델은 왕자로서 자라난 데다가 원체 본인이 뛰어나 누구에게도 싫은 소리를 듣지 않고 살았다. 칼리스의 특성상 철저한 성과지향형 인간이 되어 버린 그였다.

능력이 좋아서 왕자 중에서도 두각을 드러내어 왕이 된 아델은 배려심과 이해심이라는 항목에선 완전 낙제생이었다.

살다 살다 혈압 올라서 뒤로 넘어갈 뻔한 적이 한두 번이 아니다.

하지만 어쩌겠는가. 결혼을 해 버렸는걸! '절대 이혼은 없다!' 같은 건 아니었지만 일단 해 줄 것 같지도 않았다. 게다가 각자 칼리스와 성국의 대표인 우리의 결혼은 평화협정의 표식 같은 것이 된다.

이혼은 곧 협정의 해제. 범국가적인 문제가 되어 버린다고!

다행히 부부싸움 비슷한 건 좀 있었지만, 나는 내 의사를 잘 관철해 냈다. 아델은 거의 대부분의 싸움에서 내게 졌다. 그야

난 항상 옳은 말을 했으니까!

아델은 나와 귀찮게 언쟁하느니 그냥 내 말이 옳든 그르든 따지지 않고 따르겠다는 게으름을 익혀 가는 것 같았다. 어차피 내가 이기니까 그건 현명한 선택이다.

그러니까 아델과 어떤 문제로 부딪혔느냐면 말이지.

글쎄. 그건 내가 임신했을 때였다. 원래 임산부들한텐 잘해 줘야 한다는 말이 있잖아. 임신 기간에 못 해 주거나 서운하게 했다간 그게 평생을 간다고 하거든!

하지만 아델은 임산부를 배려하는 섬세함 따위는 조금도 없는 남자였다.

내가 배가 무겁다거나 허리가 아프다며 업어 달라고 투정을 부리면, 일단 업어 주긴 했다. 하지만 사람이 많아져서 더 무겁다는 소리를 하지 않나 운동을 해야 허리도 덜 아플 게 아니냐며 면박도 주었단 말이지.

유독 단 것이 당겼던 어느 날이었다. 케이크와 파이를 한자리에서 열 조각씩 집어삼키는 나를 보고 아델은 질겁했다.

"너 그러다가 병 걸려. 안 되겠다."

그리고 시녀장에게 명하여 내 간식거리를 팍 줄였다. 서럽게! 임신 중인데 그런 거 좀 먹을 수 있지!

냉정하고 냉정한 아델은 교과서에서 나온 것처럼 날 모범적인 임산부로 만들려고 했다. 몸에 좋은 보양식들만 먹게 하고, 운동시키고 책도 어디서 가져왔는지 시집이나 학문서 등 지루한 것들만 읽혔다.

꼭 건강한 애를 낳아서 내 후사를 이으라고 말하는 임금처럼 그렇게!

세상에 내가 얼마나 서러웠는지 이해가 가? 물론, 아델이 임신으로 몸이 상할까 봐 내게 신경을 많이 쓴 건 사실이었다.

난 성녀답게 축복받은 건강 체질이었고 좀체 아파 본 적이 없었다. 하지만 아델은 날 깨져 버릴 것 같은 유리잔처럼 조심스럽게 대했다.

시중인들에게도 어찌나 엄포를 놓던지, 다들 날 안전히 모시지 못해 안달이었다. 아마 임산부를 귀히 대하라는 걸 과하게 받아들인 듯하지?

그렇게 했다고 해도 아델이 내가 아이를 가진 걸 달가워했던 것도 아니다.

축하한다거나, '내가 아빠가 되는 거야?'라며 좋아하는 모습을 한 번도 보인 적 없다. 아니, 사실 아델은 내키지 않아 했다.

"벌써?"

내 임신 소식을 듣고 아델이 한 말이 그것이었다. 불쾌한 듯 미간을 찡그리면서.

"아이는 귀찮은데, 천천히 갖고 싶었지만."

그래, 우리는 젊은 부부고 아직 신혼 중이지. 나도 신혼 생활을 조금 더 즐기고 싶었다. 고작 스무 살에 결혼한 사이인걸.

하지만 칼리스에서 나를 인정하게 하려면 아이를 낳아 후계를 든든히 하는 쪽이 좋다는 건 알고 있었다. 왕의 자손을 낳은 왕비라면 내가 전직 성녀라는 것보다 그쪽이 더 부각될 테니까.

아이를 가졌다는 건 준비되지 않은 내게도 좀 떨리는 일이었다. 갑작스럽고 두려웠지만, 좋게 생각하고 있는데 그런 말을 들으니 눈물이 왈칵 났다.

임산부는 원래 호르몬의 작용으로 감성적으로 된다지! 나는 아델을 향해서 숨김없이 감정을 분출했다. 화와 눈물을 동시에 쏟아 내는 나를 비겁하게 끌어안은 아델이 어르듯이 속삭였다.

"그만 울어. 내가 잘못했어."

그러자 나는 뾰족한 무기를 꺼내 들었다.

"네가 뭘 잘못했는지는 알아?"

"……그건."

엄청난 수수께끼를 들은 듯 아델의 미간이 구겨졌다. 잠깐 침묵이 흘렀다. 곤경을 뻔뻔스럽게 넘기기로 결정했는지 그가 태연하게 말했다.

"솔직히, 모르겠는데. 난 네가 아이를 낳는 걸 딱히 반대하진 않아. 싫으면 안 낳아도 되고. 네가 원하는 대로 해."

세상에, 이게 아내가 아이를 가졌다는 소리를 들은 예비 아빠가 한 말이라니! 기가 턱 막혔다.

그 뭐냐, 생명 경시 풍조와 후계 경쟁으로 찌들어 있는 칼리스 왕실이라지만, 아델의 반응은 정말로 기상천외했다.

"축하한다, 사랑한다, 기쁘다. 이런 남들이 하는 뻔한 말 넌 왜 못 해?"

그야말로 정답을 꽂아 주는 내 말에 그제야 아델은 깨달음을 얻은 듯했다.

"아아, 그런 빈말 말인가. 임산부에게 거짓말은 좋지 않은 것 같아서. 하지만 하나, 내가 말하지 못한 게 있긴 하네."

그러면서 씩 웃는 얼굴에,

"아이가 생겼든 어쨌든 간에 내가 널 사랑한다는 거."

⋯⋯마음이 사르르 풀려 버리는 것 같았다. 아델은 여전히 훤하게 잘생겼다. 내 남편!

날카롭게 곤두섰던 얼굴에 여유가 감돌기 시작하면서 이목구비에 부드러운 느낌이 보태졌다. 그게 포인트란 말이지!

내가 다른 건 몰라도 얼굴만큼은 세상에서 제일 잘난 남편을 뒀다고 자랑할 수 있⋯⋯. 물론, 다른 게 더 중요하지만 말이야!

그걸로 끝나면 좋았을 것을, 아델은 그 못된 입으로 결국 내 억장을 뒤집고야 말았다.

"그런데 임신하면 한동안은 못 하는 거지?"

뭘⋯⋯ 못 해? 굳이 물을 것도 없었다. 오로지 그것만이 중대한 문제라는 듯이 그 어느 때보다 진지해진 얼굴이 내게 답해 주고 있었으니까.

"⋯⋯응, 못 해. 지금부터 애 낳고 한 반년간은 꿈도 꾸지 마!"

"그렇게까지?"

심각해진 채 되묻는 얼굴을 한 대 때릴 뻔했다. 하지만 저 얼굴도 내 거다. 화가 난다고 내 물건에 상처를 입히면 내 손해다.

"몰라!"

버럭 소리를 지르고 난 자리를 떴고, 그 후로 내 임신 기간 동안 그런 일들은 반복되었다. 내가 왜 한이 맺혔는지 이제 좀 이해하겠지?

어디서 임산부를 대하는 남편의 자세라도 교육받고 왔으면 좋겠는데. 이 칼리스에선 그에게 그런 걸 제대로 알려 줄 만한 인물도 책도 없었다. 일단 나라 자체가 가부장적이며 권위적이다.

왕인 그가 제멋대로 행동한다고 한들 누가 뭐라 하겠는가. 다들 아델을 무서워하는걸. 여기엔 내 편이 없어!

그나마 임신 기간 동안 성국에서 방문한 에이레네가 내 곁을 지켜 주었기에 위안이 되었다.

인고의 세월 끝에 나는 쌍둥이를 낳았다. 딸 아들, 골고루 말이다. 에이레네의 성력으로 도움을 빌었기에 그리 아프진 않았고, 낳는 것도 금방 낳았다. 진통이 온 뒤 세 시간 후에 나는 내 아이들을 안아 볼 수 있었다.

산고 끝에 낳은 똘망똘망한 눈의 두 아이를 보니 막 가슴 속에서 울컥하는 기운이 올라오는 것 있지?

호의호식하긴 했는데, 몸은 편했지만 마음은 편하지 않았다. 뭐랄까 나 혼자 애 낳은 느낌이었어!

에이레네는 예쁘게 포대기에 싸인 아이들은 내게 안겨 주며,

"정말 성녀님을 똑 닮았어요. 사랑스러운 아이들이에요!"

라며 사감으로 아빠를 배제하고 환한 얼굴로 축하해 주었다. 난 꼼꼼히 내 배 속에서 막 빠져나온 두 명의 생명을 쳐다보았다. 둘 다 갓난아기치곤 매우 어여뻤다.

좀 빨갛긴 했지만 머리카락도 고슬고슬 좀 났고 이목구비도

살아 있었다.

솔직히 말하자면 아델과 나 둘 다를 섞어 놓은 것처럼 고루 닮았다.

조금 더 빨리 태어난 딸아이는 검은 머리카락에 새까만 눈이었다. 아들은 아델을 쏙 빼닮은 금발에 테가 선명한 새파란 눈동자를 가지고 있었다.

아델은 한 것도 없는데 왜! 좀 억울해지는 기분이다.

하지만 한시름 놓았다. 나는 성녀였고 아델은 마력을 가지고 있는, 칼리스인이다. 상반된 힘을 가진 둘이 섞이면 잡탕처럼 모나게 되지 않을까 걱정했는데, 내 아이들이 건강하고 멀쩡한 듯하여 다행이었다.

아이를 낳으면 두 손 두 발 눈코입 제대로 붙어 있는지부터 확인한다지 않는가. 딱 내가 그 짝이다.

"고생했어."

밖에서 내내 기다리다가 들어온 아델이 내게 처음으로 한 말이었다. 왠지 좀 굳은 얼굴로 말한 아델은 내게로 다가와 뺨을 어루만졌다.

아이를 낳느라 퉁퉁 부푼 뺨을 사랑스럽다는 듯이 쓰다듬은 게 그가 유일하게 잘한 점이었다. 말을 예쁘게 못 하면 행동이라도 예쁘게 해야지!

"아이를…… 안아 보시겠어요?"

아빠라면 당연히 아이를 한 번은 안아 봐야 하건만, 에이레네는 아주 내키지 않는다는 듯이 물었다.

그녀의 적개심은 도통 사라질 줄을 몰랐다. 여전히 아델을 잘 키운 딸을 납치해 간 도둑놈 정도로 생각하는 듯했다.

"필요 없……."

대충 내뱉으려던 아델은 내 눈빛이 사나워지자 말을 바꿨다. 좀 학습 능력이란 게 생겼다. 지지부진한 게 문제지만.

"그러지."

한쪽 팔로도 아이 하나쯤 거뜬히 들 수 있기에 에이레네는 그의 양팔에 각자 아이를 안겼다.

아델은 고개를 갸웃했다. 아이가 어색한 표정이었다. 게다가 내 애들은 태어났을 때 잠깐 울다가 뚝 그쳤을 뿐 호기심을 드러내며 맑은 눈을 빛내고 있었다.

둘 다 잘생긴 아빠를 보고 만족했는지 방긋거리며 웃는다. 난 퉁명스레 말했다.

"다행히 애들이 아빠가 마음에 드나 봐."

내가 하도 속으로 아델 욕을 해서 싫어하면 어쩔까 했는데 그거 하난 다행이었다.

"그래."

아델은 짤막하게 말하고 아이들을 훑어보더니 바로 내게 돌려주었다. 아이들은 곧 내 품에서 새근새근 잠들었고, 내가 잠들 때까지 곁을 지켜 주던 아델이 다정스레 속삭였던 게 기억이 난다.

"몸조리 잘해."

아주 짧은 평화였다. 왜 짧은 평화냐면 얼마 지나지 않아, 아델이 나와는 정말로 엄청나게 다른 인간이라는 걸 알게 되었기 때문이다.

물론 알고 있었지. 하지만 마음으로 깊이 느끼게 되었다고 해야 하나?

아델과 내 사이는 나쁘지 않다. 우리 사이엔 대화도 무척 많았다. 우리는 매일 밤마다, 식사 시간마다 함께 일과와 정책에 대해서 논하곤 했다.

내겐 대화 상대가 무척 적었다. 그야 난 칼리스에선 왕따였고 동등한 대화를 나눌 만한 사람도 아지스 아니면 아델뿐이었기 때문이다.

당연한 이야기겠지만, 아델은 아지스를 좋아하지 않았다. 내가 그와 얘기를 좀 할라치면 득달같이 사람을 보내서 훼방을 놓거나 그에게 일을 시켜서 어디론가 보내 버리곤 했다.

물론 나도 아지스를 딱히 좋아하는 건 아니지만 개똥도 약에 쓸려면 없다지 않은가. 아쉬우면 아쉬운 대로 말을 나눠야지 어쩌겠어!

어쨌든 아지스가 내키지 않으니 아델이 책임지고 나의 외로움을 해소해 주어야 했다. 그 방법이 대화였단 말이지.

본인도 싫어하진 않았다. 원래 말이 많은 편이 아니었던 아델도 점점 내게 속내를 드러내게 되었고 우리는 차츰 가까워졌다. 원래도 가깝긴 했지만, 막 친하진 않았달까 그런 거 있잖아.

우린 서로 다른 나라에서, 다른 가치관으로 살아왔고 실상 함께한 시간이 길지도 않았다. 우릴 한 자리에 있게 한 것은 오직

낯뜨겁게도 사랑 하나.

살아온 세월보다 더 많은 세월을 함께해야 하는 만큼 서로 대화를 많이 나누는 건 꼭 필요한 일이었다.

이름뿐인 왕비로 남아 있을 생각이 없었기에 난 아델을 통해 칼리스의 내정에 참여하기도 했다.

그런 와중에 예정에 없는 임신.

칼리스에서는 피임을 위해선 특별한 차를 마신다. 그러나 그날은 아델이 바쁘다기에 먼저 잠자리에 누운 터라 차를 마시는 걸 깜빡한 터였다.

아델은 밤늦게 들이닥쳤고 뭐, 그래서 한 번은 괜찮겠지 생각했던 게 결국…….

우리는 단 한 번도 육아에 대해서 제대로 이야기해 본 적이 없었다.

임신 중 들쑥날쑥한 내 기분을 아델은 열심히 맞췄고, 나는 나대로 제대로 아이를 낳을 수 있을지 걱정이었고…….

그래서 며칠 후 특별히 선별된 유모라는 여인이 나타나 내 아이들을 돌보겠다고 했을 때 난 심히 당황했다. 나는 바로 아델을 불렀고, 그와 꽤 격렬한 언쟁을 벌였다.

"왕족의 아이는 유모가 키워. 당연한 거잖아. 너는 고귀한 신분이고 왕비는 왕비의 소임을 다해야 하지. 육아처럼 번거롭고 하찮은 일에 직접 손대는 것은 격에 맞지 않아. 나 역시 어린 시절부터 유모의 손에서 자랐어."

그러니까 아델의 논리는 이것이다. 자신도 어머니가 별로 돌보지 않았다.

칼리스의 왕실이건 다른 나라건 고귀한 신분의 여인들은 직접 아이를 키우지 않는다. 유모에게 아이를 돌보게 하고, 시중인들을 부리며 감독할 뿐이다.

젖을 먹이는 것도, 아이를 씻기고 옷을 갈아입히고 배변을 처리하는 종류의 일들은 모두 유모가 한다.

사실상 왕비의 역할은 아이들과 종종 대화를 나누고 교육하는 것뿐이다.

"아이들과 시간을 많이 보내고 싶다면 말리진 않겠지만, 네가 직접 돌볼 필요는 없어."

아델이 딱 잘라 말했다. 당연하게도 난 그 말에 동의할 수 없었다.

"아이는 부모가 키우는 거야. 엄마만 키우는 것도 아니고, 너와 내가 함께."

좀 컸으면 모를까 태어난 지 얼마나 됐다고 벌써 유모한테 맡겨!

내가 힘들면 도움을 받을 순 있겠지만, 몸이 상한 것도 아니고 아주 쌩쌩하고 팔팔하구만!

근데 내 생각엔, 이거…….

"너는 아이 보기가 싫은 거니?"

아예 자신을 빼놓고 이야기하는데? 물론, 아델이 아이 보기를 좋아한다고 하면 그건 그 나름대로 이상할 것 같다. 아니, 이상한 정도가 아니라 아델이 죽을병에 걸렸나 의심할 정도다.

아무리 봐도 육아에 관심 있어 할 캐릭터는 아니었다. 자기 애를 보고도 시큰둥한 걸 보라.

"내가 아이를 왜 봐? 난 왕이야."

막상 아델이 당당하게 반문하니 할 말이 없어졌다. 왕이라는 그 단어는 비난과 설득의 여지를 쉽게 깔아뭉갠다.

역시 그렇구나. 이럴 때마다 그와 나 사이의 엄청난 괴리감을 느끼고 만다. 난 머리를 굴렸다. 도대체 뭐라고 말해야 알아들을까.

"그러면 넌 아빠로서 아무것도 하지 않겠다는 뜻이야?"

아델이라면 보일 만한 태도인 건 알고 있었지만, 좀 충격이기도 했다. 아델이 한숨을 쉬며 말했다.

"넌 나만 생각하면 돼. 넌 아이를 낳았고, 그걸로 왕비로서 네 역할은 다한 거야. 그 이상 신경 쓸 필요 없어."

"신경 쓸 필요 없다니! 내 배로 낳은 아이들이야. 엄마인 내가 아이를 돌보겠다는 게 어떻게 그렇게 돼?"

"내 말은, 그렇게 하지 말라는 거야."

"그건 무슨 소리야?"

"칼리스의 왕족들은 후계자 경쟁을 하지. 어차피 멀쩡히 왕위에 오를 수 있는 건 한 명뿐이니 정을 주지 않는 게 좋다는 소리다."

서로 싸우다 한쪽이 쓰러지고 말 아이들의 운명에 대한 암시에 가슴이 덜컹 내려앉는 것 같았다.

마음이 싸늘해졌다. 적어도 아이를 낳은 지 얼마 되지 않은 엄마가 들을 만한 말이 아닌 건 분명하다.

비록 몸은 다 나았지만 넌 지금 산모의 심적 안정을 해치고 있다고!

충격에 굳어 있는 내 손을 잡으며 아델이 단호하게 말했다.

"네 곁에 있는 건 나야. 그 아이들은 다섯 살이 되기 전에 후계 경쟁을 시작할 테지. 그러니 마음 주지 마."

이건 무슨 소리야! 자식들에게 마음을 주지 말라니. 이게 상식적인 일인가? 게다가 다섯 살이 되기 전에 후계 경쟁?

아델이 너무나 확신 서린 투로 말했기에 충격과 함께 혼란의 폭풍이 나를 후려쳤다.

세상에, 맙소사다. 칼리스에는 그간 꽤 적응이 되었다고 생각했지만, 그게 아니었다. 갈 길이 태산이었다.

아델과 결혼한 걸 후회했냐고? 칼리스로 시집온 걸 후회했냐고?

아니, 난 후회하지 않았다. 난 그렇게 나약하지 않다. 바꿀 수 있는 일이었다. 단지 좀 더 마음을 굳게 먹어야 할 뿐.

이 나라는, 이 왕실은 완전히 글러 먹었다. 내가 갈아엎어야겠어!

나는 아델의 손을 세차게 뿌리쳤다. 그리고 그만큼이나 힘을 주어 단호하게 말했다.

"아델, 분명히 말하겠지만, 아이들은 내 손으로 키울 거야. 유모가 날 도와주는 건 좋지만 그건 도움일 뿐이고, 너도 육아에는 참여해야 해."

아델의 눈썹이 치켜 들렸다.

"에스델, 그건 말도 안 돼. 억지가 심한데. 후계를 돌보는 건 왕의 일도, 하물며 남자의 일도 아니야."

내가 칼리스에서 살게 된 이후로 내 결정엔 마지못해서라도 따라 주었던 그였다. 이번만큼은 반항이 거셌다. 진짜 어처구니없다는 기색이었다.

칼리스는 특히나 보수적인 나라다. 여자도 왕이 될 수 있지만, 육아는 여인의 몫이며 귀족에게 있어선 고용인들의 몫이다.

보통 남자도 아니고 왕인 그가 애 보기를 해야 한다는 건 납득하지 못할 만하다.

하지만 그걸 일일이 이해해 줄 수는 없다. 지금은 충돌이 필요한 때다.

반대로 아델이 나를 이해해야 한다. 난 전생에도 부모님 아래에서 평범하게 보살핌 받으며 자란 아이들이 부러웠다. 그것을 내 아이들에게도 주고 싶었다.

난 검지를 세워 그를 향해 찌를 듯이 손가락질했다.

"왕의 일로 만들어! 그리고 난 그 후계 경쟁인지 뭔지도 애들한테 시키지 않을 거야."

하지만 아델은 다른 뜻으로 이해한 듯했다.

"후계자를 벌써 확정 짓겠단 소리야? 하긴 성별이 다르니까."

"그 애들이 경쟁한다면 그건 성인이 되고 나서일 거야! 그 전에 한 명이 다른 길을 찾을 수도 있겠지. 그리고 난 내 애들이 서로 중 하나를 고꾸라트려서 왕이 되려고 하도록 내버려 두지도 않을 거야. 나는 그 애들을 평범한 남매로 키울 거니까! 동생이 생기든 그렇지 않든 서로 진짜 평범한 남매처럼, 가족처럼 투닥 거리며 자랄 수 있도록. 알아듣겠어?"

"칼리스의 왕족은 그렇게 자라지 않아. 나 역시……."

"그래서 너는 어머니 품에서 떨어져 형제들과 후계 경쟁이니 뭐니 하면서 즐겁고 행복했니? 네 유년시절에 반짝이는 추억이 라도 있니?"

"네가 있었지."

응? 갑자기 로맨스야? 말문이 턱 막혔다. 갑자기 얼굴이 달아 오른다.

아델은 회상에 잠기듯 허공에 시선을 두었다. 곧 또렷한 눈빛 이 내게로 돌아왔다. 오만하고 자신감 넘치는 눈빛이다.

"확실히 쉬운 길은 아니었지. 허나 난 승리하여 왕이 되었다. 내 유년시절엔 충분한 가치가 있어."

털끝만큼도 아쉬움이 남지 않는 듯한 기색에 좀 질렸다. 좀 비인간적으로 보이기도 했다.

본인이 겪어야 했던 고난이 어떤 것이든 마음 두지 않는다. 상처로 남기지 않는다.

하여 아드라하트 블라스페미아 칼리스는 그토록 강인하다. 본인이 강인하기에, 누군가의 약함을 잘 이해하지 못한다. 그는 그래 본 적 없었으니까.

새삼스레 슬퍼졌다. 그것이 아델을 칼리스의 왕으로 만들었 다는 데 동의한다. 그는 아지스가 인정하여 따를 만큼 왕으로서

타고난 자다. 총명하고 강인하며 냉정하다.

하지만 잘못된 일이다. 애초에 아델은 그런 걸 견뎌선 안 됐다. 누구도 그래선 안 되는 것이다.

그건 꼭 나도 고난을 극복하고 이 자리에 올랐으니, 너희도 시련을 알아서 극복해야 한다고 하는 것 같지 않은가.

"그래, 나는 네가 이뤄 낸 것들을 인정해. 하지만 내 아이들까지 그런 삶을 살게 할 수는 없어. 그건 너무도 혹독한 일이야."

"칼리스의 왕족이라면 감수해야지. 그 애들은 성국에서 나고 자란 너와는 달라."

"누가 그걸 정했는데?"

"오래된 전통이야. 칼리스의 왕을 강하게 만든 전통."

"그렇다면 그 전통 이제부턴 없는 걸로 하자."

"에스델!"

"난 그렇게 하겠어. 난 왕비고 넌 왕이야. 그러니까 너도 그렇게 만들어!"

싫다고 말하면 에이레네도 아직 칼리스에 있겠다, 애들과 함께 보따리 싸 들고 성국으로 날라 버릴 기세로 난 선언했다. 그가 뭐라고 하든 물러나지 않을 참이다.

다만 내가 도망가는 것에 트라우마가 있는 아델이 질색하다 못해 화를 낼지도 몰라서 선포만은 참았다.

아델이 에이레네를 볼 때마다 눈이 날카로워지는 것도, 그녀가 오고 나서 부쩍 경비를 늘렸단 것도 알고 있다. 아지스가 자주 보이던걸?

난 뿌리친 그의 손을 다시 잡았다. 그리고 최대한 부드럽게, 달콤하게 들릴 만한 톤으로 말했다.

"나를 사랑한다며, 아델. 내 소원이야."

'난 널 위해서 성력도 성국도 버리고 여기 남아서 너와 결혼해서 살고 있는데 넌 이 사소한 소원도 못 들어줄 거야?'라는 뻔한 레퍼토리가 남아 있었다. 거기까지 주루룩 생각났다.

나는 호소하듯이 눈을 깜빡였다. 아델은 새까만 내 눈동자를 말없이 들여다보았다. 황홀한 금빛이었다가 이젠 평범해지고만 내 눈을.

그의 표정이 차츰 누그러지는 것을 난 똑똑히 보았다.

"……네 좋을 대로 해. 그렇게 명해 두지."

"정말?"

"뭐든 너 하고 싶은 대로 해."

신경질적으로 얼굴을 구기면서도, 아델은 자신의 말을 철회하지 않았다. 이번에도 내 승리였다.

하지만 난 그날 한 가지 사실을 깨달았다. 육아 문제조차도 마음대로 할 수 없을 정도로 내가 이 칼리스에서 아무런 권한도 가지고 있지 못하다는 거.

그때부터 나만의 전쟁의 시작이었다. 암암, 험난했지. 지금 생각하면 한숨이 절로 나온다.

무엇보다 어려웠던 건 아델에게 아빠로서의 의식을 심어 주는 일이었다.

나는 이미 아델을 변화시켰다. 그러니까 더 변할 수도 있지 않을까?

좋은 아빠까진 바라지도 않는다. 아델에게 그걸 바라는 건 에 베레스트 등반만큼이나 멀고 험한 길이야!

단지, 그에게 자식들을 아끼는 마음이 좀 있었으면 좋겠다. 부성애가 없다면 부성애를 만들어 줘야지!

애정은 함께하는 시간에서 싹튼다. 특히 아델은 자신이 수고 를 많이 들인 것에 가치를 높이 두는 편이었다.

난 그런 논리로 아델에게 기저귀를 가는 걸 시켰다. 절대 내 가 하기 싫어서 시킨 게 아니다.

아델은 왕이라 바빴다. 하지만 난 하루에 일정한 시간, 육아 에 힘을 쏟도록 아델을 설득시켰다. 그는 매일 그 시간 만큼은 아이들을 돌보아야 했다.

사실은 아이는 곁다리고 그냥 나와 함께 있는 시간이라고 편 하게 마음먹은 것 같기도 했다.

마침 그가 찾아왔을 때 우리 귀여운 아들이 기저귀에 똥을 싸 고 있었다.

구린내가 훅 풍기자 아델은 불쾌한 표정을 지으며 당장 유모 부터 부르려고 했다. 나는 아델을 붙잡고 기저귀 가는 법을 친 절하게 설명해 주었다.

"그걸 내가 왜 해? 유모는 장식인가?"

꼭 똥통을 청소하란 말을 들은 도련님 같은 표정인데? 단번 에 안면을 구기는 아델에게 난 조곤조곤 설명해 주었다.

"매번 하라는 게 아니야. 그래도 네가 같이 있는데 기저귀도

갈아 주고 해야 정이 들지."

"정 같은 건 필요 없어. 이런 걸 하다간 더러워서라도 있는 정도 떨어질 것 같은데."

"아델, 나 좋을 대로 하라며?"

그건 나 좋을 대로 아델을 움직이는 것도 포함이다. 아델은 진짜 싫은 기색이 완연한 표정으로, 결국 내 뜻에 따랐다. 나는 아델이 똥 기저귀를 가는 모습을 지켜보며 딸아이를 얼렀다.

"자, 자, 착하지?"

음, 역시 아델은 똑똑해. 설명을 조금만 해 줘도 저렇게 잘하잖아. 부려먹기 딱 좋다.

"기분이 어때? 깨끗해지니까 더 귀엽지 않아? 우리 아들."

다행히 착한 우리 아들은 아델이 제 기저귀를 가는 동안 버둥대지도 울지도 않았다. 아델 손에 오물이 묻었다간 난리 났을 걸?

아마 잘 보여야 할 사람을 본능적으로 알아본 모양이다. 칼리스인 특유의 생존 본능인가?

"내가 내 인생의 골칫거리를 칼리스에 들인 것 같은 기분이 드는데."

아델이 날 쳐다보며 중얼거렸다.

"그래서 골칫거리가 싫어?"

"내가 감수해야지."

아델의 한숨이 늘었다고 생각했다. 육아의 스트레스는 아이러니하게도 휴일이 아니면 하루 한 시간도 아기들을 보지 않는 아델이 받고 있다. 묘한걸.

아가들의 이름은 아리스와 안드레아로 지었다. 예쁘지 않아?

공평하게 딸 이름은 내가 짓고 아들 이름은 아델이 지었다. 물론, 아델이야 대충 책 같은 걸 뒤적여 적당한 이름을 붙여 준 것에 불과하지만, 남에게 안 맡긴 게 어디인가. 내가 직접 지으라고 하긴 했지.

"아델, 아가들한테 이름을 좀 불러 줘."

"그게 뭐가 중요해?"

"왕자와 왕녀이니 다른 사람들이 이름 부를 일이 없잖아. 우리가 열심히 불러 줘야 자기 이름을 제대로 알 거 아니야."

"난 그런 거 없이도 내 이름 정도는 알았어."

"빨리!"

아델은 항상 비협조적이었고, 내가 강하게 밀어붙이지 않으면 따르려고 하지도 않았다. 하지만 강하게 밀어붙이면 따랐다. 늘 그랬단 말이지.

다 그렇게 애처가가 되어 가는 거야. 적어도, 가정 내에서의 내 권한은 절대적이다.

몇 개월이 지났을 때 아델은 제법 숙련된 자세로 아가를 안아 들고 젖병을 물려 주었다. 그리고 자연스럽게 이름을 부르게 되었다.

"에드, 이리 와."

뽈뽈거리며 기운차게 바닥을 기어 다니는 아가를 키우는 개를 부르듯이 부른다는 게 좀 걸렸지만.

에드는 안드레아의 애칭이다. 아델은 여자아이에다가 비교적 날 더 닮은 아리스에게 좀 관대했다.

아리스한테는 귀찮은 사람 아기처럼 대한다면 에드한테는 강아지처럼 대한다는 정도가 다르달까.

뭐, 에드는 남자아이라 아주 활동적인 편이어서 한시도 눈을 뗄 수 없었지만, 아리스는 얌전했으니까 돌보기 편해서 그런지도 모르겠다.

아이들과 함께하는 시간이 늘면서 냉정하기 짝이 없는 아델의 마음도 느리게나마 바뀌어 가는 듯했다.

우리는 서서히 가족이란 형태를 갖춰 갔다. 젖병을 물리던 아기들을 각자 무릎에 앉혀 놓고 이유식을 먹이고, 함께 나들이를 나가는 그런 평범한 형태 말이다.

그 와중에 난 왕비로서의 권한을 좀 늘려 보겠다며 난리도 쳤고, 그걸 위해서 성국에서 파견된 사제들에게 임시적이지만 성 내에서의 직위를 내주기도 했다. 어쨌든 성국 사람들만큼은 확실한 내 사람이니까.

나는 칼리스에서 내가 할 수 있는 일을 열심히 찾았고, 찾아냈다.

특히 타국과 교류하는 외교에는 내 역할이 지대했다. 이제껏 칼리스의 외교는 겁박 플러스 협박으로 이루어졌기에.

맨날 군대를 들이밀고 무력시위하고 꼬우면 전쟁하자 식이니 무슨 기술이 필요하겠는가. 대화를 통해서 조정하며 서로에게 좋은 합의점을 찾아내는 일에 능한 자가 칼리스에서는 드물었다.

애초에 타국에선 칼리스와 평화협정을 맺었든 어쨌든 이야기 자체를 하고 싶어 하지 않았다.

하지만 그 외교 무대에 내가 나온다면 이야기가 다르지. 전직 성녀에 대한 호기심 반 믿음 반으로 다들 회담에 응했고 난 양자에게 좋은 무역협정을 몇 개 이끌어 냈다. 그중엔 야파 왕국과 맺은 것도 있었다.

이래서 평소 이미지가 중요한 법이다. 암암. 야파 왕국의 신왕 아라곤은 나를 보고,

"성녀님께서 이리 말솜씨가 좋으실 줄 몰랐습니다."

라고 말했다. 난 천만의 말씀이라며 후후 웃었다. 내가 야파를 방문했던 당시엔 신비주의 전략이라며 다른 이들과 말을 거의 나눈 적이 없단 말이지. 성녀보다 왕비는 덜 신비한 존재니까!

"칼리스의 왕비가 되실 줄도 몰랐지만요."

슬쩍 덧붙이는 얼굴이 미소를 담고 있었다. 아델이 미쳐 버린 부왕을 쳐 내고 왕위에 올랐다고 알려진 탓에, 생각보다 그는 칼리스에 원한을 품고 있지 않은 모양이었다.

우리는 서로의 앞날에 행운이 있기를 빌며 헤어졌다. 오랜만에 옛 인연을 만나게 되어 나도 기분이 좋았다.

외교관이란 걸 꿈꿔 본 적도 없는 내가 외교라니! 사실 내가 외교에 나선다고 하자 내부적으로 반발이 있었다.

내가 성녀였던 것도 문제지만, 이제껏 칼리스의 왕비는 허울

좋은 장신구 같은 존재. 직접 일선에 나선 적이 없는 것이다.

하지만 어쩌겠는가. 아델이 나를 전폭적으로 지지하는 것을. 지지할 수밖에 없었다고 하는 게 맞겠지만.

아델은 안타깝게도 거슬리게 굴면 다 쓸어 버린다는 폭군이라는 악명을 달고 있었다. 그리고 실제로도 그래도 된다고 생각하고 살았다. 그걸 말리는 건 내 몫이고 말이지.

공포정치까진 아니라도, 아델이 나를 지지하는 이상 반대의 목소리는 거세지 않았다. 무엇보다도 그가 벌인 일들의 성과가 좋았기에 다들 입을 달을 수밖에 없었다.

위에서 아래로 명령이 떨어지다 보니 일처리가 효율적인 건 말할 것도 없다. 이 나라에서 평등이라는 단어는 낯선 것이겠어!

아델이 점점 아빠다워지는 것과 마찬가지로 나도 점점 칼리스에서 내 자리를 확보해 가고 있었다. 당연하지! 자그마치 아이를 둘이나 낳은 왕비다. 자기들이 인정 안 하면 어쩌려고.

사실 좀 쉬엄쉬엄 아가들 보면서 느긋하게 살 수도 있었지만, 좀 아깝기도 했다.

성녀일 때 나는 바쁘게 살았다. 강제로 바쁘게 살았다고 해야 하나? 내게 주어진 의무며 배워야 할 지식이 한두 개가 아니었다. 이래 봬도 나라를 통치하는 교육을 받고 자란 몸이라고!

여태까지 배운 게 억울해서라도 뭔가를 해야 할 것 같았다. 운 좋게 잘 풀리기도 했지만.

"부지런히 사시는군요. 왕비가 되셨으니 호의호식하셔도 편하게 좋을 텐데."

아지스가 내게 한 말이 그것이었다. 난 가끔 나타나는 아지스한테도 똥기저귀를 갈게 시켰다. 그건 아델 못지않게 비인간적인 그에게 인간의 마음을 심어 주기 위해서가 아니었다. 괴롭히려고 그런 거다.

하지만 아지스는 오래 살아온 세월만큼이나 경험치가 높은 듯했다. 기저귀 갈면서도 싫은 기색 한 번 보이지 않았고 아기를 안고 어르는 솜씨가 보통이 아니었다.

아리스건 에드건 배알도 없이 그를 향해 방긋방긋 웃어 댔다.

"참 새로운 기분이군요. 인간이 아이를 낳아 기르는 것은 수도 없이 보아 왔습니다만."

그가 두 명의 아이를 유심히 들여다보며 속삭였다.

"변화의 증표라."

"알면 좀 예뻐해 줘. 혹시 뭐 축복 같은 거 내릴 거 없어?"

내가 별로 잠자는 숲속의 공주에서 갓 태어난 공주에게 내려졌던 요정의 축복 같은 걸 그에게 기대하지 않⋯⋯은 건 아니다.

부정의 부정은 긍정! 그 역시, 나름대로 신성한 존재잖아. 마법의 시초이자 화신.

그런 내 기대감을 싹 무시한 채 아지스는 의미심장한 미소로 화답했다.

"성녀님께서는 제가 예상했던 것보다 더 많은 변화를 세상에 가져다주십니다."

"그게 당신이 바라는 바였잖아?"

"그랬지요. 이대로 나아가시기를. 저는 성녀님에게서 얼마나 더 많은 변화가 초래될지 궁금합니다."

잘못된다고 해서 도와주지도 않을 거면서 뻔뻔하게 말도 잘한다. 나는 그에게 눈을 흘겼다.

결국 아지스는 내 아이들에게 아무것도 해 주지 않았다. 호위를 열심히 서 주겠다나? 그게 끝이었다. 쪼잔하긴.

육아 문제와 칼리스에서 자리 잡는 문제는 그렇게 일단락되었다. 물론, 그 후로도 아델과 내 사이엔 사소한 갈등과 이견이 있었다. 내가 새로운 시도를 벌였기 때문이다. 예컨대,

"이 성은 너무 칙칙해! 아이들이 자라기 좋게 예쁘고 화사하게 꾸며야겠어!"

라고 아가들이 갓 돌이 지난 어느 의지 넘치게 외친다거나. 아무리 생각해도 아델의 성격엔 이 칙칙하고 우중충한 배경이 영향을 많이 미친 것 같단 말이다.

이 이론에 일리가 있는 게, 칼리스 왕성 사람치고 밝은 사람은 드물었다. 다들 아델 눈치를 보지. 아델 눈치를 보느라 내 눈치도 보는 거고! 그리고 아델의 성격은 칙칙한 왕성 때문에⋯⋯ 순환 고리다.

전체적으로 칼리스의 왕성은 고풍스러운 맛은 있으나 어딘지 어두웠다. 오래된 조각과 유화 그림들, 채도 낮은 벽지로 치장되어 있었기 때문이다.

유령 나올 것 같아서 나도 혼자서는 밤에 못 돌아다니겠거든!

난 프로방스풍으로 왕성을 한번 화사하게 바꿔 보기로 했다.

"너, 도대체 뭘 하고 다니는 거야?"

내 계획에 대해서 건성으로 듣던 아델은 막상 공사를 시작하자 당혹스러움을 느끼는 듯했다.

파격적인 변화였다. 벽지는 화사한 노랑과 분홍과 연두색으로 바꾸고 가구도 하얀색이나 밝은 호두색으로 교체했다.

진한 적색의 카펫도 부드러운 주황색으로, 죽 늘어서서 사람 기죽이는 칙칙한 초상화도 죄 아름다운 풍경 그림으로 바꾸었다.

초상화는 나름대로 칼리스의 역사를 담고 있으니 버리지 않고 따로 초상화 복도를 만들어 놓기로 했다. 한군데 정도는 공포의 공간이 있어도 괜찮잖아?

아가들을 위해서 정원은 가우디풍으로 바꾸었다. 알록달록한 타일로 길이며 벽을 장식했고, 자그마한 집도 세웠다.

경비는 좀 많이 들었지만, 내가 사치스럽게 산 것도 아니고 이 정도는 써도 되겠지. 사는 집도 가끔 공사는 해 줘야 하는 법이다.

칼리스는 풍요로운 나라다. 별로 돈 쓰는 일도 없어서 왕실 재정도 넘쳤다. 칼리스의 좋은 점은, 명을 내리면 그대로 따르는 구조라는 거다. 즉 굉장히 효율이 높다는 뜻이다.

게다가 내 세상엔 없는 마법이란 것도 있어서, 일의 진척이 무척 빨랐다.

놀랍게도 마법의 힘은 과학보다 위대했다. 그 결과로 고작 며칠 만에 확 달라진 궁 안의 풍경은 아델을 포함한 칼리스 사람들을 모두 놀라게 했다.

오랜만에 왕성에 입성했다가 잘못 들어온 줄 알고 도로 나간 사람도 있었다고 한다.

아델이 인상을 꽉 썼다.

"내 성을 이런 식으로 알록달록하게 만들어 놓다니."

"시녀들은 좋아하던걸? 아이들도 좋아할 거야. 충분한 색채감이 정서교육에 좋은 거라고 그랬단 말이야."

"누가 그런 헛소리를."

"아이참, 그런 책이 있어!"

전생에서 읽었던 책이지만, 과학적으로 증명된 사실이라고! 물론 여긴 과학을 무시하는 마법이 존재하는 세계이지만 말이다.

이런 화사한 분위기에선 아무래도 찜찜한 음모 같은 건 꾸미지 못할 거야.

"그래도 이건 그만하지. 너 회의장과 내 집무실도 손댈 계획이라며."

"응, 내가 아주 일하기 좋은 환경으로 꾸며 보려고."

"거긴 안 돼! 온 성이 이래서는 은밀히 행동해야 하는 왕속 특무단원들이 공작새처럼 눈에 띄겠군."

누가 그렇게 새까만 제복을 입고 다니래? 허공에서 빨아들이는 블랙홀처럼 새까매서 밤에 마주치면 잘 보이지도 않는다. 무슨 암살자집단인 줄 알았다.

물론, 왕속 특무단이 하는 일엔 암살도 포함되어 있지만.

"그럼 왕속 특무단원들 제복도 좀 바꿔 볼까?"

난 기운차게 말했지만, 그것만은 실패로 돌아갔다. 다들 전생에 까마귀였는지 하얀 제복에 로망이 있었던 내가 하얀색을 밀어붙였지만 모두가 반대했기 때문에.

왕속 특무단은 칼리스 내에서의 엘리트 집단이다. 그건 즉, 내 말에 꼭 순순히 따르지는 않는다는 소리다. 일단 수장 격인 아지스부터가 반대했으니 뭐.

생각 외로 비용이 많이 들었기에 아이들이 주로 돌아다니는 정원과 내성의 우리 거처만 싹 바꿔 놓는 데 만족하기로 했다. 물론, 내 침실까지도 포함이다.

자기 침실보다 내 침실에 더 자주 드나드는 아델은 그것도 마음에 들어 하지 않았다.

"너 취향이……."

"왜, 예쁘지 않아?"

난 장미꽃과 치렁치렁 흘러내리는 하얀 레이스로 장식된 침대를 만족스럽게 쳐다봤다. 하얀 이불보엔 자잘한 장미가 수 놓여 있다. 이런 본격적인 소녀풍 한 번쯤 해 보고 싶었다.

성국에 있을 땐 성녀로서의 체면이 있지, 내 입으로 요구하긴 뭐했는데 여기선 왕비니까 뭐.

"그래, 아무래도 좋아. 하지만 이왕이면 네 몸에 이런 취향을 가져 보는 게 어때?"

아델이 내 등허리를 슬쩍 끌어안으며 말했다. 레이스 속옷이라도 입어 보라는 소리야? 너도 남자였군! 하긴 이제 애 아빠지.

너무 젊고 날카로운 느낌의 아델이라 가끔 우리가 이미 결혼한 사이라는 것도 깜빡 잊곤 한다.

"오늘은 괜찮겠지."

본의 아니게 장기간 금욕하느라 달아오른 듯 새파란 눈동자에 열기가 끓었다. 내 문제가 아니다. 아델이 바빴는걸.

물론, 그가 바쁜 이유 중 하나는 매일같이 꼬박꼬박 육아에 참여했기 때문이기도 하지만.

"그렇겠지?"

나는 살포시 웃었다. 가끔가다가 사랑한다고 말하긴 하지만, 말버릇은 냉담하기 그지없는 그다. 아델은 행동으로 보여 주는 타입이다. 특히 잠자리에서 말이지.

낮엔 대개 나한테 지지만, 아델은 밤이면 열정적인 연인이 되었다. 사랑받고 있다는 느낌을 한껏 느끼게 해 준다. 처음엔 부끄러웠지만, 차차 나도 관계에 익숙해지게 되었다.

그러나 막 아델이 내게 고개를 숙인 그 순간,

"으앙!"

우렁찬 울음이 고막을 때렸다. 아델의 미간이 구겨졌다. 쌍둥이다. 하나가 울면 다른 하나도 대개 따라 울었다.

난 아가들 둘이서 이중창을 펼치기 전에 아델을 뿌리치고 달려갔다.

"왜 그래, 왜 우니 아가?"

급히 에드를 안아 들며 아델 쪽을 돌아보니 짜증이 묻어나는 얼굴을 손바닥으로 쓸어내리고 있다.

"그러게 유모한테 맡기라니까!"

"그녀는 지금 부친상으로 휴가 중이란 말이야. 내일이나 올 거야. 우리 애들이 낯을 가려서 다른 사람은 잘 따르지 않는단 말이지. 그보다 우리 아리스를 좀 안아 줘. 울먹거리잖아."

곧 내 보챔에 따라서 아델은 아리스를 안아 들고 토닥였다. 이젠 숙련된 솜씨다. 여전히 표정은 불만으로 가득하지만.

"셋째는 낳지 않는 걸로 하자."

잠시 후 그의 입에서 튀어나온 말은 그것이었다. 더 이상 이런 상황을 감당할 수 없다는 분노 비슷한 게 느껴졌다.

"그럴까."

사실 나도 힘들었기에, 고개를 끄덕이게 되었다. 미래에는 어떻게 될지 모르겠지만, 지금은 우리 둘 다 좀 지쳐 있었다.

*

그렇게 6년이란 세월이 쏜살같이 흘러갔다. 아리스와 에드, 두 아이는 무럭무럭 자라나서 이젠 말도 제법 또랑또랑하게 하고 건강하게 잘 뛰어다니고 있다.

난 에드가 아델을 닮을 줄 알았다. 그러니까 성격적으로 말이다. 하지만 정작 아델을 닮은 쪽은 아리스였다.

에드에 비해서는 잘 울지 않는 편이었던 아리스는 고작 네 살밖에 되지 않았는데도 차분하고 어른스러운 소녀였다. 에드와 함께 있으면 어린아이 같지만 말이야.

나나 아델한테는 방긋거리며 웃어 주긴 하는데 왠지 부모에 대한 서비스 느낌이랄까. 착각이겠지?

에드는 그에 반하면 애굣덩어리로 볼에 뽀뽀도 하고 답삭답삭 안겼다. 아리스는 그런 에드를 종종 깔보는 듯한 눈초리로 봤다.

실제로 아리스가 먼저 태어나긴 했지? 칼리스에서 누나나 오빠라는 개념은 별로 강하지 않다.

두 아이가 성격이 전혀 다르니, 키우는 맛은 확실히 있었다. 둘 다 총명한 아이였다. 왕족이니 조금 앞선 교육을 받는데도, 선생들이 하나같이 감탄할 만큼 성취가 좋았다.

나중에 둘 다 왕이 되겠다고 다투면 어떡하지. 벌써부터 약간 고민이 된다.

하지만 최근 들어서 가장 고민이 되는 건 다른 문제였다. 아델이 이상하다. 그것도 무척.

난 고개를 갸웃거렸다. 요즘 부쩍 책을 들고 와 내게 읽어 달라고 보채던 우리 아가들은 모처럼 유모를 따라 정원으로 산책을 나갔다. 그 덕분에 좀 생각해 볼 시간이 생겼다.

"이 꽃다발."

난 화려하게 장식된 싱싱한 장미꽃다발을 의심스러운 눈초리로 응시했다.

오늘 아침, 아델이 가져다준 것이다. 의미는 없다. 왜냐하면 오늘은 아무리 생각해 봐도 아무 날도 아니었으니까.

만난 지 몇 년 된 날, 그런 것도 아니고 몇 일째, 그것도 아니고 우리 애들 기념일도 내 생일도 아니다. 내가 성국을 떠나온 기념일도 아닌데!

"왜 가져다준 거지?"

물론 아델은 종종 내게 선물을 보냈다. 타국에서 들어온 것이든 신하들이 공물로 바친 것이든.

하지만 아델은 꽃이나 새나 동물이나 뭐 그런 것들은 일절 쓸데없다고 생각하는 실용주의자였다.

강아지나 고양이를 길러 보고 싶다고 했더니, 또 그런 걸 돌보는 데 뺏길 시간이 있느냐며, 아이들이나 잘 기르라면서 면박을 줬다.

꽃다발을 제가 자청하여 선물한 적도 없다. 특별한 날일 때 누가 시켜서 형식적으로 준 거다. 애초에 선물이란 개념 자체가 뇌리에 잘 안 박혀 있는 인간이다.

"게다가 요새 나한테 좀 잘해 주고 있어."

찔리는 게 없으면 별로 잘해 주는 편은 아닌데. 내 말을 잘 듣는 것과 잘해 주는 건 좀 다르다. 묘하게 간질거리게 다정해졌달까.

요새는 애들도 잘 보고 뭐든 순순히 하고. 말투도 그렇고 뭔가 눈빛도. 귀신에 씐 것 같은 현상이었다. 난 이게 절대로 평범한 상황이라고 생각하지 않았다.

"혹시 바람을 피웠나?"

난 의심스럽게 생각했다. 바람난 남자가 죄책감에 아내한테

꽃다발을 전해 주는 건 흔한 경우잖아.

하지만 아델의 일과는 국무부터 육아까지 꽉 짜여 있다. 빈 곳에는 거의 내가 있었다. 하지만 마음만 먹으면 일과를 조작할 수도 있지! 그는 왕인걸.

칼리스의 왕들은 대대로 처첩을 들이는 걸 마다하지 않았다. 아델만 해도 배다른 형제가 수두룩하다.

딱히 왕비에게서 난 자식이라고 더 쳐주지 않은 걸 봐서도 칼리스에서 왕비의 위치는 무척 낮았다.

난 그걸 진작 알고 있었다. 그래서 '사람이 살다가 바람피울 수도 있지. 너도 왕이니, 첩을 들일 수 있고. 그러니 난 이혼은 안 할게. 대신 네가 바람피우면 나도 피울게!'라고 떠본 터였다.

칼리스에 나랑 바람피울 만한 상대가 있지도 않을 텐데도 아델은 그 말을 듣고 민감하게 반응하여 화를 냈다.

왜 그런 말을 하느냐, 너 혹시 다른 누가 눈에 들어왔느냐 라면서. 뭔가 순정을 의심당한 사내의 느낌에다가 질투까지 더해졌다.

하도 펄펄 화를 내고 의심하기에 진정시키느라 고생한 난 그 후로는 그 비슷한 이야기도 꺼내지 않았다.

"하지만 사람 마음은 바뀔 수 있지. 대체 뭘까."

나는 골몰하며 방안을 서성였다. 도통 생각나는 게 없다.

"그냥 대놓고 한 번 물어볼까."

고민 끝에 난 아델을 찾아갔다. 혼자 생각만 해선 답이 나오지 않는 문제였기에. 나이를 먹으니 추론에 머리를 쓰는 것도 귀찮아진다.

그리고 나는 그곳에서 뜻밖의 답을 얻게 되었다.

*

"무슨 일이지?"

난 회의장 앞에 도열한 병사들을 훑어보며 물었다.

"왕비 전하."

근위대장이 급히 고개를 숙였다. 저 검은색 일색의 복장. 상당수의 왕속 특무단이 병사들과 함께 주위를 지키고 있었다. 흡사 안에서 무슨 엄청난 일이라도 벌어지고 있는 것처럼. 비밀회담?

아델이 시시콜콜 제 일상에 대해서 말하기에 난 중요한 회의에 대해선 죄다 꿰고 있었다. 하지만 최근에는 별로 들은 게 없는데.

오늘 스케줄을 떠올려 보면……. 국무회의가 열려야 하지 않나?

그러나 그 회의에 이렇게 삼엄한 경비를 둔 적은 없다. 전에 반발하는 신하들을 숙청할 때 이런 모습을 본 적이 있었지만, 요새는 그럴 일도 없잖아. 다들 아델에게 잘 길들어져 있는걸.

"회의는 아닌 것 같구나."

"예, 오늘 있을 국무회의는 파하였습니다."

"그렇다면 누굴 만나고 있나?"

난 주변을 돌아보았다. 이 경비 태세, 느낌이 좀 이상하긴 해. 이렇게 바짝 곤두서서 문을 지킬 상대가 누가 있었나.

내 머릿속에 어떤 그림이 그려졌다. 칼리스에서 경계할 만한 상대라면, 아마도 성국의 누군가.

"성국에서 누군가 찾아온 건가?"

답을 찾아낸 난 반색했다. 아델을 항상 성국에서 누가 찾아오면 나한텐 말도 안 하고 자기 혼자 일단 만나고 봤다. 그런 다음에 내게 알려 주었다.

그냥 성국 사람들과 내가 엮이는 그 자체를 싫어하는 듯했다. 그에게 난 언제고 날개옷을 되찾으면 도망가 버릴 선녀처럼 생각되는 듯하다. 난 선녀가 아니고 성녀인데 말이야!

아이 둘로는 안심이 안 되는 걸까. 역시 셋을 낳아야.

"문을 열어 봐."

냉큼 명을 내리자 근위대장이 내게 푹 고개를 숙였다.

"폐하께옵서 아무도 들이지 말라고 명하셨습니다."

"그 명에 내가 포함된 적이 있던가?"

나는 당당하게 물었다. 아델은 왕이다. 하지만 칼리스에서 가장 높은 곳에 있는 그의 명은 항상 내게 만큼은 유효하지 않았다.

실제로 아델이 아무도 들이지 말라고 해서 날 안 들인 경비에게 융통성 없다고 벌을 내린 적도 있었다.

그리고 이런 부부간의 독특한 권력 관계를 성내 사람들도 다 인지하고 있다.

"그, 그것은 아니나 중요한 대화 중이신 듯하니 조금만 기다려 보심이."

경비대장이 쩔쩔매며 말했다.

"문을 열어 드리거라. 어차피 곧 알게 되실 것을."

등 뒤에서 들려온 말에 난 뒤를 돌아보았다.

"아지스?"

"왕비 전하께는 아마 반가운 소식이 기다리고 있을 겁니다. 어서 들어가 보시지요."

흥미롭다는 듯이 웃는 그를 보니 왠지 불길해진다.

하지만 성국 사람이라니! 성국을 떠나오고 6년간 간간이 공식적으로 방문하는 대사제들을 만났을 뿐, 성국에 가 본 적도 없는데.

물론, 가장 큰 이유는 어린 아가들을 두고 어딜 갈 수가 없었기 때문이지만.

그런 만큼 성국 사람들을 대할 때 내겐 그리움이 넘쳤다. 어린 시절부터 쭉 살아온 고향이 아닌가.

"내가 왔다고 알릴 것 없어."

입을 다물게 해 둔 뒤 나는 살금살금 안으로 발을 내디뎠다. 아델이 이 이유 때문에 요새 부쩍 다정해졌던 걸까?

원래 성국 쪽에선 칼리스에 방문하기 전에 방문하겠다고 깍듯하게 서신을 날리니까 말이야.

문 가까이 이르렀을 때, 안쪽에서는 나직한 음성이 오가고 있었다. 나는 귀를 쫑긋 기울였다.

"……그러니 서신으로 미리 말씀드렸듯, 성녀께서 성국으로 방문하시길 청하는 바입니다."

난 눈을 휘둥그레 떴다. 타이밍 좋게 딱 핵심적인 대화를 할 때 도착했나 보다. 성국으로 방문이라니!

막 들뜨려는 마음을 차가운 음성이 가라앉혔다.

"불가하다."

"폐하."

"그녀는 내 아내이며, 칼리스의 왕비인데 어떻게 칼리스를 벗어나 타지로 갈 수 있다고 생각하지?"

아델의 목소리에는 잔뜩 날이 서 있었다. 검날처럼 새파랗게 일어난 살의마저 느껴진다.

귀에 익은 목소리가 차분하게 반박했다.

"결혼 후 친정을 한 번도 찾지 못하는 것은 과한 처사 아닙니까. 그동안은 아이를 기르시느라 바쁘셨던 것은 압니다. 신탁이 내려졌습니다. 성녀께서도 부모 되시는 월신의 뜻을 따르고 싶으실 겁니다."

"그녀는 더 이상 성녀가 아니야! 언제 적 이야기를 하고 있지? 그녀에겐 그 잘난 성력이라곤 한 줌도 없는데."

저게 말을 막 하네? 난 눈썹을 치켜들었다. 내가 왜 성력을 잃었는데!

그러나 상대가 그의 말을 사이다처럼 찔러 들었다.

"그렇게 되신 이유를 기억하십니까?"

침묵이 떨어진 걸 보니 아델의 입이 조개처럼 다물린 듯했다.

340

그래, 네게도 양심이 있겠지.

"그런데도, 성녀께서 고향을 방문하시는 걸 불가하다고 말씀하시는 연유를 모르겠습니다."

부드러우나 제 할 말 다 하는 이 음성. 난 그가 누군지 알 것 같았다.

"그분께서 신전 가장 깊은 곳에서 인간의 몸을 빌리지 않고, 월신의 가호를 받으며 태어나신 이상, 언제까지나 성녀이십니다. 그건 변치 않는 사실이지요."

"그대의 말대로 에스델은 성녀이지만 내 아내고, 칼리스에서 왕비에 대한 처우를 결정할 수 있는 건 왕이다."

"성녀께서는 이 같은 사실을 알고 계십니까? 성녀께서 성국으로 방문하시길 원한다는 우리 쪽의 요청을 폐하께서 일방적으로 묵살하고 계신다는 것 말입니다."

첨예한 대립이었다. 기다릴 것 없이 난 바로 문을 열었다.

덜컹, 문이 열리고 모두가 날 돌아보았다. 난 활짝 웃었다.

"이제 알았어."

대화에 집중하느라 문 쪽의 기척을 전혀 의식하지 않았던 것 같다. 아델과 그와 대화하고 있던 대사제 지브리안이 놀란 채 내 쪽을 돌아봤다.

그리고 유일하게 당황하지 않고 나를 돌아보는 사람이 있었다.

"카마엘! 오랜만이야."

난 다른 누구보다도 먼저 그에게 아는 척했다. 내 결혼식 이후로 장장 5년만인가. 세상에, 다들 바짝 곤두서서 경비를 서고 있던 게 이해가 갔다.

성국 제일의 성기사 카마엘이 이곳에 있었다. 예전엔 왕도에 발을 들이지 못했던 그인데 칼리스와 성국의 관계가 많이 좋아진 덕에 그도 여기까지 올 수 있었던 것이다.

"오랜만에 뵙습니다, 성녀님."

고요하고 잠잠한 눈빛. 세월이 그저 스치고 지나가기만 한 것처럼 나를 응시하는 그 눈빛이 너무도 여전하여 격한 그리움을 불러일으켰다.

하마터면 와락 그를 끌어안을 뻔한 나는 급히 손을 내렸다. 이제는 유부녀이고 나이도 먹을 만큼 먹었는데, 어린 시절처럼 그를 답삭 끌어안을 수는 없는 법이다.

"지브리안도 오랜만이네."

"역시 저는 후순위로군요."

하하, 웃는 지브리안이 그리 기분 나빠 보이지는 않았다. 나는 짧은 해후를 누리고 지그시 아델에게 시선을 던졌다.

"밖에서 듣자니 재미있는 대화를 하고 있더라고. 너무나 흥미로운 이야기라 글쎄, 귀가 저절로 열리지 뭐야."

"역시 모르셨군요."

"전혀, 몰랐지. 카마엘이 왔으면 떠들썩해졌을 만도 한데, 다들 조용하더라고. 비밀리에 방문했나?"

"아니요, 성국의 깃발을 단 마차를 끌고 대낮에 방문했습니다만. 모르셨다면 그건, 폐하께서 입단속을 해 두었기 때문이겠지요."

그래, 그렇겠지. 어쩐지 오늘 아침 유모가 날 보며 우물쭈물하더라니. 아가들을 돌볼 테니 산책이라도 나가 보시라고 권한 건, 그들의 방문을 내가 눈치채기를 바랐던 건가. 역시 유모는 내 편!

"모든 내용을 확실히 들으셨는지 알 수 없어, 성녀님께 다시 한번 말씀드리겠습니다. 그래도 괜찮겠지요, 폐하?"

아델의 눈빛이 살벌해졌다. 그 노골적인 질문에 날 앞두고 차마 안 된다 말할 순 없는지 그는 침묵으로 답을 대신했다.

지브리안이 말을 이었다.

"성국에 최근, 신탁이 내렸습니다. 월신께서 말씀하시길, 성녀님께서 성국을 방문하셨으면 하신다고요. 그간 일 년에 한 번 정도 폐하께 그런 청을 드렸습니다만, 단칼에 거절당했었지요. 그 사실을 성녀님께 말씀드렸다간 성국인들의 왕도 출입을 금지하신다기에 그동안은 어쩔 수 없었습니다만."

그랬단 말이지? 난 아델에게 눈을 흘겼다. 그는 뻔뻔하게 나오기로 마음먹은 것인지 무표정한 낯으로 내 시선을 흘려버렸다.

"신탁이니, 이번만큼은 꼭 저희의 의사를 강력히 말씀드려야겠다고 생각하였습니다. 헌데, 폐하께선."

"아직 어린아이들이다. 아이들에겐 모후가 필요하니, 그들을 놓고 홀로 성국으로 떠나게 할 수 없는 건 당연하지 않나."

"두 분을 동반하는 쪽을 더 원한다고 말씀드렸습니다만. 월신께서도 성녀님이 낳으신 두 분을 보고 싶어 하십니다."

"그건 더더욱 안 될 말. 칼리스의 왕족, 그것도 내 후계자가
될 아이들을 모두 성국으로 보내다니? 있을 수 없는 일이다."

"성국의 성녀께오서 칼리스에 머물고 계신데, 무엇이 문제겠
습니까. 칼리스의 왕족이신 폐하께서도 어린 시절 성국에 남몰
래 발을 들인 적 있다고 들었습니다만, 그때 성녀님과 만나셨다
고요."

그때 제지하지 못한 게 천추의 한이라는 듯한 한기 서린 목소
리였다. 지브리안이 저런 목소리를 낼 줄 알았나!

"그때의 내가 겪었던 위험을 인지하고 있기에 내 아이들을 보
내는 것은 더욱 내키지 않는군. 더군다나 내겐 적이 많지. 내 아
내와 아이들을 칼리스 밖으로 내보내는 위험을 감당할 수는 없
어."

"그렇기에 성국 제일의 성기사가 직접 성녀님을 모시러 이 칼
리스를 찾은 것입니다."

"그대들은 이미 성녀인 그녀에게 많은 위험을 겪게 내버려 두
지 않았나? 도무지 믿음이 가지 않아."

"그 위험을 초래한 게 누군지 기억하고 하시는 말씀입니까?"

서로 말 속에 칼날을 품고 있었다. 점점 더 싸울 것 같은 분위
기가 되었다.

지브리안도 강경한걸. 정말로 이번엔 물러나지 않을 것 같
다. 하긴 신탁에 따르는 게 대사제의 직무이기도 하지.

사실 나도, 그들의 대화를 들은 순간부터 너무나도 성국에 가

고 싶었다. 성국이라, 그래 성국. 잊고 있었던 추억이 되살아나며 가슴이 두근거렸다.

너무도 그리웠다. 내 고향. 내게 행복한 유년시절을 주었던 곳.

이제 내 행복은 이곳에 있지만, 그렇다고 해서 과거가 퇴색되는 건 아니다.

다시 한번 성국의 땅을 밟고 싶었다. 월신님도 뵙고 신전의 향기를 느끼고 공기를 마시며 성국의 음식도 먹고. 또 예전에 거닐었던 거리도 걷고, 오랜만에 새벽별 레스토랑에도 가 보고……

내 아이들과 내가 나고 자랐던 그 모든 걸 나눌 수 있다면 얼마나 좋을까. 생각만 해도 마음이 풍선처럼 부풀어 오르는 것 같다.

난 손바닥을 짝 맞부딪치면서 말했다.

"지브리안, 카마엘, 잠시 자리를 비켜 주겠어? 내가 폐하와 나눌 이야기가 있어서."

나는 결심을 굳혔다. 진지하게 아델을 설득해 볼 참이었다.

"무슨 이야기 할지 알아. 숨긴 건 미안하지만 안 돼."

이게 선빵부터 날린다는 건가. 둘이서만 있게 되자 솔직하게 내뱉는다. 잠시 말문이 막혔다. 새로운 반격인걸? 난 슬며시 운을 떼었다.

"있지, 아델. 향수병이라는 말 알아?"

여기에도 그런 게 있다. 고향을 그리는 병. 난 그 병을 가져다 붙이기엔 너무 건강한 사람이지만. 더군다나 육아의 바쁨은 그리움을 잊게 하거든.

"난 성국이 그리워. 그래서 오랜만에 성국 사람들을 보게 되어서 기뻤어. 그들의 초청에 응하고 싶어."

네가 돌직구면 나도 돌직구다 이거야.

"월신께서는 나를 낳으신 부모님이시잖아. 이제 슬슬 내 아이들과 월신님을 만나 뵈어야 할 때도 되지 않았나?"

에이레네가 왔을 때 한 번 현신하시긴 했는데, 내가 임신이라는 특수한 상황이어서였다. 성국 밖에서 현신하는 건 월신께도 힘든 일이다. 마법 신의 영역인 칼리스에서는 더더욱.

그래서 그 이후로는 뵌 적이 없다. 장장 4년이란 시간 동안 말이다.

세상에! 이렇게 생각하니 정말 불효녀였잖아, 나? 월신 님은 실체가 없다. 그래서 편지를 주고받기도 영 그렇고, 따로 연락을 취하기가 곤란하단 말이지.

웬만하면 그냥 내버려 두셨을 텐데 신탁까지 내린 걸 보면 정말 나와 내 아이들이 궁금하셨나 보다. 전직 성녀로서, 자식 된 도리로서 거부할 수 없는 일이지.

난 의지에 찬 눈으로 내 앞에 놓인 산을 바라보았다. 성국에 가려면 이 장벽을 넘어야 하는데. 문제는 그 장벽이 좀 높다는 거였다.

"안 된다고 했어."

딱 부러지는 말투에선 여지가 느껴지지 않는다. 아델이 이렇게 강경하게 나온 적이 얼마 만이지?

"네가 성국에 가고 싶어 한다는 걸 모르는 게 아니야. 내 문제지. 난 네가 성국으로 떠나는 게 불안해. 그래서 그 불안을 감당하지 못하겠어."

난 나를 항상 승리하게 했던 마법의 말을 던져 보기로 했다.

"날 사랑한다면……."

"언제까지 그 말을 들먹일 거지?"

아델이 날카롭게 반응했다.

"내가 널 성국으로 보내지 않겠다고 말하면 난 널 사랑하지 않는 게 되는 건가?"

어어? 반격까지 하잖아! 많이 늘었어. 그건 아니지. 아니지만!

"아니, 날 믿지 못하는 게 되는 거지. 넌 날 칼리스의 왕비가 아니라 언제고 기회만 되면 성국으로 도망쳐 버릴 포로로 생각하는 거고."

내가 언제 억지로 붙잡혀 있었지? 지금이라도 도망갈 수 있는데……. 아니, 지금은 성력이 없어서 안 된다.

게다가 우리 결혼은 예사 결혼이 아니라고. 사랑으로 맺어졌든 어쨌든 간에 두 나라의 결합이며 평화의 증표다. 내가 멋대로 도망갔다간 평화협정이고 뭐고 전쟁이 나 버릴 거야. 왠지 말하면서 부아가 났다.

"아직도, 뭘 두려워하니. 아델, 너는 6년 전에 내게 말했어. 성국으로 돌아가라고."

"그건."

"그렇게 말한 적도 있었으면서 오랜만에 잠깐 방문하는 건데 뭘 그렇게 불안해해?"

"······너는 몰라."

"뭘 모르는데?"

"나는 아직도 네가 내 곁에 있는 게 현실감이 나지 않아. 나는 종종 이게 꿈 같아. 그래서 그 꿈이 깨질까 봐. 네가 가서 마음이 바뀔까 봐 불안해."

자신의 약한 속내를 드러내는 아델을 보자 나 역시 흔들렸다. 죄책감이 일었다. 내가 이런 아델을 두고 꼭 가야 하나, 그런 생각.

하지만 흔들려선 안 된다. 여기서 물러났다간 난 언제 성국에 다시 방문할 수 있을지 모른다.

사실 아무리 내가 칼리스의 왕비라지만 성녀 출신인데 성국에 6년 동안 한 번도 가지 못했다는 게 말이 돼?

난 손을 뻗어 아델의 고개를 잡아 붙들었다. 그리고 눈을 맞추며 말했다.

"그렇다면 평생을 불안에 떨기보단 네 불안을 시험해 봐. 내가 정말로 돌아오지 않을지."

"에스텔."

"너는 불명확한 것을 싫어했잖아. 이게 네 언제까지 이어질지 모르는 의미 없는 불안을 깔끔히 잊을 방법이야. 내 자리는 이제 성국이 아닌, 이곳 칼리스야. 난 다시 네 곁으로 돌아올 거고, 언제든 그럴 거라는 거. 네가 깨닫길 바라."

나는 어루만지듯이 다정하게 속삭였다. 남들 앞에서는 위압적인 왕이지만, 아델은 내게 만큼은 여전히 어린애 같은 구석을 드러낸다. 남자는 나이를 먹어도 애라더니.

아델은 미약하게나마 누그러진 기색으로 내 손을 떼어 냈다.

"나는 내 손 닿는 밖으로 널 내보내는 게 싫어. 바깥엔 많은 위험이 있어."

"나는 성국 제일의 성기사의 호위를 받으며 곧장 성국으로 향할 거고, 성국은 내게 안전한 곳이야. 내 아이들에게도."

"분명히 말하지만, 난 그자가 마음에 안 들어."

미간을 찌푸리며 아델이 말했다. 난 허리춤에 손을 짚으며 장난스레 눈을 부라렸다.

"카마엘이 어디가 어때서. 그라면 우리 아이들을 정말로 잘 지켜 줄 거라고."

카마엘은 누군가를 지키는 데는 이 세상 누구보다도 믿을 만한 자이다. 그건 부인 못 하겠는지 마음에 안 든단 표정이면서도 반박하진 않는다.

"그렇지, 정 내가 불안하면 아이들을 생각해! 우리에겐 함께 기르고 칼리스에서 나고 자란 아이들이 있어. 그러니 아이들과 같이 가면 내가 돌아오지 않을 거라는 걱정은 하지 않아도 좋아. 아이들이 아빠를 찾을 테니까! 네가 그동안 열심히 돌봐 온 덕이지."

코빼기도 비치지 않는 아빠보단 놀아 주고 돌봐 주는 아빠가 당연히 더 좋을 수밖에 없다.

거의 대부분 내 강요에서 비롯된 거긴 하지만, 아델은 아빠로서 제 역할을 해 줬다. 그래서 아이들은 아빠, 아빠 거리면서 아델을 퍽 잘 따랐다.

예쁘고 착한 내 아이들은 머리도 좋아서 제 아빠한테 잘 보여야 한다는 걸 본능적으로 체득하고 있는 것 같기도 하다. 나보다 아델을 향해서 애교를 더 많이 떨거든!

"꼭 가야겠어?"

한숨과 함께 반쯤 넘어간 듯한 아델이 물었다. 6년 전에 비하자면 그도 많이 변했다.

내가 저주를 풀어 주겠다며 칼리스로 왔을 때만 해도 바늘 끝도 안 들어갈 것처럼 굴더니, 이젠 좀 대화가 먹힌다.

함께 살아온 세월이 그에게도 확실히 영향을 미치고 있는걸. 왠지 뿌듯하다.

"네가 데리러 오는 것도 좋겠다. 너도 오랜만에 성국에 방문하면 좋을 것 같아."

이미 가서 한 몇 주 정도 있다 돌아올 계획을 머릿속으로 후루룩 짰거든. 나야 그렇다 치고 왕인 아델까지 칼리스를 그렇게 장시간 비울 수는 없는 노릇이다.

음, 가능할 것도 같긴 한데 저 일 중독자는 성국에서 그렇게 팽팽 놀았다간 좀이 쑤실 거다.

"휴가를 즐긴다고 생각해, 그동안 육아는 안 해도 되잖아?"

놀랍게도 그 말에, 아델은 완전히 혹한 것 같았다. 나를 향한 독점욕과 불안보다도 더한 게 육아에서 벗어나고픈 마음이란 말이야?

세상에, 뭔가 안쓰럽다고 해야 하나.

하긴 아델도 나와 떨어져 있으면 당분간 자유다. 이제껏 생각도 살아온 환경도 다 다른 나에게 맞춰 주고 사느라 힘들었을 테지.

그렇다고 내가 떠난 사이 왕성을 내가 꾸며 놓기 이전으로 원상 복구 시켜 놓으면 곤란하지만 말이야!

마침내 아델의 입이 열렸다.

"좋아, 하지만 오래는 안 돼."

"3주!"

"2주일로 하자. 그걸 생각하고 부른 거지?"

아델이 깔끔하게 정해 주자 난 배시시 웃었다. 웃는 건 웃는 거고 진이 다 빠졌다. 어휴, 힘겨웠어. 목이 다 아프단 말이지.

"그럼 결정된 거다!"

엄포를 놓고 난 다음, 나는 우리를 기다리고 있던 지브리안과 카마엘에게 성국 방문이 결정되었다고 행복하게 말할 수 있었다.

*

"뭘 가져가야 하지?"

정말로 오랜만에, 본격적인 여행길에 오르게 되니 감회가 새롭고 낯설었다. 나 혼자 몸으로 가는 것도 아니라, 아이들 둘과 함께다.

웬만한 건 성국에 다 있겠지만, 긴장감에 난 짐을 점검하고 또 점검했다.

맞다 선물도 사가야지! 어떤 게 좋을까. 아무리 평화협정을 맺은 지 세월이 좀 지났다곤 해도 뚜렷하게 칼리스의 특색이 드러난 물건을 좋아하진 않을 테지.

난 심혈을 기울여 선물을 골랐다. 어디 보자 에이레네한테는 최고급 베일이 좋겠고, 아리안느한테는 채찍⋯⋯? 슬며시 생각하며 난 피식 웃었다.

그녀에겐 잘 어울리는 물건일 테지만, 선물로는 좀 아니잖아. 내가 기분 좋아 보이자, 아이들도 덩달아 들뜨는 듯했다.

"성국은 어떤 곳이에요?"

평소엔 차분한 편인 아리스가 말갛게 눈을 빛내며 물었고, 에드도 내 치맛자락에 달라붙으며 가세했다.

"신난다! 여행이야."

둘 다 기대감에 가득 차서 초롱초롱 눈을 빛냈다. 소풍 가는 느낌일까? 그간 왕도 인근을 벗어난 적이 없었던 터였다. 아이들이 너무 어려서 멀리 갈 엄두도 내지 못했다.

이젠 제법 빨빨거리고 돌아다니니, 거기서도 돌아다닐 체력은 될 거다.

"성국은 내가 나고 자란 곳이란다. 하얀 성벽에 둘러싸인, 아름답고 정갈한 도시지. 신을 섬기는 곳답게 성스러운 분위기가 물씬 풍겨. 성국에서 어린 시절 난 너희 아빠를 만났지."

"엄마는 월신의 소생이라고 들었어요. 그럼 우리는 신의 후손인 건가?"

어디서 들었는지 호기심 가득한 얼굴로 물어 오는 아리스에게, 나는 다정하게 일러 주었다.

"엄마는 평범한 인간이야. 하지만 이 몸은 월신께서 내리신 것이 맞단다. 가서 혹시 월신을 뵈게 되면 꼭 '할머니'라고 불러야 해."

할머니라고 부르는 걸 싫어하셨지? 분명히 기억하고 있다. 후후. 오랜만에 만난 김에 이런 식으로 장난 좀 쳐도 괜찮겠지.

아리스가 눈을 동그랗게 떴다.

"월신을 뵌다고요?"

내 영향을 받고 자란 아이들은 칼리스 인임에도 성국이나 월신에 대해서 나쁘게 생각하지 않았다. 오히려 호기심도 흥미도 있었다.

아직은 어리기에 성력이 발현되지 않았을지도 모르겠다. 이번 방문을 통해서 성력이 발현될지도?

칼리스의 왕족에게 성력이 생긴다는 건 어떤 의미가 될까. 나는 길게 고민하지 않았다. 바쁘거든! 출발할 때까지 성내에서 내 할 일들을 마무리해 두어야 하니까. 한동안 자리를 비우잖아.

아델이 떠맡을 일이 좀 많아질 테지만, '난 선물을 사 오면 되겠지!' 하고 마음을 편히 먹었다.

출발일은 내일이었다. 아델과 이야기를 나눈 후로, 쇠뿔도 단

김에 빼앗겼다고 사흘 만에 출발하기로 합의를 봤다. 나도 아델이 말을 바꿀까 봐 서둘렀고 말이다.

지브리안과 카마엘을 필두로 성국에서 보내온 병력이 왕도 인근에 머물고 있다. 칼리스에서도 호위 병력을 구성하여 따를 테니 위험은 적다고 보아도 좋았다.

서로 다툴 위험은 좀 있지만, 설마 그러겠어? 몇 년 전만 해도 박 터지게 싸웠던 사이다. 사이가 좋기는 어려웠다.

하지만 점점 나아지고 있으니, 내 아이들 대에는 굳이 협정에 대해서 이야기 꺼내지 않을 만큼 평화롭게 공존하게 될 터였다.

*

다음 날, 나는 아이들과 떠날 채비를 마치고 아델과 마주하고 있었다. 우리 가족만의 시간이다.

"잘 다녀와."

가라앉은 기색으로 그가 내 손을 잡아 주었다. 손에 잔뜩 힘이 들어간 게, 진짜 보내기 싫은가 보다. 나는 어디까지나 화사한 미소로 화답했다.

"그래, 시간은 금방 지나갈 거야. 그동안 너무 무리해서 일에 몰두하지 말고."

뚫어지게 내게 꽂힌 시선이 아이들은 안중에도 없는 것 같기에, 난 치맛자락에 달라붙은 아이들 둘을 떠밀며 말했다.

"2주간 못 볼 건데, 우리 애들 한 번은 안아 줘야지."

아델은 성가시단 듯이 팔을 뻗어 두 아이를 끌어안았다. 잠깐 들어 올렸다가 내려 주자 아이들이 쉴 새 없이 재잘댄다.

"아빠, 안녕히 계세요."

"아빠, 아빠도 같이 가면 좋을 텐데."

"바보, 에드. 아빠는 칼리스의 왕이잖아. 성국에서 그렇게 오래 머무를 수 없다고."

성국에 가면 반길 사람 하나 없을 뿐만 아니라 칼리스의 왕이 성국에 2주나 머문다는 건 그 자체로 좀 문제 같은데. 애들은 아직 모르겠지?

"누가 바보야!"

"네가."

"이게?"

오늘따라 새침하게 구는 아리스와 에드가 말다툼을 벌였다. 평소에는 잘 싸우지 않는데 첫 여행길에 둘 다 흥분했나 보다.

"그만."

딱 잘라서 다툼을 중지시킨 아델이 훈계하듯 말했다.

"시끄럽게 굴지 말고, 가서 엄마 말 잘 들어."

"네, 아빠."

"네, 아빠."

이 타이밍이 완벽하게 일치하는 군대식 이중창이라니. 이게 상냥한 엄마와 엄한 아빠의 표본인 걸까. 아델이 뭐라고 말하면, 각이 딱 잡혀서 바로 고개를 끄덕인다.

기분이 미묘해졌다. 내 말은 그렇게 잘 듣지 않는데 말이지!

나, 만만히 보이는 건가? 아니야. 더 친근하게 생각하는 거겠지!

사실 호칭도 그렇다. 처음에 아델은 자기가 아빠라고 불리는 것에 대해서 굉장히 낯설게 여기는 듯했다.

자긴 한 번도 그런 식으로 부모님을 불러 본 적이 없다는 거다. 왕이란 자식에게라도 그런 식으로 가볍게 불려서는 안 되는 존재라고 주장했다. 참 딱딱하단 말이지.

하지만 난 그 호칭이 중요하다고 봤다. '폐하'라고 자길 부르는 자식보단 '아빠'라고 부르는 자식이 더 친근감이 있을 게 아닌가.

아니, 기준이 일관되어야지 난 아이들한테 엄마 소리 듣고 아델은 폐하 소리 들으면 그건 또 뭐냐는 말이야. 내가 꼭 아델보다 낮은 거 같잖아!

그렇다고 별로 애들한테 왕비 전하 소리 듣고 싶진 않다고. 나이가 들면 내 아이들은 자연스레 아델을 폐하라고 칭하게 될 거다.

하지만 아이들이 어릴 때에는 어머님 아버님까지 갈 것도 없이 아빠, 엄마라고 아이다운 호칭으로 부르게 하기로 타협을 봤다. 굉장히 소소하면서도 중대한 타협이었다.

"에스델."

아델이 내게로 고개를 기울여 이마에 입을 맞추었다. 콧등을 따라 내려온 입술이 양 뺨을 가볍게 찍고 입술에 내려앉았다.

부드러운 입맞춤이 열기를 띠려는 찰나, 나는 슬며시 그를 밀어냈다.

"다녀올게."

애들 앞에서 엄마 아빠가 지나치게 사이 좋은 모습을 보이는 건 정서적으로 소외감을 불러일으킬 수 있다고!

그보단 두 눈 말똥말똥 뜨고 쳐다보는 아이들 앞에서 왠지 민망해진다.

좀 기분이 가라앉아 보이기에 어젯밤에도 내내 같이 있었는데 열정이 식을 일 없다는 건 아델에게 어울리는 표현이다.

"잘 다녀와."

아쉬운 듯 말하면서 아델은 우리를 보내 주었다. 붙잡고 싶어질 테니까, 마차에 타는 것까진 보지 않겠다고 한다.

나참, 내가 무슨 유학 가는 것도 아니고 유난이다 싶으면서도 잠깐이나마 홀로 남겨질 아델을 생각하니 마음이 아리다. 나도 참 감성적이란 말이야.

"준비는 끝나셨습니까."

별 표식 없는 하얀 마차가 우리를 기다리고 있었다. 호위를 포함하여 상당한 규모의 일행이 될 테니, 우리의 성국 행을 숨기려는 목적은 아니다.

그냥 모양새의 문제였다. 아무리 칼리스의 왕족들과 함께라고 해도, 성녀가 칼리스의 왕실 문장이 새겨진 마차를 타고 성국을 방문하는 건 좀 아니니까.

숨기진 않더라도 대외적으로 떠벌리지도 않을 거다. 공식적인 요청으로 방문하는 것이라곤 하나, 이건 사적인 방문이기도 하다. 왕비가 친정에 가는 것이니까.

뭐 가는 김에 겸사겸사 공적인 일을 더 붙일 수 있지. 나는 칼리스의 외교도 담당하고 있으니 말이야.

"그래, 지브리안."

나는 미소로 화답하며, 다른 한 명 쪽을 곁눈질했다. 카마엘. 오늘도 비상한 존재감을 과시하며 서 있는 그를 보니 입가에 절로 미소를 떠오른다.

아델의 눈치를 보느라 제대로 대화를 나누지도 못했는데, 이래 봬도 그는 내 약혼자였잖아?

말수가 적은 카마엘과도 나눌 이야기는 무궁무진하게 많았다. 나는 카마엘의 처소에 드나드는 유일한 사람이었다고!

그도 함께 마차를 탔으면 좋겠지만 호위인 이상 말을 탈 모양이다. 아쉽게!

"누구야?"

"예쁘다. 반짝반짝해."

아리스와 에드도 누구 자식 아니랄까 봐 둘 다 홀린 듯한 눈으로 카마엘을 쳐다보고 있었다. 왠지 뿌듯하다. 벌써 성국의 자랑을 선보이는 느낌이랄까.

"카마엘은 성국 제일의 성기사야. 그는……."

카마엘의 활약상에 대해서 신나서 이야기하려던 난 아차 하고 입을 꾹 다물었다.

성국을 침략해오는 칼리스를 상대로 무자비한 검을 보여 주며 은빛 사신으로 불렸다는 이야기를 하는 건 좀 아니잖아?

내 아이들이 칼리스인이라는 걸 까먹을 뻔했다. 그것도 자그마치 칼리스의 왕족!

로미오와 줄리엣이 멀쩡히 결혼했다면 자신의 자식들에게 서로의 가문에 대해서 어떻게 이야기했을지 새삼 궁금해지는 시점이었다.

"그는?"

아리스가 드물게 끈질긴 호기심을 드러내자 나는 순발력을 발휘했다.

"어린 시절부터 엄마와 함께했단다. 그는 항상 내 곁에서 나를 지켜 주었지."

"와, 멋져!"

아리스가 손을 모으고 그를 쳐다보았다. 카마엘은 초롱초롱한 시선을 받고도 여전히 무표정했다.

"마차에 오르시지요."

그의 미성이 떨어지자, 아이들은 서둘러 마차에 올라탔다.

이거, 이거 안 되겠어. 우리 애들 날 닮았나 봐! 그러니 카마엘에게 약한 게 틀림없다.

"오랜만에 만났는데 성국에서는 느긋하게 이야기를 나눌 수 있었으면 좋겠어."

아이들을 따라 마차에 타기 전, 나는 웃으며 넌지시 말을 건넸다. 카마엘을 보면, 처녀 시절로 돌아간 기분이 든다.

내가 성녀이고 그가 나의 기사였던 그때. 카마엘이 가볍게 고개를 끄덕였다.

"그럴 기회가 있을 겁니다."

왕족을 태운 마차답게 바닥이며 벽은 푹신했다. 흔들림이 적을 테지만, 오랜만에 여행길이라 멀미를 방지하기 위해서 마법약을 먹었다. 쓰다고 투덜거리는 아이들에게도 먹이며 그걸 먹어야 속이 메스껍지 않다며 달랬다.

마차 안에서 서로의 토 냄새를 맡게 될지도 모른다는 적나라한 내 말에 아이들은 서로를 질색하고 쳐다보며 고개를 끄덕거렸다.

마차 문 앞에서 듣고 있던 지브리안이 하하 웃었다.

"그런 의미에서 저는 다른 마차를 타고 갈 겁니다."

"응? 왜."

별생각 없이 내뱉은 나는 불현듯 먼 기억을 끄집어 올렸다.

"아아…… 지브리안 아직도야?"

열여섯 살 때 그와 함께 성국을 떠나 여행을 간 적이 있었다. 아마 신성교국과의 비밀회담 때였지?

그때도 지브리안은 멀미로 무척 고생을 했다. 좀 냄새가 나서 나도 괴로웠지. 칼리스까지 오는 것도 힘들었을 텐데, 그로서는 참 어려운 걸음을 했다 싶다.

"체질은 불변인가 봅니다."

멋쩍게 웃는 그를 보니 급격히 안쓰러워졌다. 나는 그에게 멀미약을 내밀었으나, 지브리안이 손사래를 쳤다.

"제가 먹으면 마법약이 성력과 충돌할 겁니다."

"그렇……겠지?"

"저는 괜찮습니다. 부디, 즐거운 여행길 되시기를."

나는 홀로 지옥을 겪고 있을 테니. 그렇게 말하는 듯한 어두운 얼굴이었다.

지브리안은 곧장 마차 문을 닫고 자리를 떴다.

칼리스인을 성국에 들이는 건 성국 쪽에서 내켜 하지 않는다. 게다가 이쪽에서도 성국에 머물길 원하는 사람들이 적었다. 그 때문에 유모나 아이들을 돌봐 줄 시녀를 따로 데려가지 않기로 했다.

그건 즉, 내가 혼자 이 네 살배기 아이들을 돌봐야 한단 말이지. 성국에 도착하면 에이레네가 봐줄 테지만.

"아이고, 두야."

지브리안한테 아이도 좀 보게 하고, 재미있게 이야기도 나누면서 가려던 계획이 틀어졌다.

이 쾌활하고 기운 좋은 네 살배기들을 나 홀로 돌보면서 가야 한다니. 유모에 대한 의존도가 높았던 난 좀 막막해졌다.

휴가를 떠난다고 생각했는데, 무척 피곤해질 것 같은 느낌이다.

하지만 걱정은 걱정으로 끝났다. 달라지는 창밖 풍경을 보며 신나서 떠들던 아이들이 두 시간이 채 지나지 않아 곯아떨어졌기 때문에.

아무래도 흔들리는 마차에 탄 채로 긴 여행을 하는 것만으로도 체력이 금방 닳는 모양이다.

쏟아지는 질문에 대답해 주기 바빴던 나도 아이들에게 담요를 덮어 주고 조용히 눈을 감았다. 그동안 떠날 준비를 위해서 며칠 분주하게 다녔던 것이, 피로로 화하여 쏟아졌다.

그러나 가슴 한편에는 설레는 마음이 여전히 남아 있었다. 6년 만에 방문하는 성국은 어떤 모습일까.

예전 그대로이면 좋겠다 싶으면서도 새롭고 낯설어졌다면 그건 그대로도 좋을 것 같단 생각도 들었다.

막연한 설렘 속에서 난 슬며시 미소 지었다. 성국까지 줄곧 이렇게 평화롭고 순탄한 여행이 되기를 바라면서. 그리고 내 바람처럼 되어 갔던 것 같다.

*

나는 내가 칼리스에 갇혀 살고 있다곤 추호도 생각지 않는다. 하지만 평생 내가 갖지 못한, 자유라는 것을 여행을 통해서 느낄 수 있다는 게 참 좋았다.

맑게 흘러드는 바람, 새로운 공기. 새로운 풍경. 칼리스를 떠난다는 건 내게 그런 것을 의미했다. 어차피 성국에 살 때도 몇 번 나와 보지 못했으니까!

임무니 뭐니 어린 시절에 실컷 싸돌아다녀 본 아델은 내 이런 심정을 이해 못 할 거다. 물론 그야 스스로를 지킬 힘이 있지만, 성력을 잃은 나는 나 자신을 지킬 수 없지!

애 엄마라지만 이 미모에 길거리에서 위험에 처하지 않기는 어려운 법!

아무래도 자유로워지려면 다시 태어나야 하나 보다. 또다시 태어나면 이제 몇 년을 살아야 하는 걸까. 유년기만 3번이라니 그것도 나름대로 끔찍한데.

낯선 잠자리도, 장시간 마차 여행도 아이들이 잘 참아 주어서 우리는 순탄하게 성국 근처에까지 이르렀다. 오는 길엔, 이상한 일도 있었지만 말이다.

한참을 달린 마차가 잠시 풍경 좋은 길가에 머물러서 서 있을 때였다. 나는 칼리스에서 준비해 온 다과류를 소풍 나온 것처럼 아이들과 나눠 먹고 있었다.

"엄마, 저길 봐요!"

저 멀리, 나무가 우거진 숲 위로 우뚝 솟은 절벽이 보였다. 그리고 그 위에 서 있는 한 사람. 눈처럼 흰 옷자락이 눈에 띄었다.

낮이 아니었으면 유령을 본 줄 알고 등골이 오싹했을 거다.

"이런 데 왜 사람이 있지?"

창을 내다보며 호기심을 드러내는 아이들에게 화답하듯 등을 보이고 있던 그 사람이 돌아섰다.

그러나 태양을 등지고 역광으로 선 모습은 뒷모습과 다르지 않다. 아무것도 분간가는 것 없이, 그저 눈부시게 하얗기만 하다.

하나 알 수 있었던 건, 그 사람이 이쪽을 보고 있다는 것. 갑자기 나타난 마차와 행렬에 관심이 갔을지도 모른다.

문득 깊게 드리운 후드 속에서 찔러 드는 듯한 그 눈빛이 어쩐지 낯익다고 생각했다.

창문 옆에 카마엘이 다가와 서 있었다. 경계하는 기색이 엿보인다. 나는 그를 향해 물었다.

"카마엘, 누군지 알겠어?"

질문을 잘못했다고 생각했다. '뭐 하는 사람 같아?'라거나, '위험해 보여?'라고 물었어야 했는데. 조금 후에야, 느릿하게 대답이 튀어나왔다.

"……글쎄요."

그답지 않게 불분명한 말. 모르면 모른다고 할 텐데, 기분이 묘해진다.

"확인해 보고 오겠습니다."

그러나 말릴 새도 없이 자리를 박차고 튀어 나간 카마엘이 절벽에 이르기 전, 그는 그 자리에서 씻은 듯이 사라졌다고 한다.

이토록 많은 사람이 봤으니 환각일 리는 없는데, 그건 대체 뭐였을까.

"요정일 거야."

아이답게 에드가 동화적인 가설을 내놓았고, 아리스는 좀 더 현실적인 가설을 세웠다.

"숲지기 아니었을까?"

"숲지기가 왜 하얀 옷을 입고 있어?"

"그럼 요정이 왜 하얀 옷을 입고 있어?"

둘은 그걸 계기로 한참 동안 서로 이기기 위한 말다툼을 시작했다.

나는 그 옆에서 하얀 옷의 사람이 사라진 절벽을 한동안 응시하고 있었다. 성력이 사라진 몸. 이젠 내게 예지력조차 남아 있지 않다.

하지만 미심쩍으면서도 어렴풋이 짐작 가는 구석이 있었다. 설마, 그게 얼마나 오래된 일인데. 내 앞에 다시 나타날 이유가 없는 사람인데. 예측할 수 없는 상대이긴 해도.

"목적이 있다면 다시 내 앞에 나타나겠지."

이제 곧 성국이다. 그때까지 아무 일 없기를. 나는 손을 뻗어 빽 소리 지를 기미를 보이는 두 아이를 보듬어 안았다.

*

내겐 트라우마가 있었다. 성녀 시절, 성국 밖으로 나갔다가 험난한 귀환을 한 적이 몇 번 있었거든. 아이러니하게도 내게 그 험난함을 겪게 한 나라에서 살고 있지만 말이다.

평화협정을 맺었다곤 하나 원한을 많이 산 칼리스의 왕족들. 나 혼자면 괜찮은데 혹시 내 아이들에게 충격이 될 만한 일이 생길까 봐 걱정했었다.

안전은 당연히 걱정 안 했다. 내겐 카마엘이 있으니까!

내겐 항상 믿음직한 그이지만, 카마엘을 처음 본 내 아이들도 카마엘을 좋아했다. 자고로 아름다운 걸 싫어하는 사람은 없는 법이다.

내가 아이들과 카마엘을 나란히 놓고 서로를 소개해 준 이후로, 아니 아마 처음부터 그랬던 것 같지만 아이들은 카마엘을 잘 따랐다. 아주 말을 걸지 못해서 안달이었다.

"카마엘!"

제 아빠나 나 말고는 새침데기인 아리스가 카마엘한테는 팔을 벌리고 그의 다리를 붙잡는 걸 보고 좀 놀랐다. 그녀를 상대해 줄 만한 지브리안은 멀미로 인해 여행 내내 없는 사람이었다.

카마엘은 어떻게 해야 할지 모르겠는지 대답을 구하듯 내 쪽을 쳐다봤다.

옛날에 내가 그렇게 하면 얼른 안아 들어 줬으면서, 그새 감이 죽었나?

"안아 달라는 거야."

"나도!"

내가 말하자 에드도 달려가 팔을 벌린다. 카마엘은 내 쪽을 지그시 바라보다가 결국 양팔로 아이들을 안아 들었다.

꺄르르 웃으며 좋아하는 에드와 아리스를 보자니 내 자식이구나 하는 생각이 든다. 나도 저 나이 땐 카마엘에게 저랬거든.

"귀찮아도 좀 안고 있어 줘. 아리스와 에드는 카마엘이 좋나봐."

"예."

뭔가 미묘한 기색으로 카마엘은 그 자리에 미동도 없이 아이들을 안고 서 있었다. 성국에서도 그래 본 일이 거의 없으니, 어색하게 느껴지는 듯하다. 불현듯 깨달았다.

아아 그렇구나. 카마엘은 성국에서조차도 누군가를 안아 들어 본 적이 없다. 나를 제외하고는.

감히 성국 제일의 성기사에게 그런 걸 요구할 수도 없을뿐더러 요구한다고 한들 카마엘이라면 무시해 버렸을 거다. 저래 봬도 냉정한 편이니까.

나는 예외였다. 그리고 내 아이들은 카마엘에게 있어서 내가 아니라는 거다. 나는 성녀이고, 그렇기에 카마엘에게 가까이 갈 수 있었던 유일한 사람.

슬픈 걸까 기쁜 걸까 좀 복잡한 기분이다.

그는 인간이 아닌 요정이니 외로움을 느끼지 않겠지. 괜히 내가 여우를 길들여 놓고 제 별로 돌아가 버린 어린 왕자가 되어 버린 기분이랄까.

"머리카락이 너무 예쁘다."

아리스가 카마엘의 흘러내린 머리카락을 어루만졌다. 카마엘을 가까이서 빤히 들여다보던 에드가 해맑게 말했다.

"카마엘은 우리 엄마보다 예쁜 것 같아요."

나도 모르게 안면이 떨렸다. 극심한 배신감이 몰아쳤다.

아들 녀석 키워 봤자 쓸모없다더니! 어떻게 날 앞에 두고 그런 소릴 할 수가 있어! 네 살이면 아직 엄마가 세상에서 제일 예쁘다고 말할 나이잖아.

"에드, 그런 건 안 들리게 말해야지."

아리스가 내 눈치를 슬쩍 살피며 속삭였다. 하지만 내가 성녀가 아니게 되고도 잃지 않은 게 있다면 비상한 청각과 시각이다.

안 들리게 말하라니! 그건 사실이기는 하다는 거잖아.

아이들은 솔직하다. 나도 내심 인정하고는 있었지만, 다른 사람도 아니고 하필 내 아이들이 그런 말을 할 줄은 몰랐다.

그러나 어쩌겠는가? 사실을 말했다고 쥐어박을 수도 없고. 나는 애써 상냥한 미소를 지어내며 말했다.

"카마엘은 성기사란다. 예쁘다느니, 그런 소리를 하면 못써."

아름답다는 올바른 표현이 있다고 말해 줄까 하다가 관뒀다. 내 아이들이 카마엘 미모 칭송단을 결성하는 걸 바라진 않으니까! 아이들은 고개를 끄덕거렸다.

"네에."

"그리고 카마엘은 계속 우리의 안전을 신경 쓰느라 피곤하단다. 이젠 마차에 들어가야지?"

난 카마엘에게서 아이들을 떼어 내어 마차로 밀어 넣었다. 이건 절대 심술이 아니라고!

"성녀님을 닮았습니다."

아이들에게서 해방된 카마엘이 나에게 한 말이 그것이었다. 뭐가? 안아 달라고 팔부터 벌리고 보는 막무가내인 점이?

"내 아이들이니까?"

"그렇군요."

대단히 납득이 간다는 듯한 기색이었다. 카마엘의 무표정한 얼굴에서 미묘한 차이를 꿰뚫어 보는 건 어려운 일이다. 내 감이 죽지는 않았군.

어린 시절부터 그의 속내를 알고 싶어서, 관찰하다 보니 익은 것이다. 그땐 카마엘이 내 세상에서 지분이 참 높았지.

그와 결혼하겠다고 찬란한 미래를 그린 적도 있었는데, 역시 삶은 생각대로 안 된다.

아델한테 불만이 있는 건 아니고, 아니 없는 것도 아니지만 뭐……. 범 같은 남편 만나서 토끼 같은 아이들을 낳고 살고 있으니 만족이랄까.

난 생긋 웃으며 가볍게 그와 악수를 나누었다.

"앞으로 당분간 내 아이들 잘 부탁해. 그냥 좀 안아 주고, 정 귀찮으면 바쁘다고 하고 도망치면 돼."

"익히 경험해 본 일이 다시 시작되는 것 같군요."

알아들었으면서도 난 부러 귀를 쫑긋대며 물었다.

"응? 뭐라고?"

"……아닙니다."

너무 사랑을 받아서 곤란한 우리 카마엘에겐 이게 별로 스트레스를 받는 다거나 넘기기 어려운 고난은 아닐 거다. 나는 그렇게 가볍게 생각하기로 했다.

그러나 마차가 출발하고 아리스가 한 말에,

"엄마, 왕녀는 기사님과 결혼하는 거래요."

창틀에 팔꿈치를 얹고 있던 난 일순 미끄러질 뻔했다.

"……어디서 그래?"

"책에서요. 책 많이 읽었는데."

이따 만큼이라고 팔을 벌려 보이며 아리스가 진지하게 강조했다. 눈빛이 참 초롱초롱하다.

역시, 내 딸. 날 닮아서 눈도 맑지! 아니, 이게 아니라…….

"왕자와 결혼하는 거 아니고?"

"왕자는 에드 같은 거잖아요! 그런 거랑 결혼하기 싫어요."

"내가 뭐."

에드가 볼을 부풀렸다. 에드 같은 거라니! 내 아들이 어디가 어때서. 내 눈엔 귀엽기만 한데. 정말 질색하는 듯한 표정에 기분이 좀 묘해졌다.

"네 아빠도 왕자였는걸?"

"아빠랑 결혼할 때 아빤 왕이었잖아요."

왕자와 왕의 차이를 아는 똑똑한 네 살배기다.

"아빠는 잘생겼지만 쌀쌀맞고 엄마만 좋아하는걸요. 그리고 너무 바빠."

난 좀 놀랐다. 알고 있었구나. 그렇게 뻔히 보였나.

아델은 이제 거의 숙련된 조교처럼 아이들을 돌볼 줄 알았다. 하지만 눈빛이라거나 말씨라는 건 교정하기 힘든 거거든.

그 딱딱하고 의무적인 말투. 몸에 밴 냉기는 나를 향할 때면 기묘하게도 누그러지지만 내가 없을 때의 그는 그렇지 않다고 들었다.

"카마엘도 쌀쌀맞잖아. 그도 바쁘단다."

사실 별로 안 바쁘단 건 알고 있다. 그러니 어린 시절의 나와 놀아 줬지.

성국은 평화롭고 평화로운 성국에서 성기사인 그가 바쁠 일은 별로 없다. 훈련, 순찰, 교육, 행사 참여 같은 것들은 그가 일상적으로 하는 것들이라…….

꽤 길게 보내는 여가 시간엔 특별히 하는 일이 없는 걸로 안다. 그가 유흥을 즐기는 것도 아니잖아? 정말 건실한 성기사지.

이렇게 생각하니 왠지 일등 신랑감 같은걸? 그러니 내가 그를 탐냈던 것이지만. 내 딸도 눈이 있구나.

"카마엘은 기사잖아요."

아리스는 그걸로 모든 게 답이 된다는 듯이 말했다.

기사라는 게 그렇게 중요한 거였니? 뭐 마왕한테 납치된 공주를 구한 기사 로맨스물이라도 읽었나? 칼리스로 돌아가면 아이들 서재를 뒤져 봐야겠다.

"그는 보통 기사가 아니라 성기사잖니."

성기사라서 이상형에 더 부합하는 건가! 마왕과 싸우기엔 성기사가 제격이니까.

아무리 머리를 팽팽 굴려 봐도 카마엘과 내 딸이라니, 그건 좀 아닌 듯한데. 카마엘이 내 사위라니, 맙소사!

게다가 칼리스의 왕녀와 성국 제일의 성기사 카마엘이라. 그 구도는 뭔가 성녀와 칼리스의 왕이라는 아델과 내 결합 이상의 반감을 가져다줄 것으로 보였다. 카마엘은 성국의 아이돌이기도 한걸.

넌 일단 카마엘과 종이 다르다고! 그리고 마음이 통해야지. 카마엘은 너한테 관심도 없단다, 내 딸아.

"성기사는 결혼 못 해요?"

"그건 아니지만."

헛된 꿈을 미리 깨 주는 게 좋은 걸까. 아니면 꿈을 지켜 주는 게 좋은 걸까.

난 잠깐 아리스를 위해서 어떤 게 좋을지 고민했다. 내가 고민하는 사이 에드가 콧방귀를 끼며 입을 열었다.

"네가 카마엘이랑? 그건 좀 아닌데."

"뭐가 아닌데."

"네가 카마엘 옆에 있으면 그, 그……"

에드는 필사의 표현을 끄집어냈다.

"꽃에 붙은 나방 같을 거야! 못난이야."

"누가 못난이야, 멍청아!"

"누가 멍청이야, 못난이야!"

티격태격 싸우기 시작한 아이들을 말리면서 난 한숨을 돌릴 수 있었다. 카마엘에 대한 아리스의 관심이 당장은 돌려질 수 있어서 다행이었다.

아무리 조숙한 아이라지만, 어린애가 벌써 카마엘을! 근데 그마저도 나를 똑 닮아서, 난 유전자의 마법에 으스스 몸을 떨어야 했다.

*

부지런히 달린 마차는 이변 없이 성국에 도착했다. 난 성국에 도착할 때쯤 생각에 잠겨야 했다.

오는 데 사흘하고도 반나절이 걸렸다. 그러면 그 시간은 2주에 포함인가? 거기까진 아델과 정하지 않았다.

난 편하게 결론짓기로 했다. 당연히 아니지! 어떻게 온 성국인데 왕복 일주일을 빼고 계산해! 오는 것만 빼는 거도 안 된다.

자그마치 6년 만에 도착한 성국이다. 이왕 친정에 왔으면 느긋하게 즐기고 가는 게 맞았다. 정 늦어진다 싶으면 아델이 알아서 데리러 오겠지.

하지만 아델은 오해의 제왕. 또 어떤 식으로 땅을 팔지 몰랐다. 2주가 되는 시점에 도착하도록 편지를 보내 놓을 생각이었다.

가장 중대한 문제를 결론짓고 나니 그제야 성국의 풍경이 눈에 들어왔다. 가까이서 보이는 새하얀 성벽은 밤에 빛나는 달의 흰 표면만큼이나 아름다웠다.

"신비로워요."

"멋있다."

연신 감탄을 토해내는 쌍둥이와 함께 난 마치 처음 이곳에 온 것처럼 넋을 빼고 성스러운 기운으로 가득한 하얀 성벽을 바라보았다.

눈이 아릿했다. 가슴 속 깊은 곳에서 잊고 있었던 그리움이 밀려 올라왔다.

내가 사랑하는, 성녀로 자라났던 나라. 내 안에 가라앉아 있었더라도, 깊이 새겨진 추억은 사라질 길이 없는 것이다.

지금의 행복과 안정이 과거를 퇴색시키는 것은 아니었다. 지금의 나를 만들었던 그 모든 게 이곳에서 여전히 빛을 발하고 있었다.

"······어서 들어가자."

나는 잠긴 목소리로 말했다. 감회와 기대감, 기쁨에 고루 젖어 마차가 성문을 통과하기를 기다렸다.

정갈한 거리를 지나, 마침내 신전에 다다라 내려섰을 때, 내게로 달려오는 여인을 보았다.

"성녀님!"

평소 몸에 배어 있던 예의와 기품은 온데간데없었다. 내가 성녀답게 되도록 교육했던 건 그녀인데 정작 그녀의 그런 모습을 보니까 웃음도 나오질 않는다.

난 왈칵 올라오는 감정을 누르며 미소로 그녀를 맞았다.

"에이레네."

"성국에서 성녀님을 뵙게 될 줄은······."

그녀는 차마 말을 잇지 못했다. 날 만나러 대사제 중 유일하게 일 년에 한 번 칼리스에 찾아와 주는 그녀다.

그때마다 그녀는 손님이었고, 나는 그녀를 맞는 입장이었다. 하지만 반대가 되고 나니 새로운 기분이 드는 건 어쩔 수 없다.

원래는 우리 둘 다 이곳에 있었는데······.

따뜻하게 손을 잡아 오는 그녀에게 나는 바로 아이들을 인사시켰다.

"알고 있지? 아리스, 에드."

"안녕하세요! 에이레네."

약간 긴가민가한 눈빛이다. 아이들이 에이레네를 보는 건, 일

년에 한 번 정도다.

아이들의 기억은 오래가지 않는다. 칼리스에 머무는 기간은 길어 봐야 일주일. 완벽하게 새기기엔 짧은 시간이다. 어렴풋한 기억 속에만 남아 있을 것이다.

"많이들 크셨군요."

"그래, 마지막으로 봤던 게 작년 이맘때였지."

"성녀님은 여전하세요."

"에이레네도 그래."

이건 칭찬이었다. 에이레네는 여전히 온화한 아름다움을 품고 있었고, 그녀의 젊음은 그녀의 수명이 다해 성력을 잃을 때까지 유지될 것이다.

한 오 년쯤 지나면 내가 에이레네보다 나이가 들어 보일지도 모르겠어! 그건 좀 슬픈걸.

성녀인 나는 성력 덕분에 젊음을 계속 유지할 수 있었다. 하지만 유지는커녕 충분히 성숙해지기도 전에 성력을 잃고 나이를 먹었다.

난 외관상 성국을 떠났을 때보다 성숙해졌다. 그게 자연스럽게 어른이 되어 가 성숙해진 건지, 노화의 징조인지는 알 수 없다.

뭐, 이왕이면 젊고 예쁜 게 좋겠지만 아델과 오순도순 늙어 가는 것도 나쁘진 않다. 아델이 호호할아범이 되었을 때 나만 쌩하니 젊다면 그것도 또 안 어울릴 거다.

하지만 아델에게도 마력이 있으니 노화가 더디게 진행될 텐데, 나만 폭삭 늙는 것도 그랬다.

원조교제도 아니고 내가 할머니가 되었을 때, 아델은 젊은 청년의 모습이라니 세상에! 조금 걱정이다. 이건 월신님을 뵙게 되면 여쭈어봐야겠어.

예와 격식을 갖춘 공식적인 방문이 아니고, 안전을 위해서 우리가 온다는 걸 떠들썩하게 알리지도 않았다. 성국이 목전에 보이는 순간부터 호위 병력도 다 떼어 놓고 왔는걸.

다들 하는 일이 있으니 천천히 만나 볼 셈으로 기별을 따로 보내라 하지 않았다. 그래서 도착하자마자 지브리안이 다른 이들을 부르러 안으로 들어갔다.

에이레네는 창밖의 마차를 보고 달려 나온 듯했다. 두 번째로 나온 건 아리안느였다.

"성녀님, 오셨군요!"

빠르게 달리다가 속도가 줄어든다. 머쓱하게 코를 긁으며 다가서는 여인의 붉은 머리가 강렬했다.

장난을 많이 치는 에드는 그녀를 보고 본능적으로 움찔거렸다. 그래, 에드가 이곳 성국에서 자라났다면 그녀에게 무던히도 혼났을 거다. 어린이들의 천적을 알아보는 거지.

"아리안느, 오랜만이야."

"정말로, 오랜만이에요. 하마터면 성녀님을 잊어버릴 뻔했어요."

내 검은 눈동자에 익숙지 않은 듯, 흠칫하긴 했으나 그녀는 곧 웃으며 다가왔다.

그녀에게 칼리스는 방문하기 힘든 곳이었다. 칼리스에 포로로 사로잡힌 적이 있었던 그녀로서는 꺼려질 터.

게다가 아리안느라면 수틀리면 싸움을 벌일지도 모른다. 이제 막 평화라는 단어를 받아들이기 시작한 칼리스와 성국 사이를 파탄 낼 가능성이 있었다.

그걸 잘 아는 다른 대사제들이 그녀를 칼리스로 보낼 리 만무하다.

"내 아이들이야. 성국에 머무는 동안, 잘 보살펴 줬으면 해. 잘!"

"곱게 키우시나 보군요."

"사고 쳐도 폭력은 안 돼, 알았지?"

성녀인 내 머리통도 가끔 쥐어박을 듯이 굴었던 그녀였다. 내가 아닌 내 자식들이라면, 정말로 쥐어박을지도 모르겠다. 일단 그녀가 싫어하는 칼리스인이잖아.

"아무렴요. 대사제인 제가 칼리스의 왕족들을 핍박했다간 전쟁이 날지도 모르잖아요?"

아리안느는 장난스레 웃으며 맞받아쳤다. 그간 좀 유해진 듯도 한데 나와 오랜만에 만나서 그런 걸 수도 있었다.

두 아이 중 사고 칠 가능성이 높은 건 에드인데, 태어나서 처음으로 볼기짝을 맞는 건 아닐지 모르겠다.

아이들은 새로 만나는 이들이 신기한지, 연신 눈을 빛내며 인사하기 바빴다.

이어 지브리안이 아스타 대사제와 집행신관장 아레스를 데리고 나왔다.

"성녀님을 뵙습니다."

"참으로 오랜만에 성국을 찾으셨군요."

고위직 중에서 가장 감성이 빈약한 이 두 남자가 얼굴에 감회를 드러내며 말할 정도라니. 내가 얼마나 그간 성국에 무심했는지 알겠다. 가슴이 따끔거린다. 양심이.

이래 봬도 명색이 성녀였고 신의 자식인데 말이야. 하지만 다 버리고 떠났는데도, 이곳은 여전히 편하게 나를 맞아들인다. 내 집인 것처럼.

그래, 복잡하게 생각할 것 없어. 칼리스의 왕성도 내 집이고 성국도 내 집이지 뭐. 집이 두 개면 어때!

나는 이번에도 여전히 아이들을 소개하느라 바빴다. 좀 근엄하지만 잘생기고 예쁜 대사제들에게 아리스와 에드는 금방 호감을 가지는 듯했다.

그래 성국이야말로 꽃밭이 따로 없지. 내가 이런 데서 살아왔다고!

나야 다행히 아델을 만났지만, 내 아이들 둘 다 어릴 때부터 너무 눈이 높아지면 안 될 텐데 큰일이다.

쓸데없는 걱정에 잠기는 내게 독려의 말이 날아왔다.

"2주간 머무르시게 되었다고 들었습니다. 부디 편히 쉬다 가시길."

"먼저 무엇을 하시고 싶으십니까?"

대사제 아스타의 그 질문엔, 나는 바로 대답할 수 있었다.

"월신을 뵈어야지. 내 기도실로 가겠어."

나는 그대로 성녀 시절, 홀로 기도를 드린다는 명목으로 틀어박혔다가 공간이동으로 카마엘에게 놀러 가곤 했던 바로 그 기도실을 찾았다.

아이들은 연신 주변을 두리번거리며 나를 따랐다. 호기심 때문에 길을 이탈할 뻔한 에드의 손을 꼭 붙잡고 기도실에 발을 들였다.

"이곳은 여전히 잘 관리되고 있구나."

"성녀님이 쓰시던 곳인 걸요. 언제고 다시 찾게 되실 날을 기다렸지요. 성녀님이 쓰시던 방도 정리해 두었으니 그대로 머물면 되세요."

함께 온 에이레네가 은은한 미소를 띠며 말했다.

월신께서는 아마도, 내가 성국에 발을 들이기 전부터 내 존재를 느끼셨을 거라고 생각한다. 이곳은 그분의 성역이니까.

"함께 들어가시겠어요?"

나는 잠시 고민했다. 내 두 아이를 소개할까 했는데 정신이 산만해서 대화에 방해가 될 것 같거든.

어차피 성국에 입성한 이상 내 아이들을 언제 어디서든 똑똑히 보실 수 있을 테고.

"아니, 오랜만에 뵙는 거니까 홀로 조용히 인사드렸으면 좋겠어."

"왕자님과 왕녀님은 제가 모시고 갈게요. 함께 다과를 즐기고 있겠습니다."

"그래 줘, 고마워 에이레네."

두 아이에게 에이레네의 말을 잘 들으라고 당부한 뒤, 나는 문을 닫았다.

물이 얕게 깔린 기도실 안에는 깊은 고요가 스며 있었다. 나는 그 고요를 만끽하며 느릿하게 돌다리를 건넜다.

빛이 쏟아지는 자리에 앉아 정신을 집중하자마자 눈앞이 하얗게 변했다. 이처럼 빨리 접신에 성공한 적은 드문데, 나 역시도 정말 월신을 만나 뵙고 싶단 염원이 강했나 보다.

[에스델 세라피아.]

"그 이름을 그렇게 불러 주시는 건 당신뿐이세요."

당신이 주신 이름이시니. 아델은 에스델이라고 뚝 잘라서 앞에만 부른다. 나는 생긋 웃었다.

"불효녀를 용서해 주세요."

[너답지 않은 말투며 태도구나.]

"이제 두 아이 엄마이며 일국의 왕비인 걸요. 성숙해질 때도 되었잖아요."

[성녀란 자리도 그 두 가지보다 덜하지 않은 자리인데, 어찌 진작 깨우치지 못했는지 의문스럽구나.]

"아이참, 모처럼 예의를 갖추는데 대충 넘어가 주시면 안 돼요?"

나직한 웃음이 울려 퍼졌다.

[사람은 쉽게 변하지 않는 법이지. 그리고 항상 너는 내게 어린 딸이란다.]

"손녀가 아니고요? 할머니. 제가 자식을 보았으니 이젠 증조할머니가 되시겠네요."

딱! 이마에 따끔한 통증이 느껴졌다.

"아야! 오라고 해 놓고 때리시기예요?"

[행복하게 사는 것 같기에 내버려 두려고 했건만, 그대로 뒀다간 언제 성국에 올지 몰라서 불렀다. 네가 비록 성력을 잃었으나 내게서 난 성녀임은 변치 않는데, 어찌 그리 무심하더냐.]

"……죄송해요."

그 점에 있어선 사실이라 퍽 할 말이 없다. 칼리스에서 자리를 잡고, 예기치 못하게 생긴 아이들을 낳아 돌보고, 아델과도 삶의 방식을 맞춰 가고.

6년이 어떻게 지났는지도 모르게 쏜살같이 흘러갔지만, 그게 한 번도 성국을 찾을 생각을 하지 않은 것에 변명이 되던가.

난 배시시 웃으며 말했다.

"제 아이들 보셨지요? 어때요, 손주 보신 소감이."

[너와 네 남편을 빼닮은 어여쁜 아이들이지. 때때로 에이레네의 눈을 통해서 보았지만, 그새 또 많이 컸어. 그중에서도 네 딸아이.]

"아리스요?"

[너의 형질을 많이 물려받았더구나.]

내 성격도 아니고 형질이라니? 이건 무슨 소리지.

[성국을 떠나기 전, 한 번 그 아이를 기도실로 데려오려무나. 그 아이에게 해 줄 말이 있다.]

"혹시 제 과거에 대해서 이야기 하시려는 건 아니죠? 제가 천방지축이라 기도실을 탈출해서 놀러 다녔다거나 뭐 그런 이야기요."

부모의 권위가 무너진다고! 그럼 안 돼. 내가 아이들 앞에선 나름대로 이미지 관리하느라 카마엘도 안 끌어안았단 말이야.

[너도 알긴 알고 있구나. 그런 것이 아니니 걱정할 필요 없다.]

"그런데 아리스만요? 에드는 왜 아니에요. 아들은 차별하시나요!"

난 쌍심지를 켜며 항변했다.

[에드란 그 아이는, 네 남편을 많이 빼닮았어. 네 남편은 차가운 불길이니 그 성격까지 닮진 않았을 테지만 능력도 형질도 유사하다. 그 아이는 칼리스의 왕이 될 가능성이 높을 터. 그렇다면 네 딸에겐, 다른 운명이 주어져도 괜찮지 않겠니.]

"다른 운명……이라고요."

[그래, 내가 무슨 말을 하는지 알 게다.]

빛 속에서 내게로 실려 드는 차분하고 위엄 어린 시선을 선연히 느낄 수 있었다.

형질이란 건 즉 자질. 나의 형질을 많이 물려받았다는 건 즉 월신의 권속으로서의 자질을 많이 물려받았다는 것. 나는 충격 속에서 느리게 입을 열었다.

"그 아이는 칼리스인으로 태어나 칼리스의 왕녀로 자란걸요."

[너는 성녀로 태어나서 자라나 칼리스의 왕비가 되었지. 그리

고 그 애는 성녀의 딸이며 나의 혈육이기도 하지.]

"전…… 잘 모르겠어요."

[강요는 아니란다. 네가 성녀로 살지 않기로 했을 때 그리할 수 있었듯 나는 그 아이에게도 선택지를 줄 거란다. 선택은 그 아이의 몫이지.]

"아리스는 아직 어리잖아요."

[자신에게 다른 길이 있을 수 있단 걸 진작부터 알게 하는 게 그 아이에게도 나쁜 일인 것 같진 않구나.]

하지만 만약 아리스가 월신의 권속이 되겠다고 한다면, 나는 그 어린아이를 품에서 떼어 놓아야 하는 건가. 벌써부터? 아리스는 고작 네 살인데.

[조급히 생각할 건 없단다. 그 아이는 아직, 성력조차 깨닫지 못하였으니. 만약 아직은 알리고 싶지 않다면 미루어도 좋다.]

나는 내가 그랬듯이 자신의 삶을 자신이 결정지어야 한다고 생각한다. 아리스가 성국에서 살고 싶다고 한다면, 그것도 존중해 줄 생각이었다.

하지만 그건 먼 훗날 결정해야 할 일. 지금 아리스는 고작 네 살이었다.

아리스는 조숙한 아이다. 하지만 그래 봤자 어린애다. 어린애란 카마엘한테 혹해서 성국에 남아 버리겠다고 선언할 수도 있는, 변덕스러운 존재.

[성국에 머무르는 동안 천천히 생각해 보려무나.]

"네, 그럴게요. 아이들은 만나 보지 않으실 건가요?"

[성국 안에 있다면, 어차피 내 눈길 닿는 곳에 있으니. 나와의 만남이 어린 그 아이들의 운명을 뒤틀어 버릴까 봐 걱정되는구나.]

"그렇군요……."

[돌아온 걸 환영한다. 편히 쉬다 가렴.]

월신께선 그걸로 대화를 마무리 지었다. 조부모가 손주를 보살피는 건 흔한 일이건만, 참 뭐라 말하기가 힘들다. 더군다나 아리스는 평범한 아이가 아닌 칼리스의 왕녀였으니.

고민거리가 없어지니 마음이 갑자기 무거워졌다. 나는 당분간 그 문제에 대해서 고심하며 아리스의 반응을 살피기로 했다. 그런데 아리스는…….

"신전이 너무 하얗고 예뻐요."

너무나 성국에 만족하고 있었다. 내가 기도실에 들어간 사이, 두 아이는 에이레네를 따라 신전의 곳곳을 구경했다.

흐르는 수로에 발을 담가 보고, 물이 고이는 높은 쟁반에 손을 넣어 보고, 고요한 대기로 가득한 신전을 거닐었다.

빛과 바람, 물의 흐름으로 성스러운 분위기를 조성한 월신의 신전은 이 세상에서 단 하나뿐인 건축 양식으로 지어졌다.

그 고결한 느낌과 하얗고 단정하게 차려입은 사제들까지. 아리스는 칼리스와는 극명히 다른 그 모든 게 마음에 쏙 드는 모양이었다.

"이런 곳에 산다면 어떨 것 같아?"

내가 슬쩍 운을 띄워보자, 아리스가 눈을 빛냈다.

"정말 좋을 것 같아요."

"난 지루할 것 같은데! 뛰어다니면 안 된다잖아."

"바깥에선 얼마든지 뛰어도 되어요. 다른 사람과 부딪히지 않게 조심해야겠지만요."

에이레네가 잔잔하게 웃으며 에드에게 화답했다.

"에드는 활동적이니 신전보다는 바깥이 더 맞을 테지. 한 번밖에 나가 볼까?"

사실 나도 좀 에드과다. 아리스가 형질은 날 닮았는지 몰라도, 취향은 다른 모양이다. 나도 어렸을 적 이 아름다운 신전이 지루하게 느껴졌거든. 그래서 몰래 나가서 돌아다니곤 했지.

"호위는 어찌하시려고요."

"이곳은 성국인데, 호위가 필요할까?"

월신의 가호 아래 있으니, 내게 적의를 품은 이가 있다 한들 아무것도 하지 못할 것이다. 성국은 내게 세상 그 어디보다도 안전할 수 있는 곳이었다.

"어디로 가실 거예요?"

"새벽별."

나는 기다렸다는 듯이 답했다.

"이카루스는 아직도 거기서 일하나?"

"예, 그도 성녀님을 뵈면 좋아하겠군요. 가 보시면 놀랄 만한 일이 있을 거예요."

나는 후후 웃는 에이레네의 말을 흘려들으며 상념에 잠겼다.

칼리스에서 살기로 결정을 내렸을 때, 가장 마음에 걸렸던 것이 이카루스였다. 그만 생각하면 가책이 느껴졌다.

그는 칼리스로부터 날 구하기 위해서 성력을 잃었는데, 나는 성국을 버리고 아델을 택했으니까. 아마도 그는 괜찮다고 말할 테지만.

"에이레네는 이제 일을 보러 가도 좋아. 성국에 대해선 나도 아직 기억하고 있는걸."

신전이건 거리건 눈을 감아도 선명하게 그려진다. 하나도 잊지 않았다.

나는 우리를 수행하겠다는 에이레네를 한가할 때 찾아오라며 보내 주었다.

그녀가 바쁜 건 알고 있다. 여기서 머무는 시간이 하루 이틀도 아닐 텐데, 종일 우리에게 매여 있을 순 없지 않은가.

설마 농땡이 치고 있는데 내가 눈치 없이 보내 버린 건 아니겠지? 에이, 에이레네니까 아닐 거야.

난 근처에 서 있는 사제에게 말해 후드가 달린 망토를 얻어서 뒤집어썼다. 눈에 띄지 않게 조용히 다녀올 셈이었다.

"엄마, 거리가 깨끗하고 예뻐요."

"저기서 물건을 파는 건가 봐요."

"와— 신기해!"

소풍을 나온 듯이 들뜬 두 아이는 가게가 늘어선 거리가 신기한지 신나게 떠들어 댔다.

참, 이 애들은 이런 곳에 와 본 적이 없구나. 새삼 깨달았다.

왕성 안에서 돌아다니거나 마차를 타고 외부로 소풍을 나간

적은 있지. 하지만 이런 거리를 직접 두 발로 걸은 적은 처음일 터였다. 당연히 안전상의 이유 때문이다.

왕도의 치안이 나쁜 건 아니지만, 아리스와 에드는 어렸고, 왕족이니까.

왕자님과 공주님! 난 색다른 기분에 잠겨야만 했다. 내 아이들에게 느껴지는 이 괴리감이라니. 역시 신분제 사회인가!

"시간은 많으니까, 차차 둘러보자. 지금은 갈 데가 있잖니."

사실 내가 좀 배가 고프다. 오랜만에 새벽별의 음식을 먹을 생각에 신전에서 식사 준비한다는 걸 뿌리쳤다. 아이들도 슬슬 배가 고플 시간이었다.

두 아이의 손을 잡고 이끈 난 오래지 않아 목적한 곳에 도착했다. 덜컹. 문을 열고 들어서니, 식사 시간이 지난 내부는 한적했다.

자그마치 전직 대사제가 경영하는 가게다. 이카루스 이전에 지브리안이 경영할 때는 그나마 소문이 나지 않아서 손님이 많이 찾았다. 하지만 어느 순간부터 소문이 나 버려서 훌륭한 음식 솜씨에도 불구하고 아주 담대한 손님들이 아니면 찾지 않게 되었다. 왠지 어려운 기분이 드는가 보다.

물론 내겐 해당 사항이 없는 이야기였다. 문을 열고 들어서자마자 난 목소리를 높였다.

"이카루스!"

가게 안쪽에서 걸어 나오는 기척을 느꼈다. 후드를 내리며 손을 흔들려던 난 멈칫했다.

"어라?"

"저어, 이카루스 님은 잠시 외출하셨는데, 누구신지요?"

눈이 맑은, 나와 비슷한 나잇대의 미인이었다. 곱슬거리는 금발에 눈은 초록색이다. 상냥하게 생겼다.

사제인가? 몸에선 성력이 느껴지지 않는다. 평범한 사람처럼 보인다. 난 두 번째 가설을 떠올렸다. 아르바이트생? 손님이 하도 안 와서 미모의 아르바이트생을 들인 건가!

"나는, 이카루스와 오래도록 알아온 사이야. 그대는 누구지?"

"저는……."

그녀가 말하려는 데, 등 뒤에서 문이 열렸다. 들어오던 누군가의 시선이 내게로 꽂혔다.

"성녀님?"

"이카루스! 오랜만이야!"

나는 반갑게 그를 돌아보았다.

"성녀님이시라고요? 그럼……."

막 자기소개를 하려던 여인의 목소리가 떨렸다. 다시 시선을 주니 그녀의 눈이 동그랗게 커져 있었다. 그러나 다시 이카루스가 내 신경을 빼앗았다.

"성녀님, 제가 꿈을 꾸고 있는 건 아니겠지요?"

부드러운 음성이 드물게도 고조되어 있었다. 난 생긋 웃으며 그와 시선을 마주했다.

"내가 **뺨**을 한 대 때려서 현실을 확인시켜 줄까?"

"그렇게 말씀하시는 것을 보니 성녀님이 맞으시군요. 정말로, 이게 얼마만 인지. 성녀님을 초대하란 신탁이 내렸다는 이야기는 들었습니다."

"그래서 내가 오게 된 거지. 그동안 소원해서 미안해. 대신해서 성국을 방문하자마자 찾은 거야."

나는 빠르게 재잘거리며 그에게 다가섰다. 성력을 잃은 그에게서 세월의 흔적을 느낄 수 있었다.

그렇다고 완전 아저씨가 되었단 건 또 아니다. 깊이가 더해진 것뿐.

나를 보는 눈빛이 기쁨에 젖어 부드러웠다. 잔잔한 물살이 가슴에 실리는 듯하다.

"그렇다면 이 작은 손님들은."

"아리스와 안드레아. 내 쌍둥이들이지."

이카루스를 뚫어지게 보면서 두 아이가 입을 모아 발랄하게 인사했다.

"안녕하세요!"

역시 내 아가들 인사성도 바르지. 아델이었다면 초면에 반말 찍찍했을 텐데.

물론 내 아이들은 왕족, 아무에게나 말을 높이지 않는 건 당연한 일이지만 눈앞의 상대는 자그마치 전직 대사제다.

이카루스는 눈을 휘며 웃었다.

"정말 귀여우신 분들이군요. 저도 소개해 드릴 사람이 있습니다."

잊지 않고 있었던 듯 이카루스가 나를 지나쳐 멍하니 서 있는 예의 그녀에게 이르렀다.

그녀의 어깨를 잡아 이끄는 모습이 유독 다정해 보인다. 이카루스가 누군가에게 저렇게 친근하게 구는 타입은 아닌데, 이상하다.

"그 아가씨는?"

"제 아내 되는 사람입니다."

한 치의 망설임도 없이 흘러나온 말에 나는 그대로 얼어붙었다.

"세라예요."

수줍게 고개를 숙이는 그녀의 인사를 받으면서도, 잠시 말을 잇지 못했다.

"아, 아내라고?"

"많이 놀라셨나 보군요. 제가 결혼을 했다는 게 의외입니까?"

"응."

난 딱 잘라 말했다. 의외인 정도가 아니라, 전혀 예상치 못한 일이 일어난 듯한 기분인데!

그만큼 놀라웠다. 대사제가 결혼을 하는 건 금지되지는 않았지만, 대단히 드문 일이다. 신심 깊은 자들이라 가정의 일로 신전에 헌신할 시간을 빼앗기고 싶어 하지 않기 때문이다.

물론, 이카루스는 전직 대사제지!

"언제 결혼한 거야? 세상에!"

"2년 되었습니다."

"어쩌다가?"

너무 꼬치꼬치 캐묻는 건 아닌가 싶으면서도, 호기심을 감출 수 없었다.

"제가 이카루스 님을 오래도록 동경하여서……."

볼을 발그레 붉히며 그녀가 말했다. 그래, 이카루스가 먼저 꼬시진 않았을 것 같다.

하지만 세라를 보는 그의 눈빛에 깃든 것은 누가 보아도 애정이었다. 나는 애써 정신을 다잡고 말했다.

"반가워. 세라. 설마 이카루스가 결혼을 했을 거라고는 생각하지 못했거든."

"아니에요, 성녀님."

세라는 웃는 얼굴이 선하고 예뻤다. 사람을 보는 눈이 나쁘지 않다고도 생각하지만, 그녀를 찬찬히 살펴보자니 왜 이카루스가 그녀와 결혼했는지 알 것도 같았다.

놀람이 가라앉자 안도가 찾아들었다. 오랫동안 마음속에 묵혀 있던 응어리가 사르르 무너져 내리고 있었다.

나는 이카루스가 대사제로서의 그의 삶을 박탈당했다고 생각했었다. 그래서 안타깝고 미안했다.

하지만 지금 그의 얼굴엔 행복감이 묻어나고 있었다. 아쉬움은 남을 수 있으나 세월은, 그리고 사람은 사람을 변하게 한다.

내가 그랬듯이, 그도 새로운 삶을 이루어 가고 있다. 어느새 난 내가 미소 짓고 있단 것을 깨달았다.

내 아이들을 어여쁘단 듯이 쳐다보던 세라가 뭔가를 깨달았는지 눈을 동그랗게 떴다.

"성녀님의 아이들이라면……."

"그래."

칼리스의 왕자와 왕녀. 성국인들이라면 움찔하지 않을 수 없는 신분들이지.

"어머, 어쩜. 아예 돌아오신 건가요?"

호들갑을 떠는 얼굴엔 신기함과 놀람만이 떠올라 있었다.

"아니, 아이들과 함께 방문한 거야. 몇 주 있다가 돌아갈 거야."

"모처럼 오신 김에 즐겁게 지내다가 가셨으면 좋겠네요."

그녀의 말대로, 즐겁게 지내다가 갈 참이었다. 벌써 좋은 모습을 봤거든! 순조로울 거야.

나는 가볍게 식사를 주문하고, 식사에 이어서 명물 치즈케이크와 달콤한 슈크림, 향기로운 차를 아이들과 함께 즐겼다. 혀끝에서 농후하게 감기는 디저트의 맛! 아 정말로 그리웠다!

사실 내가 새벽별에 온 이유는 이카루스가 아니라 이 흉내 낼 수 없는 맛을 찾아서가 아니었을까?

살짝 죄책감이 밀려온다. 왕비로서 부족함 없이 살아왔지만 이 맛이 종종 생각났다. 에이레네 편에 들려 오게 하고 싶을 정도로. 상해 버릴까 봐 요청하진 못했지만.

"자, 아 해 봐."

작게 자른 조각을 교대로 입안에 넣어 주니 아리스나 에드나 맛있다며 잘들 먹는다. 귀하게 자라서 입맛 까다로운 아이들인데 다들 맛있다고 하니 흐뭇해졌다.

이 편안한 공기. 웃고 떠드는 이 시간이 그간 왕비로 살아오면서 내게 쌓인 긴장감을 녹아내리게 하고 있었다.

아델이 함께 오면 좋았을 텐데. 그랬다면 나만 좋고 이카루스 내외가 불편해했겠지?

2주라. 길고도 짧은 시간이다.

나는 굳건히 결심했다. 성국도 아리스에 대한 생각도 잠시 미루어 놓고, 돌아갈 때까지 오랜만에 맞이한 이 여유로운 기분을 만끽하기로.

모처럼 친정에서 즐길 수 있는 휴가였다.

*

성국에서의 휴가는 순조로웠다. 가장 걱정되는 건 유모를 두고 왔다는 거였는데, 세라가 자청해서 유모 역할을 맡겠다고 나섰다.

신전에서 보수도 준다고 하니 잘 됐지. 새벽별 인테리어 공사비로 쓸 거란다.

새벽별에서 맛있는 음식을 먹고 잘 놀다간 덕에 세라에게 호감이 생겼는지 내 아이들도 그녀를 잘 따랐다.

성국에서 만큼은 놀랍도록 낯을 가리지 않는다. 내 아이들이라 성국 사람들에게 자동으로 친근감을 느끼는 걸까? 알 수 없는 일이다.

아무튼 나는 요 며칠간 세라와 함께 아이들을 데리고 성국의 이곳저곳을 마음껏 돌아다녔다. 그간 새로 생긴 명물이나 장소, 가게도 들리고 유능한 가이드와 함께 관광을 제대로 했지.

성국에서 평생을 살아온 세라가 나도 몰랐던 풍경이 좋은 곳도 알고 있어서 더 좋았던 것 같다.

그녀도 못 가 본 외벽의 망루에 올라서 성국의 전경도 내려다봤을 때가 특히 좋았다.

내 아이들은 호기심이 가득했고 가지고 싶은 건 모두 가지고 살아왔다. 그 때문에 시장에서 소소한 소품이나 장난감을 한가득 사들여서 애를 먹기도 했다. 이 추세로 가다간 마차 한 대가 더 필요할 거다.

하지만 일국의 왕녀와 왕자가 그 정도도 못 가져서 말이 되겠는가? 그래, 내가 칼리스의 재정을 성국의 발전을 위해 쓰고 가야지! 난 사심을 부리기로 했다.

그렇게 며칠, 발에 불이 나도록 돌아다니고 나자 다른 생각이 생겨났다.

아이들과 함께 있는 것도 좋았지만, 나는 개인적으로 만나고 싶은 사람이 있었다. 나의 성기사 카마엘!

아델이 좋아하지 않을 테지만, 불순한 의도는 아니라고. 난 바람녀가 아니란 말이야. 단지 입이 무거운 그와 둘이서 이야기를 나누고 싶어서 그래.

두 아이를 줄줄이 달고 갔다간 제대로 대화가 되지 않을 거다. 분명히 아이들이 그를 귀찮게 할 테니까.

그건 안될 일. 카마엘을 귀찮게 하는 건 내 특권이었다. 내 아이들에게까지 그런 권리를 줄 수는 없지. 아이들이 낮잠을 자는 틈을 타서 나는 슬쩍 신전을 나섰다.

"성력을 잃으니 이런 게 참 불편하네."

그럭저럭 적응하고 살아왔다 싶었는데, 막상 내 앞마당 같던 성국으로 오니 불편함이 느껴진다. 공간이동으로 바로 카마엘의 집 앞에 똑 떨어질 수가 없잖아.

이미 한 번 갔다가 허탕을 쳤던 터. 그 후로 카마엘의 근무 시간표를 알아내서 시간 맞춰 찾아가고 있는 거였다.

늘 공간이동으로 가는 곳이다 보니 저번에 찾아갈 땐 좀 헤매기도 했었다.

"이번엔 집에 있을까?"

중얼거리며 문을 두드리려는 찰나, 문이 벌컥 열렸다. 난 나쁜 짓을 하다가 들킨 것처럼 소스라치게 놀랐다.

"어머나!"

물론 나쁜 짓을 하려고 하긴 했지. 카마엘을 귀찮게 하려는 짓!

"성녀님."

청각이 예민한 그답게 내 작은 중얼거림을 듣고 문을 열었나 보다. 사복 차림의 카마엘이 딱 마주친 날 보고도 평온하게 말했다.

"어서 오십시오."

나는 냉큼 문 안으로 발을 들였다.

"쉬고 있었던 거 맞지? 나가려던 것 아니고."

"예."

"그동안 어떻게 지냈어?"

"제 일상은 성녀님이 찾아오시지 않는다는 것 빼고는 언제나 똑같습니다."

그 말, 좀 쓸쓸하게 들리는데. 물론, 카마엘은 내가 귀찮게 하지 않아서 편안하다고 느꼈을지도 모르겠다.

"내 아이들이 좀 귀찮게 했지? 미안해."

날 너무 닮은 나머지 카마엘을 무척 좋아해서 문제다. 아델을 닮아서 카마엘을 싫어했다면 더 큰 문제였겠지만!

"괜찮습니다. 낯설지 않은 일입니다."

그래, 그 낯설지 않음의 이유는 내가 이미 그래 놨기 때문이겠지! 그래도 오랜만이잖아.

나는 카마엘의 집 안을 둘러보았다. 사람이 머무르지 않는 양 조용하다. 어디 하나 물건이 널브러져 있지 않은, 정돈되고 청결하게 관리된 집.

십오 년도 더 전에, 아델이 이곳에 있었지. 그러나 그가 감금되어 있던 때나, 내가 이곳을 드나들 때나, 지금이나 별반 차이는 없다.

건물이 조금 더 낡았을 뿐 그 주인인 카마엘은 세월의 흐름을 비껴가는 듯 풍경처럼 아름답다. 그는 그렇게 영원토록 성국을 지키는 걸까.

인간인 내가 요정인 그의 삶을 좋다 나쁘다 재단할 수는 없겠지만, 그 영원이 내겐 좀 아득하게 느껴졌다.

그의 삶에서 내가 평범한 기억으로 남지는 않을 테지만, 내 특별함은 그저 찰나의 반짝임에 불과할지도 모르겠단 생각이 들었다.

난 왠지 가라앉는 기분을 티 내지 않으며 장난스레 물었다.

"난 어때 보여?"

"성녀님은, 좀 더……."

카마엘의 눈매가 살짝 찌푸려졌다.

"성숙해지셨습니다."

"그, 그렇지? 아무래도 결혼식 때 마지막으로 보고 5년이나 더 지났으니까."

성숙…… 나쁜 단어는 아니지! 그런데 그 단어가 유독 따끔하게 박히는 것도 사실이었다.

나는 성력을 잃었고, 그 때문에 다른 사람들과 똑같이 나이를 먹는다. 워낙 실내에서 곱게 살고 있는 탓에 좀 동안이긴 해도, 난 착실히 나이를 먹어 가고 있었다. 피부가 예전 같지 않은걸!

이전부터 알고 있었기에, 새삼스러운 일은 아니다. 하지만 막상 성국에 와서 대사제들과 카마엘을 보고 나니까, 있지…….

간과했던 사실을 깨닫게 된다. 몇 년쯤 더 지나면 내가 카마엘보다 더 나이 들어 보일지도 몰라! 세상에! 이런 식의 추월은 싫단 말이지.

칼리스로 돌아가면 노화를 멈추는 마법약 같은 걸 복용해 봐야겠다. 없다면 만들어서라도! 충격 속에서 난 굳건히 다짐했다.

고심하는 듯하던 카마엘이 덧붙여 말했다.

"그리고 좋아 보이십니다. 특히 자녀분들과 함께 계실 때면."

내게 곧게 시선을 준 채 흘러드는 그의 말에 하릴없이 방안을 휘젓던 발길이 멈추었다. 왠지 머쓱해진다.

"응, 난 잘 지내고 있어. 단지……."

갑자기 목이 막혀 온다. 급작스레 뜨거운 물살이 내 안에서 넘쳐났다.

"이곳이 그리웠어. 성국도, 이 집도, 카마엘도. 행복하다고 느끼고 있는데 그래도 가끔 가슴에 찬바람이 맴도는 것 같아. 이 안에 어느 한구석 빈자리가 있는 것 같았어. 욕심도 많지. 역시 난 성녀가 되기엔 모자란 사람이었나 봐."

난 가슴께를 짚으며 말했다. 그와 진솔하게 이야기를 나누고 싶다고 생각했는데, 솔직하게 털어놓고 싶었던 건 결국 나인가.

에이레네나 월신님 앞에서는 즐겁고 행복한 모습만을 보였는데, 나조차 깨닫지 못하고 있었던 허울이었나.

다른 누구도 아닌 카마엘 앞에서 이런 이야기를 하게 되다니.

아니, 당연한 건지도 모른다. 나는 항상 카마엘과 비밀을 공유해 왔으므로.

지나치게 걱정하지도, 공감하지도 균형을 잃지도 않고 그저 가만히 내 말에 귀 기울여 준다. 그의 담백함이, 그에게 서려 있는 고요가 편안했다.

"평생을 사시던 성국을 떠나셨으니 당연한 겁니다."

"그렇겠지? 그동안 너무 이곳을 멀리했다는 생각이 들어. 아이들이 크면 좀 더 자주 올게."

"편히 쉬다 가셨으면 합니다."

"그래, 카마엘도 귀찮게 해야지. 옛날처럼."

"저는 성녀님이 귀찮지 않습니다."

카마엘은 단호하리만치 딱 부러지게 말했다. 일순 내게로 꽂혀 드는 그 말이 가슴을 울렸다. 알껍데기를 깨듯 막을 깨어 내고 내 속에 맺혀 있는 알맹이를 끄집어낸다. 기억하되 어렴풋한 그의 말들을.

"카마엘은 내가 보고 싶지 않았어? 내게 언제든 돌아오라고 했잖아. 어쩌면 영영, 못 볼 수도 있었잖아."

평생을 함께한 가족들을 떠났다. 아델에 대한 사랑이 그 자리를 메꾼다고 해도, 완전하지는 않은 것이다. 그것을 깨닫게 된다.

그래서 아델은, 내가 성국으로 돌아가길 원치 않았던 걸까.

내 입으로 말해 놓고도 무슨 이런 실없는 물음이 다 있냐고 생각했다.

카마엘이 나더러 보고 싶었다고 말한다면, 기쁘면서도 그건 그답지 않게 감정적이라고 생각했을 것 같다.

카마엘은 내 비위를 맞추려고는 해도, 거짓말을 잘하는 타입은 아니었다. 그는 나와 시선을 마주한 채, 뜻밖의 말을 했다.

"저는 이별이라고 생각하지 않았습니다."

"어째서? 나는 칼리스에 남고 카마엘은 성국에 있는 거잖아."

그렇게나 멀리 떨어져서 사는데 이별이 아니라면 뭐란 말인

가. 요정의 거리 개념은 좀 다른가.

"저는 더 멀리 바라볼 뿐입니다."

"멀리 바라본다고?"

"성녀님께서는, 월신의 권속이시니 그 영혼도 몸도 모두 월신께 비롯한 것."

그는 나직이 읊조렸다.

"언젠가 어떤 방식으로든 월신의 영역에서 다시 뵙게 되겠지요."

아. 나는 불현듯 깨달았다. 그가 무슨 말을 하는지 알 것 같았다.

나는 죽음조차 건너서 이 세계로 건너와 성국에서 성녀로 태어났다. 내 영혼은 아마도 다른 사람들처럼 미지의 저편을 떠도는 것이 아니라 오롯이 월신의 영역에 속해 있으리라.

월신께서 나를 어렵지 않게 보낸 것도, 내가 다시 그분의 품으로 돌아올 것을 알았기 때문일지도 모르지.

"저는 무수히 긴 세월을 살아왔습니다. 그래서 기다림은 제게 대단한 것이 아닙니다. 이제까지처럼 이 자리를 지키고 있기만 하다면 언젠가 다시 함께하게 될 거라고 믿었습니다."

"……그래, 그렇구나."

에스델 세라피아로서의 삶이 끝나도, 내 삶은 완전히 끝난 것이 아니다.

어쩌면 기억을 가지고, 어쩌면 모든 걸 잊고 새롭게 시작하게 될 수도 있겠지. 그 또한 월신의 품에서 이루어지는 일일 터.

카마엘은 고목이었다. 나무가 한 자리에서 뿌리박고 기나긴 세월을 지나 보내듯 그 역시도 그 자리에 있을 거였다.

"이번 생에는 카마엘이 나를 많이 돌봐 줬으니 다음 생에는 내가 카마엘을 보필할게."

난 장난스레 웃으며 말했다. 까마득하게 멀게만 느껴지는 일이다. 이 정도 말은 던져둬도 되지 않겠어?

"저는 괜찮습니다."

이번 대답도 딱 잘라 돌아온다. 내가 귀찮지 않다고 했던 것만큼이나. 기분이 묘해졌다.

내가 보필하는 건 또 싫다는 거야? 너무해!

하지만 카마엘의 생에서 누군가의 보필이 필요한 것 같지 않은 건 사실이다. 난 꽁해져서 따지고 드는 대신, 활짝 웃었다.

"그래도 이번 생에는 이번 생에서의 내가 있는 거잖아. 그때의 나는 나와 같지 않을지도 몰라. 그러니까⋯⋯."

난 다부지게 선언했다.

"에스델 세라피아일 때의 나를 선명히 기억하도록, 매년 찾아올게."

나 근데 이 말 지킬 수 있을까? 아델이 날 보내 줄지부터가 문제였다.

하지만 그래, 이건 내 권리다. 이전 세계에서도 명절 때는 부모님을 찾아뵙곤 하잖아.

날 봐, 아예 칼리스에 이민 가서 살면서 시집살이를 하고 있는데! 비록 시부모님은 안 계시지만⋯⋯. 못 올 건 또 뭐가 있겠어?

어쩐지 그동안 칼리스의 왕비로서 살면서 나도 머리가 굳었던 듯하다. 그렇게 생각하니 월신님께서 말씀하셨던 문제도, 가닥이 짚이는 것 같았다.

성급히 생각할 것도, 불안해할 것도 없다. 좋은 쪽으로 풀어나가기만 하면 되는 거니까.

기분이 좋아진 나는 카마엘과 그동안 있었던 일에 대해서 소소한 대화를 나누었다. 대화를 나눈다기보다는 나 혼자 떠들고 카마엘이 호응해 주는 것에 더 가까웠지만.

나는 두 아이가 깨어날 때쯤, 신전으로 돌아갔다. 평화로운 하루하루가 흘러가고 있었다.

며칠 후, 그 평화로운 수면에 돌을 던지는 듯한 일이 발생했다.

*

"엄마, 저 이거요."

"그래, 에드."

나는 한숨을 내쉬었다. 살아 있는 돈주머니가 된 기분이다. 명색이 왕실 가족의 나들이인데 예산을 적게 챙겨 왔을 리 없잖은가.

하지만 네 살배기들에게 잃어버릴지도 모르는 돈을 쥐여 줄 순 없으니, 모두 내가 가지고 있었다.

고로 두 아이가 뭔가를 사려고 하면 날 불러야 한다는 소리지.

아이들은 거리를 돌아다니면서 가지고 싶은 물건, 하고 싶은 일이 있으면 일단 날 부르고 봤다. 쉼 없이 불려 다니다 보니 좀 지쳤다.

하지만 지친 보람이 있게 아이들도 돈이란 게 어떻게 쓰이는 건지 서서히 경제관념을 익혀 가고 있는 듯했다. 이번 성국 방문은 아이들에게도 여러모로 유익했다.

"힘드시면 잠시 길가의 카페에 들어가서서 쉬고 계시겠어요? 제가 두 분을 잘 돌볼게요."

"그래도 괜찮겠어?"

"네, 그럼요."

활력 넘치게 대꾸한 세라에게 난 돈을 좀 빼서 건넸다.

"짐은 나한테 줘. 내가 가지고 들어가서 앉아 있을게."

이것저것 산 물건들로 가득 찬 종이봉투는 묵직했다.

짐을 받아든 난 햇빛이 비쳐드는 카페에 가서 앉았다. 딸기 주스를 시켜서 당을 보급하니 좀 살 것 같았다.

내 아이들은, 아무래도 무병장수할 것 같아. 어찌나 체력이 좋은지! 귀엽지만 비글 같다고 해야 하나. 아이들을 돌보는 일에 나를 갈아 넣는 기분이다.

다음엔 유모를 데려와야 하나. 좀 멍해진 상태로 주스 잔을 거의 비워 갈 때쯤이었다.

살랑. 부드러운 바람이 일순 뺨을 스쳤다. 머리 위로 뒤집어

쓴 후드가 종잇장처럼 가볍게 뒤로 넘어갔다. 마치, 그렇게 의도한 듯이 절묘하게도.

뭐야! 이제는 눈에 띄는 금안이 아니라지만, 내 얼굴을 보면 누군가 알아볼 수 있잖아. 그 때문에 소란을 피하기 위해서 얼굴을 가리고 있던 난 당황하여 후드에 손을 가져갔다.

그 순간,

"안녕."

나직한 미성이 고막을 파고들었다. 난 눈을 깜빡이며, 느릿하게 고개를 들었다.

내 앞에 누군가가 서 있었다. 그의 접근을 눈치채지 못했던 건 내가 둔하거나 멍해 있었기 때문이 아니다. 상대가 기척을 숨기고, 스며드는 양 조용히 다가왔기 때문이지.

"오랜만이지?"

나를 향해 웃는 얼굴이 해사하다. 하얀 로브와 거의 차이가 없는 눈결처럼 흰 이목구비가 햇살을 받은 것처럼 반짝반짝 빛난다.

그 가운데 유독 깊고 진한 빛깔이 눈에 들어왔다. 자줏빛의 그 눈동자. 정신이 훅 깨어난다. 나는 중얼거렸다.

"히스칼?"

그리고 바로 자리를 박차고 일어나 손가락을 쳐들었다.

"어떻게 네가 여기에!"

나, 잠깐 환각을 보는 건 아닌가 했다. 이 나이에 환각을 보는 건 심각한 일이니까 그런 생각은 하고 싶지 않았지만, 정말로.

말도 안 되는 일이잖아?

"흥분하지 말고 앉아."

어깨를 눌러 오는 손길은 가벼운 듯하나 힘이 담겨 있었다. 나는 일어난 자리에 그대로 앉혀졌다.

권하지도 않았는데 그가 내 맞은편에 앉았다. 지그시 날 쳐다 보는 눈동자에서 어떤 감정도 읽히지 않는다.

"왜 그런 눈으로 봐? 내가 못 올 곳에 왔나?"

눈을 휘며 빙그레 웃는 그는 6년 전 마지막으로 보았을 때와 그리 달라진 게 없는 모습이었다. 여자만큼 곱고 화사한 얼굴 도, 거기에 맺힌 성자의 미소도.

머리가 길어졌나? 그를 찬찬히 살피면서 사라진 현실감이 돌 아왔다.

"너, 어떻게 성국에 들어왔어?"

넌 법황이잖아! 태양신의 권속. 여기는 월신의 성역인데?

그에게서 광대한 성력이 느껴졌다. 완벽하게 통제되어 그의 안에 가두어져 있지만, 그 힘은 건재한 상황.

하지만 성국은 월신의 성역. 밀도 높은 성력으로 가득한 상태 였다.

그와 상충하는 태양신의 성력을 가득 품고 여기 있다는 게 쉬 운 일은 아닐 텐데. 결계는 어떻게 통과했으며, 여기에 이러고 있는 이유는 뭐지?

비록 내 성력을 풀어 주었다곤 하나 그는 성국 입장에서 배신 자였다. 좋은 꼴 볼 일 없을 텐데.

"좀 압박감이 느껴지긴 하는데, 어려울 것도 없지. 네가 성력을 잃은 이후로 성국의 힘도 많이 약화되었으니까."

은근히 으스대는 저 말투. 진짜 히스칼이다. 난 오랜만에 보면 그도 반가울 수 있다는 새로운 사실을 알게 되었다. 세상에! 이게 악우라는 걸까.

"그래서 왜 네가 여기 있는 건데? 설마 그때 그 절벽에 서 있던 게 너였어?"

"그래, 거기서라면 네 마차가 잘 보였거든. 그런데 넌⋯⋯."

히스칼이 고개를 갸웃하더니 기분 나쁜 미소를 떠올렸다.

"늙어 가고 있구나. 평범한 인간처럼."

"내가 늙다니! 나 이제 스물다섯인데?"

"날 봐."

카마엘만큼이나 변함없는, 세월이 무색한 모습. 나와 헤어졌을 때 히스칼은 완전한 성인 남자였다.

그가 그때로부터 한치도 달라지지 않은 건 당연하다. 나와 달리 성력을 그대로 가지고 있으니까!

신성교국을 팔아넘긴 그가 성력을 가지고 있는 건 불공정한 일이다. 난 눈썹을 치켜들었다.

"그래서 왜 날 찾아온 건데."

"오랜만에 옛 추억을 상기할 겸? 네가 통 바깥나들이를 안 해서 말이지. 성국 안은 그래도 안전하다는 보장이 있으니 네가 자유롭게 돌아다닐 것 같았어."

"하지만 너에겐 이제 나를 만날 이유가 없잖아."

6년 전, 그가 나를 도와주었을 땐 그럴 만한 이유가 있었다. 어렴풋이, 언젠가 다시 만나게 될지도 모른다고 생각했지만 그게 성국 한가운데서일 줄은 몰랐는데.

히스칼이 입꼬리를 들었다.

"난 법황이 아니고 싶었고 넌 성녀인데 만족했지. 그러나 마찬가지로 법황이 아니게 된 나와, 성녀가 아니게 된 너. 그 결과가 어떨지 궁금하지 않겠어?"

"그래서 네가 본 나는 결과가 어때?"

"고작 몇 년밖에 안 지났는데 아직은 모르지."

뭐야, 이 답변은. 그럼 설마.

"그건……. 앞으로 계속 그 결과를 보려고 내 앞에 나타나겠단 소리야?"

"정답이야."

"내 주변엔 너를 위험하게 할 사람 천지인데?"

카마엘이 널 봤다간 검부터 뽑아 들 거라고. 아델도 다르진 않을 거다.

히스칼이 고개를 기울여 턱을 괴었다. 그는 느긋하게 물었다.

"누군가가 나를 위험하게 하는 건 6년 전에도 쉽지 않은 일이었지. 질문 하나, 지난 6년간 내가 조금도 발전하지 못했을 거라고 생각해?"

자줏빛 눈동자가 묘하게 빛났다. 난 말문이 막혔다. 히스칼은 내가 아는 한 그 근원을 제외하고는 성력을 이 세상 누구보다 잘 다룰 줄 안다. 거기서 더 발전을 이루었다면, 자신감이 있을 만하다.

그러나 기이한 일. 진보는 마법에 허락된 것인데, 히스칼이 가진 건 성력이잖아. 지난 6년간 대륙의 질서가 바뀐 만큼이나 고정되었던 믿음도 깨지고 있단 게 새삼스레 와닿는다.

"네 눈앞에 있는 나는, 세상에서 가장 강한 인간이야."

"그럴 수도…… 있겠네."

오만하게 내뱉는 소리에 살짝 섬뜩해진다. 히스칼이 그 힘을 별로 올바르게 쓸 타입으로 보이진 않거든.

이쯤 되면 방종이다. 태양신께선 그 강대한 힘을 왜 이런 녀석한테 허락하고 있는 거지? 법황 자릴 때려치웠으면 거두어 가도 좋지 않나.

난 속으로 꿍시렁거리면서 물었다.

"그래서 세상에서 가장 강한 인간께서는 부모님은 찾으셨나?"

"기억하고 있었구나."

"그럼 기억하지."

그 후로, 아주 가끔 히스칼에 대해서 생각났다. 그는 원하던 걸 얻었을까. 그의 부모님과 만나는 것 말이다.

이 세계는 신분제 사회. 기억을 되찾았다고 해도 법황이 된 자식이 난데없이 나타난다면 부담스러워할지도 모른다.

히스칼은 모호한 미소를 빼물었다.

"어떻게 되었을까?"

나는 미심쩍은 듯이 히스칼의 얼굴을 살폈다. 갑자기 찾아와서 수수께끼 놀이라니. 뭐 하자는 거야?

도무지 감이 잡히지 않아 난 패배를 시인하듯 내뱉었다.

"나야 모르지."

뭔가 달라졌으면 모르겠는데, 글쎄다. 여유가 생겨난 것도 같지만 일단 고약한 성격은 여전한 것 같다. 얘는 정말 죽을 때가 되어서야 변하려나.

"그럼 계속 모르도록 해."

빙긋 웃으며 쌈박하게 말을 맺는 히스칼을 난 슬쩍 노려봤다.

"내가 궁금한 건 네가 언제쯤 심술을 부리지 않게 될까야."

"나도 궁금해, 네가 십 년 후엔 나보다 얼마나 나이 들어 보일지."

"히스칼!"

난 결국 버럭 소리를 질렀다. 히스칼은 다리를 꼰 채로 내게 친절한 웃음을 건넸다.

반짝반짝 빛이 날 듯한 그 얼굴이 이렇게 재수 없어 보일 수 있다니. 그것도 참 재주다.

그런데 잠깐, 내가 히스칼과 만나고 있다는 사실이 알려지면 큰일 나는 거 아니야? 난 이제 칼리스의 왕비인데, 히스칼은 신성교국을 배신하고 칼리스와 손잡은 법황이잖아?

날 의심하는 사람은 없겠지만, 구도가 좀 그렇다.

"성국에 얼마나 있을 거야?"

"곧 떠날 거야. 잠깐 들린 것뿐이니."

내 속을 빤히 들여다봤단 듯이 미소 짓는 게 아니꼬웠다.

하지만 어쩐지 어서 사라져 버리라는 힐난은 입 밖으로 나오지 않았다. 오랜만에 봤다고 정말 반갑긴 한가 보다.

감당 못 할 힘을 가진 히스칼이 날 때리거나 위협할 수도 있다는 사실을 생각해서 사리는 게 아니다.

사실, 두 아이 엄만데 설마 아무리 히스칼이라도 날 거슬린다고 때리진 않겠지!

……않겠지?

"엄마!"

그때 큰 소리가 고막을 후려쳤다. 내가 히스칼에게 정신을 빼앗긴 사이, 구경을 마친 아이들이 가게로 온 것이다.

아리스와 에드가 신나서 달려와 내게 안겼다. 재잘거리며 떠들 줄 알았더니 두 아이 다 히스칼에게로 시선을 준다.

그는 눈에 띄는 외모의 소유자다. 특히 그의 온화하고 선이 고운 외모에 힘을 주는 자줏빛 눈동자는 인상적이지.

내 아이들은 외모를 참 밝혔다. 애들도 예쁜 사람을 좋아한다고! 아리스의 눈에 하트가 뿅뿅 소릴 내며 떠오르는 것 같은데, 내 착각이겠지?

홀린 듯도 하고, 조금 경계하는 듯도 한 기색으로 내 아이들이 물었다.

"이 사람은 누구예요?"

뭐라고 말해야 하지? 옛날 친구? 하지만 난 히스칼과 친구였던 적이 없다. 동료였던 적도 없고. 그냥 아는 사이? 그렇다기엔 뭔가 복잡미묘한 그런 게 있는데.

히스칼의 입매가 깊어졌다. 묘한 미소를 띤 그가 자리에서 일어섰다.

"가려고?"

묻는 내게 시선을 박아 넣으며 그가 다짜고짜 속삭인다.

"너는 행복해진 것 같아. 현재 시점에서 네 선택이 옳았다는 것은 알겠어."

난 눈을 휘둥그레 떴다. 꼭……. 나를 인정하는 것처럼 들리는 말이었다. 빈정대기나 하던 히스칼이 나한테 그런 식으로 말하다니. 조금, 변하긴 한 걸까.

히스칼은 나와 내 아이들을 번갈아 보며 유심히 눈에 담았다. 소개를 기다리다 지친 에드가 손을 들고 발랄하게 말한다.

"난 안드레아예요."

싹 무시하고 히스칼은 나를 향해 인사를 건넸다.

"난 이만 가 봐야겠어."

동심에 상처를 주다니! 하지만 내 자식의 상처받은 마음보다 중요한 게 있었다.

"이봐, 말은 해 주고 가야지."

궁금하게 해 놓고 그냥 갈 셈이야?

그런데 그냥 갈 생각인가 보다.

히스칼이 요요한 얼굴로 태연하게 내뱉었다.

"난 말해 주지 않을 거야."

"어째서?"

"네가 날 궁금해하길 바라니까."

그리고 짤막하게 덧붙인다.

"그게 궁금해서라도, 날 더 생각하고 잊지 않을 테지."

입꼬리에 맺힌 미소가 참 묘하다. 그게 무슨 소리야! 나는 유부녀라고. 별로 외간 남자 머릿속에 떠올리고 싶지 않아!

그러나 항변은 입안에서 먹혀 들었다. 나와 그의 대화를 주목하는 아이들이 있다는 걸 의식한 탓이다. 혹시 이게 아델 귀에 들어가면 곤란하잖아.

"아이들이 귀엽네. 또 보자고."

뒷모습을 보인 채 그가 손을 흔들었다. 나는 멍하니 그가 나가는 것을 지켜보았다. 갑작스러운 만남, 뭔가 어색하면서도 친숙했다.

그리고 이상하도록 가슴 깊이 스며드는 감각이 있었다. 정말 히스칼 말대로 그를 더 생각하게 될 것 같다. 궁금해서라도!

왠지 속이 꼬인다. 확 신성교국에 그가 여기 나타났다고 고자질해 버릴까 보다.

하지만 난 마음을 고쳐먹었다. 이제 새로 대사제도 선출하여 안정을 찾아가고 있는 신성교국이다. 실종된 법황의 존재가 알려져 봐야 좋을 건 없겠지?

"너무 잘생겼다."

아리스가 옆에서 중얼거리며 신경을 빼앗는다. 홀린 눈으로 히스칼이 나간 자리를 쳐다보고 있는 게 심상치 않다.

내 딸이지만, 카마엘은 그렇다 치고 히스칼이라니! 눈이 어디에 붙어 있는 거야.

난 얼른 아리스의 양어깨를 붙잡아 내게로 돌려세웠다. 그리고 엄중한 목소리로 말했다.

"아리스, 남자는 성격이란다. 외모는 중요하지 않아. 그 사람의 됨됨이를 봐야지."

아리스가 눈을 동그랗게 떴다.

"그런데 엄마는 왜 아빠랑 결혼하셨어요?"

'우리 아빠 폭군이라고 소문났잖아!'라고 말하는 듯한 눈빛이었다. 그 질문에 내 입이 꾹 다물렸다.

"그건……."

변명의 여지가 없다. 난 초롱초롱한 눈빛으로 쳐다보는 아리스에게 못내 말했다.

"너무 어린 나이에 발목을 잡혔기 때문이란다. 아리스는 절대로, 성년이 되기 전에 남자애와 친하게 지내지 마, 알았지?"

자고로 남녀칠세부동석이거늘 옛 말씀을 따르지 않았더니 이렇게 되고야 말았다. 아니, 이건 너무 부정적인 끝맺음이잖아! 난 행복한걸! 행복하잖아! 잘 된 거라고. 가끔 발목 잡은 남편이 속 터지게 하지만 말이야.

곧 아이들을 먼저 보내 놓은 세라가 짐을 잔뜩 들고 낑낑거리면서 카페로 들어왔기에 나는 괜한 생각을 떨쳐 버릴 수 있었다.

*

약간 이변이 있긴 했어도 성국에서의 휴가는 순조롭게 흘러 갔다. 열흘간 내 아이들은 항상 깨발랄했고 쇼핑을 즐겼으며 성국의 이곳저곳을 쏘다니며 행복해했다.

성국이나 칼리스나 음식에 별 차이가 있는 건 아니지만, 이것저것 잘 먹으면서 너무도 잘 지낸다. 정말 이대로 눌러앉아도 쟤들은 괜찮겠구나, 하는 생각이 든다.

워낙 평범한 아이들처럼 키워 놔선지 왕족 같은 까다로움은 찾아볼 수 없다. 제 아빠보단 날 닮았으니, 몹시 다행이었다.

나도 온몸의 긴장을 풀고 모처럼 편안하게 있을 수 있었다. 내가 제멋대로 구는 듯이 보여도 칼리스에서는 왕비다.

아델에게야 마음껏 하고 싶은 소리를 하고, 하고 싶은 대로 강요하고 살았지만 칼리스에서는 교양있는 왕비인 척 이미지 관리를 했다.

모름지기 난 성녀 출신 왕비란 말이야. 내 고아하고 성결하며 자애로운 이미지를 손상시키면 안 된다는 압박감을 느끼고 있다고.

묘한 것이, 성국에게 적대적인 칼리스인들에게도 성녀에 대한 이미지가 타국 사람들과 같았거든. 내가 정말로 고상한 성녀인 줄 안단 말이야.

"그런데 아델은 왜 답장을 안 보내는 거람."

일단 2주라는 게 성국에서 머무는 기준이라고 했더니 몹시 삐친 것 같았다.

그 이후로 내가 너무 잘 지내고 있다고, 아이들도 좋아한다고 신나서 편지를 썼더니 답장이 뚝 끊겼다.

설마 화가 나서 내 편지를 갈기갈기 찢어 버린 걸까. 아델 성질머리라면 그러고도 남을 것 같은데.

"혹시 성국으로 쳐들어오려고 하는 건 아니겠지?"

왠지 으스스해진다. 설마 그러겠어, 싶다가도 아델은 그럴 수도 있어! 라는 데 생각이 이른다.

하지만 저주의 영향에서 벗어난 이후로 아델은 그렇게까지 극단적으로 굴어 본 적 없다. 오히려 내가 따박따박 따지고 들면 순한 양이 되는 것까진 아니더라도 잘 넘어갔다고.

월신의 저주가 무슨 난치병도 아니고 그렇게 오래 뒤끝이 남을까.

"그래, 설마."

나는 고개를 끄덕거리며 그래도 삐쳐 있을 아델에게 편지를 한 통 더 보내야겠다고 생각했다. 약속대로, 딱 2주째 되는 날 성국을 떠나겠다고.

그 전에 남은 시간을 실컷 즐겨야지. 난 생각에 충실하여, 아이들과 새로 연 장터를 찾았다.

외부에서 상행이 들어와 거리 한 구역에서 크게 장터를 연다고 들었다.

칼리스와 평화협정을 맺은 이후로 엄격했던 성국의 기준도 많이 완화되었다. 어떤 상행이든 문제를 일으키지만 않으면 얼마든지 성국에 입성할 수 있다.

까다롭게 검열했던 물건들도 이것저것 들어오고 말이야. 이러다가 점점 더 번성하겠어.

오늘도 난 속 편히 세라에게 아이들을 맡기고 시장을 돌아다녔다.

유모가 없으니 나와 있을 땐 몰라도 신전에서 아이들을 재우고 책을 읽어 주는 건 거의 내 몫이었다.

에이레네와 사제들이 도와주긴 하지만, 우리 아이들은 정말 나한테 껌딱지처럼 달라붙는단 말이지.

어휴, 언제 클까. 귀여우면서도 귀찮은 게 진실이다. 귀찮으면서 귀여운 건가. 후자 쪽이 더 긍정적으로 보이잖아?

나도 성녀 출신에 왕비라고 진귀한 것만 보면서 살아왔더니 물건을 보는데 눈이 높았다. 웬만한 건 눈에 차지도 않았지만, 시장에서 파는 것들은 색다른 맛이 있다. 간혹 마음에 드는 물건도 있었다.

나는 상행이 내어놓은 장신구들을 살피는 중이었다. 값비싼 보석이 박힌 화려한 물건은 경매장이나 보석상에서 취급하는 것이지 대규모 상행이라고 한들 기대하기 어렵다.

그냥 소소하게 착용하고 다닐 물건이지, 뭐. 나름 어여쁘고 고르는 것도 재밌단 말이야.

여기 물건이 좀 괜찮네. 에이레네와 아리안느 것도 사 갈까? 세라의 것도 사야지. 아이들을 잘 돌봐 줬으니 보답을 해야겠다고 생각하는 참이었다.

"무척 아름다운 분이시군요."

옆에서 낯선 목소리가 신경을 잡아끌었다. 나는 고르던 장신구를 놓고 옆을 돌아보았다. 나한테 한 말이지, 이거?

마침 나를 알아볼 일 없는 새로운 상행 구역이기에, 꼭꼭 가리고 다녔던 얼굴을 드러낸 채였다.

낯선 남자한테 이런 말을 듣는 건 참 오랜만이라 감회가 새로웠다. 칼리스에서 난 이슬람 여인처럼 바깥에 나갈 땐 얼굴을 가렸다. 게다가 내가 누군지 아는 남자들은 아델 앞에서 함부로 나더러 예쁘다느니 소리를 하지 않는단 말이야.

"누구시죠?"

갈색 머리에 푸른 눈동자. 흔한 듯하면서도 준수한 외모의 남자는 얼굴 가득 미소를 지으며 내게 말했다.

"저는 이 상단을 이끄는, 케니스라고 합니다. 상단의 대표이신 부친을 대신하여 성국을 방문하여 보시다시피 장사를 하고 있었지요."

은근히 과시하는 듯 말하는 게 자기 어필인가 보다.

"장신구에 관심이 있으신 듯한데 제가 따로 준비한 좋은 물건들이 있습니다. 저와 함께 가서, 차 한잔하면서 천천히 둘러보시지 않겠습니까?"

"좋은 물건이요? 제가 값을 치를 수 있을까요?"

난 괜스레 약한 척했다. 물론 이 몸에 둘러 감고 있는 천 조각 하나도 어마어마하게 비싼 것이지만, 일종의 코스프레다.

'오냐, 보석을 보여다오'라고 선뜻 말하기엔 호객 행위에 너무 쏙 넘어가는 것 같잖아. 남자의 미소가 진해졌다.

"부담 갖지 않으셔도 됩니다. 구경만 하셔도 좋습니다. 사실은, 보기 드물게 아름다운 분을 뵈어, 함께 이야기를 나누고 싶었을 뿐이거든요. 향이 좋은 차를 마시면서 말입니다."

어머, 이거 헌팅이야? 평생 받아 볼 일 없던 걸 받아 보니 색다른 기분이 든다. 이것이 유부녀의 여유일까.

"그럼, 가시지요."

내게 잡으라는 듯이 정중하게 손을 내민다. 흠, 잡을까. 난 잠깐 고민했다. 위험할 일은 없을 것 같은데.

성국 사람들은 별로 치장하는 데 돈을 쓰지 않는다. 상행에서 성국에 팔려고 가져왔을 보석들이 어떤 것일까 궁금해졌다.

그 전에, 유부녀라고 밝혀야 속은 듯한 기분이 들지 않겠지? 나는 살짝 웃으며 입을 열려고 했다. 그때,

"죽고 싶나?"

바람이 훅 부는 듯했다. 케니스라고 자신을 밝힌 남자의 멱살을 누군가가 잡아챘다. 바로 옷깃이 붙잡혀 허공으로 끌어 올려진 케니스는 숨도 쉬지 못하고 컥컥거렸다.

난데없는 등장에 놀라 버렸다. 이건 무슨 치정 싸움 같은 폭력 사태란 말이야.

도둑이 제 발 저린다고, 살짝 뜨끔하는 감이 있었던 난 퉁명스레 말했다.

"그만둬, 여긴 성국이야."

그의 손에서 힘이 빠졌다. 바닥에 쿵! 아프게 엉덩방아를 찧은 케니스가 말을 더듬는다.

"누, 누구……."

"내 아내다."

네가 누구냐고 묻는 거잖아, 바보야! 척 보기에도 신분이 드높아 보이는 아델이다. 높은 곳에서 번뜩이는 새파란 눈동자가 습격당한 그의 눈엔 가히 위압적일 것이다.

케니스라고 자신을 밝힌 남자의 얼굴이 새파래진다.

"겨, 결혼하신 분인 줄 몰랐습니다!"

"몰랐어야지. 알고도 그랬다간 네 목이 온전하지 않았을 테니까."

서슬 퍼렇게 내쏜 아델이 고개를 까닥였다.

"꺼져."

자리에서 일어나 부리나케 도망가는 케니스의 뒷모습을 안쓰럽게 바라보자 바로 비딱한 음성이 고막을 찔렀다.

"아쉬워?"

"아쉽다니!"

난 바로 긍정했다.

"그럼 아쉽지. 보석을 구경시켜 준다고 했단 말이야."

"그깟 보석, 칼리스에서라면 갖고 싶으면 얼마든지 가질 수 있을 텐데? 다른 맘이 있었던 건 아니고?"

"무슨 소리야. 난 그렇게 눈이 낮지 않다고."

난 정색하고 말했다. 바람을 피우기엔 상대가 좀 아니지 않아? 괜히 봉변당하고 쫓겨난 그에게 좀 아닌 사람이라고 평가하는 건 미안한 일이지만 말이야.

아델은 물러서지 않고 눈썹을 치켜들었다.

"그러면 네 눈에 찰 만한 남자가 있다면 언제든 따라나설 거란 소리?"

"아니야! 자꾸 말도 안 되는 소리 할래? 난 유부녀잖아."

코웃음 치며 아델이 내쏘았다.

"네가 그 사실을 망각하고 있는 것 같길래."

아무래도 내가 헌팅을 받았다고 좋아라 하고 있는 걸 봤는지 심기가 몹시 불편해 보인다.

나는 아델에게 다가가서 주름진 미간을 손끝으로 살살 폈다.

"어머, 오해야. 난 내가 결혼했다고 바로 밝히려고 했어."

이건 사실이거든! 아델이 내 손을 붙잡아 내렸다.

"정말 잘 지낸 것 같구나."

섬세하게 삐졌는지 고개를 돌리며 중얼거린다. 아, 오랜만이었지? 별로 아델의 부재를 실감하지 못했다. 사실 애 보느라 바빠서……. 마치 하드코어 배낭여행을 온 듯한 기분이었다고!

어머나? 근데.

"아델?"

"왜."

아델이 내 앞에 있는 것이 너무도 친숙하다 보니, 그가 이곳에 있어선 안 될 사람이라는 걸 잊었다.

맙소사, 대체 어떻게 여기에 있는 거지? 설마 또 몰래 숨어든 건가? 아니면…….

"전쟁은 안 돼!"

"무슨 헛소리야."

'개소리야'를 좀 순화시킨 투로 아델이 내뱉는다. 난 뾰로통하게 입술을 내밀었다.

"어떻게 네가 여기에 있어?"

"데리러 오라면서?"

"정말……로 온 거야? 그래서?"

아델이 팔짱을 끼고 비꼬았다.

"잘 지내다 못해서 여기 아주 붙박여서 살 것 같길래 기일을 어길까 봐."

"혼자 남으니 외로웠구나?"

내가 후후 웃으며 다가가자, 아델이 어처구니없단 눈으로 날 바라봤다. 하지만 내가 그를 끌어안자 밀쳐 내지 않고, 마주 끌어안아 온다.

등을 단단히 받치는 감촉이 안온하다. 잃었다 다시 찾은 듯이 팔에 힘이 꽉 들어가는 게, 안쓰러웠다. 그를 놔두고 나 혼자 아이들과 실컷 놀러 다녀서 그런가.

그래, 가족인데 같이 왔으면 좋았을 것을. 어쩔 수 있겠는가. 이것이 로미오와 줄리엣의 비극이니라. 맺어졌어도 시련이 있다.

"내가 여기 있는 거 어떻게 알았어?"

"방법이 있었지."

그리고 난 그 방법이 뭔지 금세 알게 되었다.

"부부간에 서로 오랜만에 상봉했으니, 주변이 눈에 들어오지 않는 건 이해하지만, 아는 체를 좀 해 주시지요."

끼어드는 익숙한 음성에 난 아델에게서 몸을 떼며 돌아보았다.

"아지스도 왔네?"

방법이란 게 이건가. 난 평소와 같이 모호하게 웃는 아지스를 미심쩍게 바라봤다.

아지스의 정체를 알게 되고도 아델은 그를 잘도 부려 먹었다. 자기 부하라는 현재가 중요하지 그의 정체가 무언지 중요하지 않다는 듯이. 참 깔끔한 결론이다.

보통의 왕속 특무단원이라면 성국에서 내 위치를 찾아낼 수 없었겠지만, 아지스는 다르다.

"여긴 성국인데 당신이 방문해도 괜찮나?"

"제가 성국에 위협이 될 만한 일을 하지 않으면 이곳에 존재해도 무방합니다."

마치 월신님과 물밑에서 거래했다는 것 같은 말투다. 그래, 이곳에 존재해도 무방한 건 그렇다 치고 입국은 어떻게 한 거야?

내가 아델 쪽으로 시선을 주자 그가 답했다.

"비공식적인 방문이야. 성국에선 알아."

용케 성국에서 허락해 주었다 생각하면서도 내가 방문했는데 남편을 내치긴 어려울 거란 생각도 들었다. 비공식적으로 들어오기로 합의한 모양이다. 그러니 수행 인원도 별로 안 데려왔겠지.

하지만 그는 몸 안에 마법의 기운이 가득한 칼리스의 왕, 신전에서 쉬기는 편하지 않을 텐데.

물론, 아델이 편하지 않은 건 편하지 않은 거고 당장 떠날 생각은 없다. 정 뭐하면 성국 앞에서 텐트 치고 야영하라지! 난 활짝 웃었다.

"잘됐네, 너도 여기에 온 건 참 오랜만이잖아. 이주가 되려면 며칠 남았으니 함께 지내다 가자. 옛 추억도 되새길 겸."

"추억? 난 여기 그런 거 없는데."

한시라도 빨리 날 데리고 칼리스로 돌아갈 셈이었는지 부정적으로 코웃음 친다.

"어머? 그래? 실망이야!"

난 노골적으로 그에게서 휙 돌아섰다. 바로 어깨가 덥석 붙들렸다.

"왜, 또."

"우리가 처음 만난 게 성국에서였잖아? 이제는 잊어버린 거야?"

난 기념일을 잊은 남편을 탓하는 양 부러 속상한 표정을 지어 보였다. 내가 뻔하게 군다고 무시할 수 있는 아델이 아니다.

"일단 자리를 뜨지."

아델이 눈짓했다. 그가 나타나서 케니스의 멱살을 틀어쥐었을 때부터 온갖 시선이 쏟아지고 있었다. 대화를 크게 나누진 않았지만, 우리가 조명되면 곤란하다.

난 얼른 그의 손을 잡고 따라갔다. 으슥한 곳에 이르자 아델이 뒷골목 깡패처럼 날 벽에 몰아붙이고 못마땅하게 내려다봤다.

"그래서 뭘 하고 싶은 건데?"

"이것저것?"

나는 머리를 굴려 보았다. 성국에서 정체가 들키지 않으면서 할 수 있는 일들이 뭐가 있을까?

모처럼의 데이트다. 외부에서 이렇게 함께 있어 본 건 결혼한 이래로 처음이었다. 정말, 낯설 정도로.

아이들은……. 세라와 알아서 잘 놀겠지.

어쨌든 따라오긴 한 아지스가 골목 밖에서 고개를 살짝 숙이며 말한다.

"그럼 두 분 단란한 시간 보내시지요. 저는 왕녀님과 왕자님 쪽으로 가보겠습니다."

"호위는?"

"필요 없어."

아델이 딱 잘라 말하자 아지스가 얄밉게 말을 보태었다.

"이곳은 성국입니다. 성녀님 곁인데 무슨 문제가 있겠습니까."

"하긴 그래."

나도 사실 아지스와 함께 있는 쪽이 방해받는 기분이라고. 아델도 아지스 앞에선 조금이지만 센 척해서 골치 아팠다. 부하 앞에서의 자존심이라는 걸까?

사실 아지스 눈에 우리가 뭘 하든 귀엽게 재롱떠는 걸로 보일 텐데. 아닌가? 그에게 누군가를 귀엽다고 생각할 만한 감성이 있는지는 모르겠다.

어쨌든 내가 아델을 지켜 줘야지. 고개를 끄덕거리자 아델이 어이없다는 눈빛으로 슥 시선을 비끼며 머리를 쓸어올렸다.

누구도 날 당해낼 자 없다는 저 거만한 자신감을 보라. 하지만 난 히스칼이 성국에 있다는 걸 알고 있지. 말할 생각은 없지만.

"혹시 힘드니?"

"뭐가."

"다리가 후들거리고 머리가 어지럽고 막 눕고 싶고 그래?"

"누굴 병자로 아는 거야?"

"그러면 아무 문제 없네."

나는 눈매를 접어 휘며 손뼉을 탁 쳤다. 워낙 강행군을 잘 견디는 아델이다. 분명 휘리릭 집무를 몰아서 처리하고 종일 말을 달려서 왔겠지.

"그렇다면 오랜만에 예전처럼 데이트하자."

"너와 내가 언제 데이트 같은 걸 했었어?"

아델은 까다로운 성격이었다. '예전처럼'이라는 단어를 그대로 넘기질 못한다.

하긴 결혼 전에는 몰래 만났던 적은 있는데, 꼬집어 데이트라고 말할 만한 건 아니었지. 결혼 후에는 뭐, 말할 것도 없다.

"그럼 이제부터 하자."

"어딜 가고 싶은 건데?"

그치, 너도 데이트하고 싶지? 아델이 좀 솔깃한 눈치기에 나는 그의 손을 덥석 붙잡았다.

"카마엘의 집에 가 보는 건 어때?"

감금의 추억을 되새긴다거나? 내가 장난스레 묻자 아델이 인상을 팍 썼다.

"내가 거기에 왜 가."

"어머, 거기서 우리가 얼마나 재밌게 놀았는데. 기억 못 해?"

내가 실망했다는 듯이 입술을 툭 내밀자, 아델이 신경질적으로 답했다.

"그래, 가자고 가."

카마엘이 억지로 음식을 먹이고 그래서 트라우마라면 모를까 감금당하는 입장에서 좋은 추억은 별로 없었을 테지. 하지만 나는 그때 즐거웠다고.

사실 아델이 별로 섬세한 인간은 아닌데. 단지 나를 향해서만 섬세해지지. 마음이 넓은 내가 그를 열심히 어르고 달래며 맞춰 주고 있다. 왕비란 정말 피곤한 지위야.

아델의 손을 잡고 나란히 성국의 거리를 걷는 건 묘한 느낌이었다. 내 세상에 아델이 정식으로 존재를 인정받은 듯이.

먼 과거 속에 감춰야 했던 존재가 아닌, 내 배우자로서. 그늘이 아닌 양지를 거니는 것이 색다르고 좋았다. 가슴이 뿌듯하고 충만해진다.

"어디까지 가는 거야?"

내 좋은 기분에도 아랑곳하지 않고 아델은 카마엘의 집 위치 따윈 까맣게 잊었다는 양 시큰둥하게 묻는다.

어차피 성국에서 날 따라다니는 것밖에 할 것도 없으면서 불만이 많다. 얼굴에 '귀찮아'라고 쓰여 있었다.

"다 왔어."

문 앞에 서자 기억이 나는지 아델이 미간을 찌푸렸다. 카마엘의 집은 외벽만 새로 칠했을 뿐 과거 그대로 그 자리다.

카마엘이 안에 있으려나? 난 줄줄 꿰고 있는 카마엘의 스케줄을 떠올리며 문을 똑똑 두드리려고 했다.

그러나 이번에도 문은 두드리기도 전에 먼저 열렸다.

"어서 오십시오, 성녀님."

막 몸을 씻었는지 반쯤 물기에 젖은 은발이 고혹적으로 흐트러진다.

고혹적이라니! 외간 남자를, 그것도 성기사를 보고 이런 생각을 한다는 게 불순하게 느껴지지만 사실이었다.

살짝 젖어 있는 쪽이 좀 더 여릿하면서 가슴을 뭉클하게 하는 게 있달까. 내가 홀린 듯이 그를 응시하자 아델이 손에 힘을 가한다.

꽉 틀어쥔 손길에 통증이 밀려온다. 아야! 아프잖아.

말끔하게 인사한 카마엘은 나를 넘어 아델에게 시선을 주고 있었다. 손가락이 살짝 움찔거리는 게, 검을 찾는 것 같지?

서로 인사는커녕 아무 말도 건네지 않고 살벌하게 시선을 맞댄다. 나는 아무것도 모르는 얼굴로 환히 웃었다.

"안녕, 카마엘. 오늘은 아델과 함께 왔어. 그도 여기서 한때 머물었잖아. 들어가도 괜찮을까?"

난 세심하게 카마엘의 안색을 살폈다. 나라고 해서 싫다는데 비집고 들어갈 생각은 없다.

성기사인 카마엘 입장에서 칼리스의 왕을 집에 들인다는 게 얼마나 찝찝한 일일진 생각 안 해도 안다.

하지만 내 남편이잖아! 좋아하진 않더라도 기피하진 말아 줬으면 좋겠다.

내가 좋아하는 두 사람이 농담 따먹기를 나누기까진 바라지 않는다. 하지만 두 사람 사이가 조금은 원만해지길 바라는 건 너무 과한 기대일까?

"들어오십시오."

카마엘은 오래 고민하지 않았다. 그가 문을 열고 비켜서자 난 먼저 발을 들였다. 버티듯이 서 있는 아델을 힘껏 잡아당기자 마지못한 듯 끌려 들어온다.

안으로 들어서자마자 뭐가 또 마음에 안 들었는지 빈정댄다.

"여전히 볼품없는 장소야. 성국은 제 나라 제일의 성기사에게도 돈을 아끼나?"

"이쪽이 제게 더 편합니다."

감정 없는 존대가 흘러나왔다. 원래 아델에게 하대했던 카마엘인데 나름대로 내 남편이라고, 칼리스의 왕이라고 대우를 해 주는 것 같았다.

"그렇다면 지나치게 소박한 취향이라고 해야겠군. 지위에 어울리는 거처를 가져야 성국에 먹칠하지 않을 거라는 생각은 안 드나? 다른 이들이 보면, 그대를 우습게 여길 거야."

그런 걸 가지고 카마엘을 우습게 여길 건 너뿐인 것 같은데! 가진 재물을 보고 남을 판단하는 거, 안 좋은 거라고!

근데 아델은 뭘 가지고 있어도 상대를 깔보았다. 내려다보는 것도 습관이고 습성이다. 삐죽 입을 내밀며 뭐라고 말하려는 찰나, 카마엘이 입을 열었다.

"월신의 모든 권속은 신 아래 기거하고 있으니, 인간들의 눈높이에 연연할 건 없겠지요."

역시 카마엘! 우리 성숙하고 수준 높은 카마엘은 수준 낮은 아델의 도발에 응하지 않았다. 또다시 카마엘을 긁어 보려는지 아델이 입을 달싹였다.

그러나 그는 곧 인상을 찌푸리며 입을 닫았다. 내가 먼저 그의 옆구리를 세게 꼬집었던 것이다.

"손님은 손님답게 굴어야지."

내가 사나운 눈으로 웃어 보이자, 아델은 입을 꾹 닫았다. 불만이 있는 표정이다.

아이참, 이럴 때면 아델은 참 아이 같단 말이야. 제 성질머리대로 사는 건 왕도 마찬가지라서 그런가. 난 분위기를 환기시켜 보기로 했다.

"여기 기억나? 여기서 너와 내기를 했었잖아."

"그 불공정한 내기 말이지."

"무슨 불공정한 내기야. 아주 공정했지. 네가 졌다고 과거를 왜곡하면 못써."

쌓아 올린 나무토막을 하나씩 빼내어 먼저 탑을 무너뜨리는 쪽이 지는 거였지. 소원을 하나 이루어 주기로 한 그 내기에서, 카마엘의 난입으로 내가 이겼다.

하지만 카마엘의 난입으로 피해 볼 뻔한 건 나 역시 마찬가지였다. 순간의 기지가 승리를 가져다준 거지.

아델의 입가에 언뜻 미소가 스친다. 그에게도 나쁜 추억은 아닌가 보다. 꽁꽁 얼어붙었던 그의 마음에 내가 봄바람처럼 살며시 스며들었던 먼 옛날의 추억.

때때로 그를 만나지 못했더라면 어땠을지 생각한다. 우리는 성국의 성녀와 칼리스의 왕으로 서로 대적하고 있었을까.

현재와는 완벽하게 반대되는 미래.

인연이 가져다준 변화는 놀랍다. 거기에 내 의지도 조금쯤 있었겠지만 부인할 수 없는 건, 그 모두가 아델이 나를 놓지 않았기 때문이다.

그의 의지가 나를, 그리고 우리의 미래를 바꿔 놓았다. 그리고 그 미래가 현재가 된 자리에 우리가 있었다.

집주인인 카마엘은 배달 온 택배를 집 안에 방치해 놓듯이 우리를 내버려 뒀다. 그로서도 신경 끊는 게 속 편할 거다.

한결 기분이 나아진 듯한 아델과 나는 바닥에 철퍼덕 주저앉아서 시시콜콜 잡담을 나누었다. 여기에서 우리는 왕비도 왕도 아니다. 대화에 격식을 차릴 필요도, 눈치 볼 필요도 없다.

무뎌진 머릿속을 더듬으며 누가 더 많이 기억하고 있는지 경쟁하듯 입 밖으로 냈다. 물론, 서로 투닥거리면서 말이다.

이렇게 여유롭고 즐겁게 아델과 대화를 나눈 게 얼마 만이지? 마음이 그 어느 때보다도 편안하다.

우리는 로맨틱한 부부라기보단 소꿉친구 같은 부부였다. 칼리스의 왕과 왕비가 어떤 식으로 대화를 나누는지 안다면 모두가 놀랄 거다.

아델이 피식 웃으며 느닷없는 소리를 던진다.

"솔직히 말하자면, 난 그때 네가 모자란 애인 줄 알았어."

"뭐야? 왜 그렇게 생각했는데!"

화를 내려다가 나도 아델을 성질 나쁜 꼬맹이라고 생각한 과거가 있어서 참았다. 뭐, 아주 몰랐던 것도 아니고.

사실 지금도 성질은 여전히 나쁘다고 생각하지만, 나한테는 굽힐 줄 아니까 되었다.

"시간 낭비일 뿐인 짓을 하길래. 나를 설득시키는 것보단 포기하는 게 더 효율적인 판단이다. 넌 성녀고, 정체 모를 칼리스인을 설득하는데 시간을 쓸 이유가 없어."

"너는 아이였잖아."

"내가 아이건 아니건 그건 중요하지 않아. 내가 너라면, 나를 설득할 수 있다는 가능성에 미련을 두지 않았을 거야. 성과를 얻어 낼 수 있다는 보장 없이 무언가를 걸지 않는다. 나는, 그렇게 살아왔으니까."

아델은 차분히 말을 이었다.

"말리는 자가 있을 거라고 생각했지만, 저자도 결국 네 행각에 동조했지. 너는 결국 네가 원하는 대로 나를 이끌었다. 결국 가능성에 건 너는, 성공했지."

묘하게도 담담한 목소리다. 어떻게 여기까지 오게 되었나 새삼 짚어보듯이. 나는 쫑긋 귀를 기울였다.

"나는 져 본 적이 없었지만, 너는 늘 날 패배시켜."

아델이 그에게 바짝 고개를 기울인 내 코끝을 톡톡 쳤다. 동물을 대하는 것 같은 애정 표현이다.

"그런데 그 패배가 썩 나쁘지 않다는 게 문제야."

그럼, 그럼. 내가 얼마나 열심히 널 길들이고 있는데. 난 의기양양하게 말했다.

"나쁘지 않다니, 너무 짠 평가 아니야? 내가 널 얼마나 행복하게 해 주고 있는데!"

"그래, 행복. 아마 내가 느끼고 있는 게 그런 거겠지."

아델은 선선히 답했다. 망설임 없이 긍정하는 것이 기뻤다.

누군가가 나를 행복하게 해 주는 것도 좋은 일이지만, 내가 누군가를 행복하게 하는 것만큼 나를 가득 채우는 것은 없다. 나는 그 솔직한 응답만으로도 넘치도록 받는 기분이다.

아델이 내 머리카락에 손을 넣어 쓸어넘기며 장난스럽게 입꼬리를 올린다.

"하나 그때와 달라지지 않은 게 있지."

"뭔데?"

"네가 날 어린애 취급하는 거."

"네가 어린애 같아서 그런 거겠지?"

"농담은."

그럴 리가 있겠냐는 양 당당하게 코웃음 친다. 까다로운 아델은 자신한테만큼은 무한히도 관대하다. 아예 기준치가 다르달까. 뭐랄 맘은 없어서 난 그냥 웃었다.

우리의 잡담은 카마엘의 근무 시간이 되어서야 끝을 맺었다. 커플 사이에 껴서 무슨 수난이람? 예나 지금이나 그에겐 참 폐를 많이 끼친다.

단시간에 그와 아델 사이가 좋아질 거라고 생각진 않는다. 이렇게 매년 한 번 찾아오고 또 찾아오면 수십 년 후 아델과 내가 사이좋게 호호 할머니 할아버지가 될 때쯤은 그들도 서로 더 편하게 느끼게 되지 않을까.

"그럼 이만 가 볼게."

나는 카마엘을 향해 손을 흔들었고, 그제야 해방이 된 카마엘은 내게 묵례해 보이며 등을 돌렸다.

어떤 감정도 남기지 않는 깔끔한 뒷모습이다. 그의 친숙한 무심함은 내게 편안하기만 했다. 다음에 또 놀러 와야지!

카마엘이 스산함에 몸을 떨 생각을 하며 나는 팔짱을 끼고 선 아델의 팔에 손을 끼워 넣었다. 아델과 실컷 수다를 떨었더니 지치긴커녕 활력이 솟는다.

"자 이제 어디를 가 볼까?"

"또 어디를 가겠다고?"

"그래, 약한 소리 하지 마. 아델, 아직 청춘이잖아!"

체력이 달려서가 아니라 단지 나돌아다니기 귀찮아서 그렇다는 건 안다. 검술 훈련은 빼놓지 않으면서 이것저것 구경하며 거리를 걷는 건 또 안 좋아하니, 정말 왕족다운 취향이지!

"오늘만큼은 아이들에게서 해방되었잖아. 모처럼 데이트인데 좀 더 기뻐하라고."

"그래, 데이트."

어쨌든 둘이라는 사실은 아델도 마음에 들어 하는 것 같았다. 날 쳐다보는 근사한 얼굴에 미소가 맺힌다. 모처럼 서로를 독차지할 기회인걸. 나도 기분이 들뜬다.

나는 세라를 따라 다녔던 곳들을 아델과 함께 나란히 걸었다. 얼굴을 꽁꽁 가린 나와는 달리 아델은 그대로 외형을 드러낸 채다. 칼리스의 왕인 그의 얼굴을 알아볼 사람은 성국에 거의 없었다.

햇살을 따온 것 같은 금발에 어두운 기가 도는 새파란 눈동자, 가까이 가기 어려운 인상이나 어디 하나 흠잡을 데 없는 이목구비엔 귀티가 묻어났다.

차갑고 위압감 서린 눈빛 때문에 곱상하거나 유하게 보이진 않는다. 서슬 퍼런 예기가 묻어있달까. 그는 왕이니, 그간 왕으로서의 분위기가 몸에 밴 터였다.

지시만 내릴 것 같은 이런 남자에게 기저귀를 갈게 하다니! 나도 참 대단하지. 기분이 좀 묘해진다.

귀한 신분의 방문자로 보이는 아델에게 시선이 쏟아졌다. 주로 '어머, 저기 좀 봐!', '저 남자 진짜 잘생겼다.' 같은 수군거림이 들렸다.

아마 내가 곁에 없었으면 어떤 대담한 아가씨한테 헌팅당하지 않았을까? 질색하며 싸늘하게 거절했겠지만. 거절했겠지?

나는 괜스레 아델의 옆얼굴을 노려보았다.

"뭔데?"

"아니야."

이건 불공평해! 나만 이 거치적거리는 천으로 얼굴을 가리고 있어야 한다니.

하지만 내겐 성력이 없고 아직까지 마법의 사용은 성국 내에서 엄금된다. 6년이란 세월은 성국으로부터 나를 잊게 할 만큼 길지 않으니 필수란 말이지.

가는 길에 매일같이 찾았던 아이스크림 가게에 들렀더니, 이제껏 데면데면했던 아주머니가 안면을 싹 바꾸어 사근사근하게 굴었다.

"자주 오시는 분 맞지요? 남편분이 정말 잘생기셨어요!"

심지어 아이스크림도 수북하게 얹어 줬다. 나는 콘 위에 올려진 우유맛 아이스크림에 혀를 가져다 대며 속으로 투덜거렸다.

다들, 너무한 거 아니야? 아무리 얼굴을 가렸다지만 난 전직 성녀인데! 어째 아델한테 더 친절하냐고!

아델은 자신이 누리는 특혜가 너무도 당연해서 감흥도 느끼지 못하겠단 기색이었다. 그게 더 얄미웠다.

곰곰이 생각해 보면 아델은 얼굴 따윈 아무래도 좋다고 여기는 쪽인 것 같다. 아니, 그보단 남한테 관심이 없는 쪽인가.

나한테는 예쁘다고 칭찬해 준 적이 있어도 애초에 남이 예쁘건 잘생기건 나와 상관없다는 식의 혼자 세상을 사는 느낌이다. 거울을 보며 자아도취에 빠지지도 않지.

외모지상주의에서 자유롭다는 점에서 아델은 나보다 성숙한 인간이 아닐까?

나는 새삼스레 성녀로서 자신의 부족함을 실감하며 자괴감에 잠겼다. 그리고 아이스크림을 그에게 들이밀었다.

"먹어 볼래?"

자긴 안 먹겠다며 내가 아이스크림을 사는 걸 옆에서 지켜보고만 있던 아델이었다. 생각 외로 그가 혀를 내밀어 핥았다.

"먹을 만은 하네."

그러면서 씩 웃는 데, 갑자기 왜 가슴이 철렁하지? 살짝 쌓인 분이 사르르 풀어지고 만다. 애 아빠가 이렇게 멋져서 되겠어? 는 내 남편이다.

하느님, 아니 월신님 감사합니다! 붙어 있을 땐 모른다고. 며칠 떨어져 있다가 다시 보니, 아델의 매력을 실감하게 된다.

"하나 더 살 걸 그랬나?"

"양이 많은데."

"많아도 나는 다 먹을 수 있는데……."

내가 아깝다는 듯이 말하자 어이가 없는지 눈썹을 치켜든다.

하지만 별로 군것질에 관심이 없는 그였다. 아델이 아이스크림을 맛보았던 건 그냥 내가 먹는 걸 먹어 보고 싶어서라는 걸 안다.

"농담이야. 같이 먹자."

아델 한 입 나 한 입, 우리는 함께 아이스크림을 먹으며 거리를 걸었다.

아이스크림이 금세 녹아 손가락을 적시자, 품에서 손수건을 꺼내 닦아 준다. 아이들을 함께 돌보다 보니 아델도 꽤 세심해졌다. 왠지 로맨틱하잖아. 가슴이 콩닥콩닥 뛰었다.

"어디를 가는 거야?"

"높은 곳."

아이스크림에 정신이 팔려 있었던 터라, 아델이 불쑥 물어 오고 나서야 나는 방향을 바로 잡았다.

이쪽이었나. 성국은 그리 넓지 않은 나라였다. 우리는 조금 헤맨 끝에 위로 올라가는 길을 찾아냈다.

도착할 때쯤 이미 저녁이었다. 딱 좋은 시간이다.

낑낑대며 외벽의 망루를 기어오르니, 마침 하늘이 노랗고 붉은 색으로 어렴풋이 물들어 가고 있었다.

하얗기에 물들기 쉬워 노을빛에 젖은 성국의 풍경은 너무도 아름다웠다. 수채화로 채색한 양 은은하고 포근한 빛깔이 시야를 가득 채웠다.

이곳에선 완전히 밤에 삼켜지기 전 노을이 가장 아름다웠다.

아델은 말없이 노을 가득한 하늘 아래 펼쳐진 아름다운 성국을 내려다보았다. 나는 그 광경이 아름답고 멋진 것들을 익히 보아온 그에게도 감흥을 주고 있다는 걸 깨달았다.

감상을 방해하지 않기 위해서 올라올 때까지 업어 달라 끌어 달라 조잘거리던 입을 꾹 다물었다. 그리고 말없이 그의 손만 단단히 쥐었다.

아델은 홀린 듯이 수평선을 향해 내려앉는 태양을 직시하고 있었다. 푸른 눈동자 안에 붉은 기운이 번진다. 아득하고 오묘한 색이다.

엉뚱한 불안감이 밀려온다. 혹시 너, 이 성국이 가지고 싶어졌다거나. 위험한 발상을 떠올리는 건 아니지?

내가 살짝 손을 당기자 아델이 반사적으로 내 어깨를 끌어안는다. 머리가 그의 어깨에 닿았다.

"해가 지면 내려가자."

내가 좀이 쑤셔서 그런다고 생각한 모양이다. 내 인내심이 그렇게까지 박약하진 않다고. 아델이 마음에 들어 하니 뿌듯해진다.

"천천히 봐. 마음에 들면 또 와도 돼."

능금처럼 새빨갛게 달아오른 해가 반쯤 지평선 너머로 가라앉자, 그가 내게로 시선을 주었다.

"데이트란 거, 꽤 괜찮은데."

장난기가 치민 나는 속삭이는 그를 향해 고개를 바싹 들이댄다.

"그렇지? 그리고 데이트에선 빠질 수 없는 게 있는데."

주로 아델이 내게 먼저 손을 뻗는 쪽이었지만, 성국은 내 나와바리…… 아니, 내 영역 아닌가. 절로 대담해진다.

나는 아델에게 살짝 입술을 겹쳤다. 바로 호응하듯 뜨거운 키스가 돌아온다. 가슴이 뻐근하도록 사랑스러운 그다. 노을을 앞두고 키스라, 낭만적이잖아?

우린 더 이상 신혼이 아니다. 이젠 질린다고 말이 나올 만큼 함께한 이래로 오랜 시간이 지났다.

그와 난 성격도 성장환경도 달랐다. 같은 거라곤 서로를 향한 마음뿐. 그동안 많이도 싸우고 다투고 부딪혔다.

하지만 험난하게 맺어진 탓일까. 그 가운데도 단단한 결속이 있다. 어떤 갈등이든 결국은 사르르 웃으며 넘어가게 되는 그런 거.

의심 많은 아델이라도 결국 날 성국으로 보내 준 걸 보면, 그간 애정과 함께 신뢰가 뿌리 뻗어 자라났던 거다.

날카롭고 냉정한 구석도 많이 마모되고 편안해진 현재의 아델이, 나는 과거보다 더 좋아졌다.

서로 처음부터 완벽하게 들어맞으면 좋겠지만, 이렇게 서로에게 알맞게 되어 가는 것도 좋다. 전자는 더 나아질 게 없고, 후자는 점점 더 나아져 가는 것일 테니까.

그리고 행복감이란 게 나아져 가는 상황에서 더 느낄 수 있다는 건 분명하다. 겨우겨우 맞물렸던 자물쇠와 열쇠가 모양을 맞춰 가는 듯이.

"사실 난 말이야."

아델이 문득 입을 연다. 그래, 어서 말해 보렴. 나는 눈을 반짝이며 그를 쳐다보았다. 아델이 미간을 찌푸린다.

"왜 그래, 오늘 이상해."

"오랜만에 만나서 반가워서 그런 게 아닐까?"

"너는 꼭 어제 헤어졌다가 오늘 만난 것처럼 굴던데."

"그땐 얼떨떨해서 그랬지."

내가 후후 웃으며 까치발을 들어 그의 뺨에 코를 비비자, 아델의 얼굴에서 미소가 사라졌다. 어쩐지 위험스럽게 낮아진 목소리로 그가 속삭인다.

"자꾸 귀엽게 굴지 마. 여긴 침대도 없는데."

"뭐? 이 신성한 성국에서 무슨 소리를 하는 거야."

진짜 놀랐다. 난 한 발짝 그에게서 물러났다. 아무리 우리가 부부라지만, 그래도 야외플레이는 좀 그래……. 거기다가 여긴 성국이잖아!

언제 얼굴을 굳혔냐는 양, 아델이 소리 내어 웃었다.

"농담이야."

진짠 줄 알았다. 정말 식겁했다고. 그러나 곧 그는 눈살을 찌푸리며 고개를 갸웃했다.

"아닌가, 반 농담?"

"……그래, 무슨 이야기를 하고 싶었던 건데?"

빨리 화제를 돌려야겠다. 마침 주변도 어둑어둑해지고 인적이 없어서 아델이 위험한 상상을 펼치기엔 딱 좋았다. 한결 차분해진 아델이 입을 연다.

"아까, 못한 말이 있어."

"아까라면, 카마엘의 집에서 말이야?"

"그래, 그때 나는 어떤 기억을 떠올렸지."

나는 조용히 귀를 기울였다.

"너는 내게 가족에 대해서 말한 적이 있어."

나는 내 기억을 먼 과거로 미끄러뜨렸다. 내가 그에게 무슨 말을 했더라. 가족, 가족이라고. 뭔가 생각날 듯한데.

"내게 소중한 누군가가 생기고, 그 사람과 서로 가족이라고 생각하기만 하면 가족이 될 수 있다고, 네가 내게 그렇게 말했었어."

"내 말대로 된 거네?"

"그래, 가족을 가져보란 네 말대로 결혼도 했고 아이도 가졌지."

"잘됐네. 나 정말 성녀인가 봐."

나는 남의 이야기를 하듯 이야기하며 생글생글 웃었다. 덕담이 실현될 때 기분이 좋은 건 당연하다.

"나는 내가 가지고자 하는 것을 가졌고, 거기에 더해 너를 얻었어. 네가 내게 가족을 가져다줬지. 그런데 너는……."

왠지 또 우중충하게 흘러갈 것 같은 뉘앙스다. 흡사 저주가 풀리고 처음으로 마주했던, 그와 내가 손을 잡았던 그 날로 돌아간 듯이.

"네가 그 거리에서 어떻게 돌아다니는지 봤어. 성국에서의 너는, 칼리스에서와는 다르게 편안해 보여. 이곳이 네 자리인 것처럼. 그렇겠지. 너는 성녀니까."

어라? 잠깐. 그 말은 내가 시장통에 잘 어울리는 것처럼 보였단 말이야? 나는 속으로 괜한 트집을 잡았다.

아델의 말이 차분히 이어졌다.

"칼리스에서의 넌 항상 너를 누르며 맞추거나 뭔가를 바꿔야 했지. 내게는 그렇지 않았지만 다른 이들을 대할 때의 넌 자유롭지 않았어."

아델이 난간에 손을 걸쳤다. 그는 이제 불빛을 피워올리기 시작하는 성국을 내려다보며, 나직이 말을 이었다.

"……그래서 나는, 네가 여기에 오는 게 싫었어. 네 마음이 변할지 모르니까. 네게 다른 삶이 주어질 수 있었다는 것을 떠올리면 나를 선택한 과거를 후회할 수 있으니까."

나를 향해 말하면서도 아델의 시선은 저 먼 곳을 향하고 있다. 흡사 나를 회피하듯이.

"그래서, 성국에 남고 싶어질 수 있으니까. 그리고 나 역시, 내가 네게서 빼앗은 것들을 실감하게 될 테니까."

그건 죄책감을 느낀다는 소리야? 아델도 참 많이 사람이 되었다. 평생 '내가 하는 일은 모두 옳다!'는 독선적인 마음가짐으로 살아오지 않았나.

결혼이란 건 정말 마법 같은 거다. 내가 이렇게나 너를 사람으로 만들다니! 감동적인 인간 교화 스토리다.

난 그에게 두 걸음 다가갔다. 그것만으로도 우리 거리는 단숨에 좁혀진다. 난 주저 없이 손을 올렸다. 그의 뺨에 대고, 힘을 주어 꼬집어 올린다.

아델이 내 손목을 잡으며 눈을 찡그렸다.

"뭐 하는 거야?"

어릴 때와 같은 탄력은 없군. 좀 아쉽구나. 난 이제야 나를 쳐다보기 시작한 아델에게 눈을 맞추며 말했다.

"이렇게 생각해 보는 건 어떨까. 내가 아닌 네게 초점을 돌려서. 과정이 험난했기에, 네게 그 모든 걸 얻을 자격이 있었던 거야."

내 마음을 쓰라리게 했던 아델의 과거가 떠오른다. 밝은 미소가 입가에 피어난다.

"그리고 나는 후회하지 않아."

성국에 대한 그리움이 드는 건 사실이다. 떠나야 하는 며칠 후가 다가오는 게 아쉽게 느껴질 만큼. 그건 내가 잃은 것.

하지만 사람은 살면서 선택을 통해 수많은 것들을 잃고 얻는다. 난 잃은 것보다 더 많은 것을 얻었다.

"내가 너를 선택한 게 왜 상실이라고 생각해? 나도 범 같은 남편과 토끼 같은 아이들을 얻었는걸. 다른 누군가와 결혼을 했더라도 이보다 결과가 좋긴 힘들었을 거야."

곰도 아니고 범 같은 남편이 좋은 건지는 좀 의문이지만. 어쨌든 아델은 세상 누구보다도 나를 사랑해 주고, 우리 아이들은 귀엽고 깜찍하다.

게다가 한 번에 둘이나 낳았다. 남들은 한 번에 한 명밖에 못 낳는데! 두 배의 성과잖아.

"날 생각한다면 그냥 날 좀 자주 성국에 보내 줘. 일 년에 한 번은 이렇게 휴가를 오는 게 어때? 아이들에게도, 엄마의 나라를 일 년에 한 번쯤 경험시키는 건 좋은 생각일 거야. 칼리스의 왕성에 콕 박혀 있는 것보단 말이지. 너도 어린 시절엔 이곳저곳 돌아다니면서 자랐으니까."

"……그래."

아델은 나를 조용히 끌어안았다. 난 그의 가슴팍에 얼굴을 묻게 되었다. 어떤 표정을 짓고 있는지 보이지 않는다. 하지만 그의 심장 고동은 빠르게 뛰고 있다.

난 아델이 지금 무엇을 느끼고 있는지 알 것 같았다.

"다음에는…… 함께 오는 걸로 하자."

"그래, 카마엘이나 에이레네와도 좀 친해져 봐. 너도 왔을 때 환대해 주는 사람이 있는 게 좋을 거 아니야."

"난 누군가와 친해지려고 해 본 적이 없어."

"삶은 변화의 연속이지. 새로운 시도를 해 보는 게 어때?"

"안 들은 걸로 해 두지. 난 성국인들과 체질적으로 맞지 않아."

"나도 성국인인데?"

"너는 예외니까. 아무튼 그건 네가 원해도 안 되는 거야."

딱 잘라 말을 맺는다.

아델이 씨도 안 먹힐 것처럼 나오기에, 나는 당장 그를 쪼지는 않기로 했다. 그래, 예외라는 건 항상 좋은 거니까. 당분간은 이 예외를 홀로 누리자.

나는 그의 손을 잡아끌었다.

"이제 돌아가자."

*

"아빠! 안녕하세요."

"아빠! 오셨어요?"

아델을 보자마자, 두 아이가 반가운 듯이 달려든다. 아무리 엄한 아빠라도 그동안 애들과 보내는 시간이 길었으니 빈자리를 크게 느꼈나 보다.

"아리스, 에드."

한 팔에 하나씩 안아 드는 동작이 이젠 꽤 숙련되어 보인다.

처음엔 애들은 유모한테 맡겨야 한다느니 왕인 내가 애를 왜 보냐느니 뻗대었던 아델도 이젠 자기 자식들에게 정을 꽤 붙이게 된 듯싶었다. 훈육된 부성애랄까.

함께하는 시간은 정을 쌓는다. 고장 난 게 아니라면 아무리 냉혈한 심장을 가진 사람이라도 마찬가지일 것이다.

아델은 성벽 근처의 가정집에 거처를 잡았다. 다른 이들이 반대해도 내가 원한다면 아델을 신전 안에 들일 수 있겠지만, 거기서 머무는 건 역시 그에게도 부담스럽게 느껴지는 모양이었다. 적진에서 잠드는 것 같은 기분이랄까.

그래서 우리가 잠자리를 옮기기로 했다. 세라 옆에서 잘 놀고 있었던 아이들은 아지스의 등장에 아델이 이곳에 와 있다는 걸 눈치챈 듯했다.

나는 두 아이들을 데리고 아델의 곁으로 갔다. 그 말은 곧, 에이레네의 보살핌 밖으로 벗어난다는 이야기다. 아델과 내가 육아를 도맡아야 한다는 이야기기도 하지.

세라도 오기로 했고, 신전에서 사람을 보내 주겠다 했지만, 그것도 낮 시간의 이야기다. 밤에 아이들을 씻기고 재우는 일은 순전히 우리 몫이었다.

"올 거면 유모를 데려오지 그랬어."

내가 핀잔을 주자 아델이 냉정하게 대답한다.

"종일 말을 탔는데, 그녀가 버텨 나겠어? 기절한 그녀를 말에 묶어서 데려오는 건 너도 바라지 않겠지?"

"……응."

잔인한 녀석. 유모가 아델만 보면 얼굴이 굳어지는 게 이해가 간단 말이지. 나는 손뼉을 쳐서 분위기를 환기시켰다.

"가정집 분위기네. 단란하게 우리 가족만 있는 것도 괜찮을 것 같아."

"저도 있습니다만."

"그렇네, 잘됐다. 아지스가 고기를 구우면 되겠어."

"……고기라니요?"

"내일은 바비큐 파티를 할 계획이거든."

나는 미리 계획되었던 양 손가락을 치켜들며 말했다. 물론, 방금 생각난 계획이었다.

들어오면서 둘러보니, 꽤 좋은 집을 내줬다. 2층 저택에 널찍한 마당도 딸렸다. 마당을 보니 좋은 생각이 났다.

칼리스에서야 요리사들이 척척 음식을 해서 내오니 바쁜 아델을 붙들고 뭔가를 계획하긴 어려웠다. 하지만 여기선 다르지!

아지스가 드물게 약한 모습을 드러냈다.

"저는 요리는 별로 해 본 적이……."

"왕속 특무단이잖아! 그 정도는 해내라고."

"그것과 그것이 무슨 상관인지는 모르겠지만, 아무튼…… 노력해 보지요."

괜히 따라왔다는 기색이 그의 얼굴에 스쳤다. 난 무시하고 심드렁한 아델을 향해 말했다.

"그럼 내일 시장에 가서 이것저것 사 오고, 에이레네도 불러야지."

"그래."

"그럼, 잘 준비를 할까?"

다행히 그 후로 험난한 일은 없었다. 아델과 나는 서로 나뉘어 아이들을 씻기고 옆방에다가 재웠다. 종일 돌아다닌 에드와 아리스는 유순하게 곯아떨어졌다.

나는 젖은 머리를 탈탈 털어 말리고, 아델과 같은 침대에 드러누웠다. 원래 쓰던 것만큼 크진 않아서 아늑한 감이 있는 침대였다. 우리 둘이 눕기엔 충분한 크기.

아델은 먼저 침대에 누워 있었다. 피로한 듯 눈가가 나른하게 풀려 있는 게 강행군에 이어 내게 끌려다니느라 지쳤던 것 같다. 옆으로 길게 누운 그와 난 얼굴을 마주 보게 되었다.

"내가 성국에서 이런 식으로 머물게 될 줄 몰랐는데."

"인생은 이변의 연속이지."

"내 삶에 이변을 유도하는 건 너야."

"그래, 그래. 알았으니 자자. 내일 해야 할 일이 많으니까."

불길한 예감이 드는지 아델의 눈썹이 꿈틀댔다. 그러나 그는 내 입술에 인사하듯 가볍게 입을 맞춘 뒤 눈을 감았고, 곧 곤하게 잠들었다.

졸음이 전염되었는지 나 역시도 금세 잠의 늪 속으로 깊이 빠져들었다.

＊

내가 비척거리며 일어나 세수를 마치고 아이들도 슬슬 깨어날 때쯤, 아침부터 찾아든 손님이 있었다.

"제가 너무 일찍 찾아온 건 아니겠지요?"

눈을 찡긋거리며 인사해 오는 그녀를 마주하며 난 환하게 웃었다.

"오늘 신전에서 보내 준다는 사람이 에이레네였어?"

"두 분 모두 저를 친숙하게 여기시니까요. 제가 여기에 오는 편이 낫겠지요. 아무래도 폐하의 방문 건은 비공식적인 것이기도 하고요."

아아, 아델이 여기 있다는 게 알려지기라도 하면 곤란하겠지. 아는 사람이 적을수록 좋다.

"잘 됐어. 안 그래도 에이레네를 부르려고 했거든. 오늘 우리, 바베큐 파티를 하려고 했어!"

"바베큐 파티요? 좋은 생각이네요."

에이레네의 좋은 생각이란 건 돌아다니면서 아이들을 돌볼 필요 없어서 좋다는 뜻인 것 같았다.

"어디 보자, 마당에서 고기를 구우려면 불을 피울 테이블이 필요할 텐데. 신전에 적당한 게 있을 거예요. 사람을 보내서 가져오라고 하지요."

"아이들을 돌보고 있어 주겠어? 나는 아델과 식재료를 사러 가려고."

아델을 내가 데리고 가는 게 에이레네도 덜 불편할 거다. 그녀는 선뜻 응답했다.

"장 보시는 겸해서 데이트를 즐기시는 것도 좋지요. 점심때까지 준비해 놓고 있을게요."

"아지스라고, 안에 왕속 특무단원 하나 있는데 별로 하는 게 없으니 뭐든 시켜도 돼."

"예, 다녀오세요."

나는 나보다 먼저 깨어나 준비를 마친 아델에게 잠시만 기다리라고 하고 준비를 마치고 나왔다.

그는 습관적으로 자고 일어나면 옷매무새부터 단정히 하는 부지런한 남자였다. 이렇게 보면 장점도 참 많단 말이야. 물론, 아델의 가장 큰 장점은 잘생겼다는 거지만.

"가자."

우리는 팔짱을 끼고 한가롭게 시장을 향해 나섰다. 마침 햇살도 잔잔하고 하늘도 맑아서, 걷기에 좋은 날씨였다.

"아델은 뭔가 먹고 싶은 것 있어?"

"꼭 네가 만들어 줄 수 있는 것처럼 이야기한다."

까탈스러운 아델은 코웃음을 쳤다. 왕인 그가 먹고 싶어 할 정도의 음식이면 내 조악한 손재주론 흉내도 내지 못할 거다.

난 퉁명스레 말했다.

"마음으로 맛있게 먹어."

보들보들한 계란찜 정도는 만들 수 있는데. 그래, 고기엔 역시 계란찜을 곁들여야지. 된장찌개 같은 건 여기서 구할 수도 만들 수도 없지만 말이야.

"안에 그릇이 있었지? 그러면 그릇은 살 거 없고 작은 냄비와 계란과 야채와 향신료와 고기……. 해산물도 좀 사는 게 좋겠다."

나는 입으로 읊조리며 살 물건들을 정리했다. 이런 쪽으로는 영 아는 게 없는 아델은 입을 다물었다.

평생 부엌에 드나들 일 없는 삶을 살았던 그다. 음식이란 게 어떻게 만들어지는지 제대로 본 적은 있는지 의문이었다. 식재료를 고를 줄도 모를걸?

내가 그런 쪽으로는 도움이 안 되는 아델을 데리고 나온 데는 데이트라거나 에이레네를 생각해서 만이 아니라 특별한 이유가 있었다. 이유라기보단 노림수라고 해야 할까.

"남편분이 정말 잘생기셨네요."

"어머, 어쩜. 이렇게 잘생기신 분은 카마엘 님 말고는 처음 봐요!"

"세상에, 훤한 남편분을 두셔서 좋겠어요."

"또 오세요!"

부러 여주인이 있는 가게를 노렸다. 과일 가게며 채소 가게마다 아델을 보고 눈에 하트가 달리며 더 퍼 주지 못해서 안달이었다.

흠흠, 이럴 줄 알았지. 성국 사람들 미인에 약하다니까. 미남, 미녀. 모두한테 다 해당되는 말이다. 카마엘이 성국의 아이돌인 이유가 있거든.

내가 얼굴을 까 보일 순 없으니 아델의 얼굴을 대신 파는 거다. 그리고 보다시피 잘 먹혔다. 내가 고를 것도 없이 신선한 물건들만 줄줄이 내준다.

신전 사람들은 성력의 영향으로 다들 출중한 외모를 갖고 있다. 그게 월신을 향한 신앙심을 돋우는 건 아닐까 의심해 본 적도 있었지.

근데 의외였던 건, 푸줏간이었다. 고기 손질을 하려면 힘이 있어야 하다 보니, 수염 성성한 중년의 주인이 푸줏간을 지키고 있었다.

그는 아델을 보더니, 묘하게 얼굴이 발그스레해졌다. 소 갈비살과 등심을 섞어서 네 근을 주문 넣었는데 내온 양은 그 두 배는 되는 듯싶었다.

그리고 양이 너무 많은 건 아닌지 묻는 우리에게 쿨하게 말한다.

"덤이오."

웅? 남자한테도 통하는 건가. 이건 좀 위험한데. 나는 감사하다고 말한 뒤, 아델을 끌고 재빨리 자리를 떴다.

아델의 다른 역할은 짐꾼이었다. 여덟 근의 고기에다가 야채며 과일이며, 향신료까지 잔뜩 사고 나니 짐이 꽤 많았다.

작은 어린아이 몸무게만 한 검도 한 손으로 드는 아델이니 힘들진 않겠지만, 빨리 집으로 가야겠다는 생각이 들었다.

"해물은 못 사겠다. 고기가 너무 많아. 다 먹을 수 있을까?"

"나눠 주면 되지."

"누구한테……. 아, 그래. 세라한테 좀 나눠 주면 되겠다. 어서 돌아가자."

시장통의 구경거리가 시선을 빼앗았지만, 난 애써 걸음을 재촉했다. 집에 거의 이르렀을 때쯤 아델을 향해 물어보았다.

"장을 본 기분이 어때?"

"짐을 나르는 기분이 어떠냐고 물어보지?"

못마땅해 보이는군. 아델은 왕족이다. 무엇에도 손 하나 까딱하지 않고 남을 부리는데 익숙한 왕족.

그러니까 나한테 부려져도 본인은 그걸 남을 부려서 해결하는 타입이었다. 별로 어려울 게 없는 일이더라도, 노동 자체가 내키지 않는 거다. 참 도련님이시란 말이지.

"아지스를 데려올 것을."

"둘이 다니는 게 더 좋지 않아?"

"그건, 그렇지만."

"아무튼, 소감이 어떤지 말해 봐. 평민들은 다들 이렇게 시장에서 장을 보고 직접 음식을 만들어 먹어."

"평민 체험인가."

"평범한 삶을 체험한다고 하는 쪽이 더 좋게 들리지 않겠어?"

"평범한 삶이라."

아델은 그 말을 곱씹었다.

"뭐, 지루하진 않네."

어중간한 품평이지만, 아델에게 그게 긍정에 가깝다는 걸 나는 안다. 그에게 새로운 경험을 하게 해 준다는 데 마음이 부풀었다.

나는 앞서 나가, 집 문을 열었다. 금세 바비큐 파티를 열 준비가 끝났다.

"어머, 정말 고기가 많네요."

"그래, 덤을 많이 주더라고. 많이 남을 테니 좀 가져가."

"그러면 저야 좋죠!"

"이카루스는 못 오지?"

"네네, 그이는 가게를 봐야 하니까요. 남는 고기 가져가서 잘 구워 먹을게요. 그도 좋아할 거예요."

때맞춰 도착한 세라가 함께 식재료를 나르며 재잘거렸다.

그녀는 아델을 보고도 좀 놀랐을 뿐 칼리스의 왕이 이곳에 있다는 사실을 대범하게 받아넘겼다. 아마 최대한 생각이란 걸 하지 않도록 노력하는 것 같았다.

마당에는 큰 테이블과 의자들이 놓였고, 한쪽에 고기를 굽는 코너도 마련되었다. 신전에서 장작도 넉넉히 보내 준 덕에 불길이 타닥타닥 타오르고 있었다. 저렇게 센 불이면 고기가 맛있게 구워질 거다.

"와아, 큰불이 타고 있어!"

"에드, 조심해요. 가까이 갔다간 살이 데어요."

"야외에서 이런 건 처음이에요!"

"그래요, 아리스."

아이들은 무척 신나 했다. 아이들에겐 산들바람이 부는 푸른 언덕에 앉아 샌드위치를 먹은 기억이 야외에서 식사한 기억의 전부였다. 나는 성국에 오길 잘했다는 생각을 다시 한번 되새겼다.

포크와 나이프를 실어나르고 새콤하고 향이 좋은 식초, 오일과 소금으로 버무린 샐러드, 그리고 폭신한 빵을 테이블에 놓았다. 적당한 크기로 썬 감자와 옥수수, 향신료를 뿌린 고기를 철판 위에 올렸다.

아지스가 긴장한 얼굴로 철판에 가까이 다가섰다. 나는 엄포를 놓았다.

"태우면 고깃값만큼 봉급에서 깔 거야."

"초보에게 인정사정없으시군요."

"그 나이 먹고도 처음이면 부끄러운 줄 알아."

아지스의 나이가 몇 살일까? 물어보진 않았지만, 상상하는 것만으로도 현기증이 나는 기분이다.

그런데 그 긴 삶을 살면서 남이 해 주는 밥만 먹고 살았다니! 그것도 참 놀랍다. 아이들은 잘 다루면서 왜 요리는 안 해 본 거지?

"저 말고도 초보가 한 분 더 계시지 않습니까."

"그렇지! 맞아."

나는 소리 높여 아델을 불렀다. 손가락 하나 까딱하지 않고 테이블에서 턱을 괴고 있던 아델이 어처구니없다는 듯이 눈썹을 치켜들었다.

"이제는 요리까지 하라는 거야?"

"네 삶에 다양성을 주는 거지. 혁신은 삶에 생기를 불어넣어 주는 거라고."

자기계발 서적 판매원처럼 난 확신에 가득 차 말했다. 아델은 귓등으로 흘려들으며 불가로 다가갔다.

"뭘 어떻게 하면 되는데?"

어차피 내게 질 거, 편하게 미리 지겠다는 태도였다. 정답에 가까웠다.

나는 불가에 선 아지스와 아델의 옆에 서서 훈수를 놓았다.

"고기를 너무 자주 뒤집으면 안 돼!"

"불이 세니까, 뒤집을 때 기름이 튀지 않게 조심해."

"어어, 거기 타겠다!"

프로페셔널한 요리사처럼 뒤에서 열심히 쫑알거렸다. 이래 봬도 주부라고! 요리 경험이 많지는 않지만, 왕비가 되고 나서 주방엔 좀 드나들었다.

에이레네와 세라가 오가면서 익힌 것들을 테이블로 내갔다. 다행히 고기는 성공적으로 구워졌다. 노릇노릇하게 익어서 나이프로 갈랐을 때 육즙이 철철 흐르는 게 군침이 돈다!

뼈가 붙은 걸 사서 뜯어먹는 것도 좋았겠지만, 아이들이 먹기엔 좀 불편하다.

모두가 자리에 앉자 난 묘한 시선을 느꼈다. 에이레네와 세라가 내 쪽을 쳐다보고 있었다.

"왜? 무슨 문제 있어?"

"아니요, 그런 게 아니라 성녀님 정말, 음 뭐랄까."

"결혼을 잘하신 것 같아요."

세라가 대뜸 내뱉어 놓고 꺄르르 웃었다.

"어머, 제가 실례되는 말을 했나요? 하지만 너무 보기가 좋아서."

그러니까 뭐가 보기 좋다는 거야? 의문을 품기 무섭게 내가 막 바로 잘라 준 뜨거운 고기를 먹다가 입이 덴 아리스가 소리를 냈기에, 질문할 새가 없었다.

"엄마, 혀가 아파요!"

"조심해. 천천히 호호, 식혀서 먹어야지."

쭉 둘러보니 모두 먹는 데 열중하고 있었다. 아델도 순식간에 고기 한 근을 혼자 해치우는 게, 다들 만족하는 식사가 된 듯싶다.

제 손으로 뭔가를 만들어 먹는 건 처음일걸? 나는 칼리스로 돌아가서 아델과 함께 요리를 해 보는 게 어떨까 생각했다.

성국에 오니 여러 가지 아이디어가 샘솟는다. 그동안은 너무 단조로운 삶에 묶여 있는 것 같았어.

아델에게 내 생일날 미역국을 끓여 달라고 해야지! 일단 미역을 구해야겠지만.

식사를 마치고, 테이블을 치워 내고 나니 어느덧 시간은 오후였다. 세라에게 아이들을 맡겨 두고 한숨 돌리는 나에게 에이레네가 말을 걸어왔다.

"성녀님, 2주가 되는 날 바로 떠나실 테지요?"

"응."

"아쉽네요. 이렇게 날이 금방 지나가다니."

허전한 듯 미소 짓는 그녀를 보니 죄책감이 일었다. 꼭 부모님을 자주 찾아뵙지 못하는 자식이 된 기분이야.

"내년에 또 오도록 해 볼게. 에이레네도 칼리스를 방문해 줘."

"그럴게요."

흔쾌히 대답하는 에이레네를 보며, 문득 잊고 있었던 것이 떠올랐다.

"아까 세라와 무슨 생각을 한 거야?"

"그냥, 조금 놀랐어요. 그리고 새롭기도 했고요."

"뭐가?"

"저는 성녀님과 그가 함께 있는 걸 별로 본 적이 없어요."

그야 아델과 에이레네가 서로를 좋아하지 않으니 애초에 한 공간에 둘을 최대한 두지 않았지.

"악명을 떠나서, 그는 차갑고 무심해 보였어요. 그래서 먼 타국에서, 그것도 칼리스에서 홀로 견뎌 내고 계실 성녀님이 늘 걱정스러웠지요. 하지만 오늘 보니, 제가 괜한 걱정을 했던 것 같네요. 성녀님이 그를 택하신 이유를 알겠어요."

예상외로 가정적이고 아내의 말에 귀 기울이는 남자라 이거지. 하긴 왕씩이나 되면서 아내가 부엌에 서란다고 설 만한 남자가 이 세상에 몇이나 되는지 모르겠다.

이렇게 생각하니, 새삼 아델에게 점수를 팍팍 주고 싶은데?
다음엔 아이들이 왜 아빠와 결혼했냐고 물어보면, 꼭 이걸 말해
줘야겠다. 결심을 굳히면서 난 자신 있게 말했다.

"그래, 나는 잘 살고 있어. 잘 살 자신이 있었기에 선택했던
거야. 다들 너무 걱정하지 말라고 전해 줘. 나는 행복하니까."

"그럴게요. 처음으로 두 분이, 잘 어울리는 것 같다는 생각을
했어요."

"서로에게 점점 더 어울리게 되어 가는 거지."

내가 참 아델을 많이 사람으로 만들어 놨지. 하지만 변화에는
거부감이 따른다. 그가 변화를 수용한 건 애정이 있었기 때문이
다. 나에 대한 애정.

그 애정은 내 노력으로 만들어진 것이 아니니 가장 큰 공은
아델 본인에게 있다고 할 것이다.

*

그날 저녁, 아델과 방 안에 마주 앉아 대화를 나누었다. 월신
께 들려줘야 할 대답이 있었고, 그건 아리스의 아빠인 아델도
알아야 하는 것이었기에.

아델의 답은 간단했다.

"아리스가 하고 싶은 대로 하게 하지."

"난 네가 반대할 줄 알았는데. 아리스는 칼리스의 왕족이잖
아."

"어차피 둘 중 하나는 칼리스의 왕이 된다. 한 명은 성국의 지도자가 되는 게, 다툴 필요 없으니 좋잖아. 두 나라도 차지할 수 있고."

왕다운 소리라고 해야 할까. 슬쩍 입꼬리를 올리는 게 아델에게는 괜찮은 장사처럼 느껴지는 모양이다.

"그야 그렇지만…… 만약 아리스가 떠난다면 섭섭하지 않겠어?"

"늘 말하는 것 같지만, 나는 너만 있으면 돼. 새는 자라면 둥지를 떠나는 법, 내 평생을 함께할 건 너지 우리 아이들이 아니야."

낯이 뜨거워졌다. 아델이 픽 웃으며 덧붙였다.

"당장 그렇게 되는 것도 아니잖아. 아리스는 아직 어려."

"나도 당장이라고 생각하진 않아. 아리스가 열서너 살은 된 후에 결정해도 되겠지."

전생의 세계에서도 해외 유학은 중고등학교 때 가는 게 대다수였으니 말이야.

"너야말로, 걱정하지 마."

아델이 내 머리카락을 쓸어넘기며 중얼거리듯이 말했다.

"아리스가 성국에 있게 되더라도 1년에 한 번은 볼 수 있을 테니까."

그 말은, 1년에 한 번은 성국을 찾겠단 소리지? 어쨌든 그것으로, 아델의 뜻은 알게 되었다. 나는 직접 아리스의 의사를 알아보기로 했다.

"아리스, 이리 와 앉으렴."

"네, 엄마."

잠자리에 들기 전, 저를 불러내자 혼내려는 줄 알았는지 앵두 같은 입술이 불안하게 쫑긋거린다. 내 딸이라서 그런 게 아니라, 아리스는 정말 깜찍한 소녀다.

"혼내려는 거 아니야. 그냥 아리스한테 엄마가 궁금한 게 있어서 그래."

아리스를 내 앞에 앉히고 나는 상냥한 투로 물었다.

"아리스는 성국이 좋아?"

"네, 네. 좋아요, 거리도 신전도 다 하얗고 깨끗해서. 또 놀러 왔으면 좋겠어요!"

"그럼 아리스는 성국에서 살고 싶니?"

내가 넌지시 물어보자 아리스가 눈을 굴렸다.

"지금 말고 한 십 년쯤 후에, 성국에서 살 수 있다면 살겠어?"

"네."

너무 바로 대답이 떨어져서 좀 놀랐다. 아델만큼이나 냉정하잖아. 어린애가 벌써 부모와 떨어져 산다는 데 이렇게 선뜻 긍정하다니!

"왜?"

"그야……."

"괜찮으니까 망설이지 말고 말해 봐."

그리고 정말로 아리스는 망설이지 않고 말했다.

"성국엔 카마엘이 있잖아요."

응? 뭐라고? 카마엘이……. 맙소사! 누군가가 뒤통수를 후려 갈긴 것 같았다. 나는 망연히 눈을 깜빡였다.

아리스는 주먹을 꼭 쥐며 상기된 얼굴로 외쳤다.

"성인이 되면 성국으로 와서 카마엘과 결혼할 거예요!"

"그……래."

나는 가까스로 대답할 수 있었다. 아이고, 두야! 또래에 비해 차분하다고는 해도 아리스는 아직 네 살배기다. 대화를 시도한 내가 어리석었다.

갑자기 내 어린 시절이 떠오른다. 그때 카마엘과 결혼하겠다는 날 보고, 다들 이런 감정을 느꼈을까?

얼떨떨하고, 어처구니없고, 황당하면서도 귀엽다는 감정 말이야. 과거의 행태를 고스란히 돌려받는 듯하여 복잡한 기분이 든다.

그것이 네 살배기 아리스의 뜻이었다. 언제 바뀔지는 모르겠지만, 여하간 나는 월신님께 드릴 대답을 얻었다.

*

사흘 뒤 이른 아침, 마지막으로 월신 님을 찾아뵌 나는 내가 내린 결론을 털어놓았다.

"매년 아리스를 데리고 성국으로 올게요. 말씀하신 것은 지금으로부터 십 년 뒤, 아리스가 열네 살이 되었을 때 그 아이에게 결정하게 하겠어요."

[아리스는 성국에 잘 적응하는 것 같더구나.]

"맞아요. 실제로 성국에 머무르는 것에 대해서 긍정적으로 생각해요. 하지만 자세한 것은 묻지 않았어요. 당장 하겠다고 말해 버릴 것 같아서. 결정을 내리기엔 너무 어린 나이잖아요. 언제든 마음은 변할 수 있는 거니까요."

네 살배기가 사랑에 눈이 멀어 부모를 버리고 성국에 남는 걸 택해 버린다는 건, 외면할 수 없는 가능성이었다. 카마엘에겐 마성의 매력이 있었다.

아리스가 나이치곤 조숙하다고 좋아했는데, 마냥 좋아할 게 못 된다는 걸 이번 일로 톡톡히 깨달았다.

월신님이 다 안다는 듯이 읊조렸다.

[카마엘이라. 그는 본의 아니게 많은 이들의 마음을 홀렸지.]

"카마엘을 사위로 맞는 건, 정말이지 상상이 안 돼요."

약간 소름이 일기도 한다. 친한 오빠가 내 딸과 맺어지는 느낌? 그건 좀 아니잖아!

[그건 걱정할 필요 없을 거란다. 카마엘은, 분명히 거절할 테니까.]

"네? 어떻게 확신하세요?"

카마엘은 아무 마음 없으면서도 나와 결혼하는 걸 거절하지 않은 남자 아닌가. 성녀가 된 아리스가 원한다면 그녀와 결혼하는 것도 승낙해 버릴 것 같은데.

[그에게도 마음이 있으니까. 인간의 것 같지는 않지만.]

그건……. 카마엘도 내 딸과 결혼하는 건 좀 아니라고 생각할 거라는 뜻인가? 아리송하지만, 나는 대충 그렇게 이해하기로 했다.

"그럼 저는 이만 가 볼게요."

[오랜만에 성국에서 지내는 건 마음에 들었니?]

"아시잖아요. 성국에서 머물면서 제가 얼마나 기쁘고 즐겁고 행복했는지."

[나는 항상 너의 행복을 바란단다, 에스델 세라피아.]

"알아요, 월신님. 월신님께 이런 말씀드리는 건 이상한 것 같지만, 평안히 잘 계시길. 내년에 또 올게요."

[성국은 항상 너를 위해서 열려 있으니, 얼마든지 방문하렴. 너는 언제나 내 성녀란다.]

나는 왈칵 솟구치는 감정에, 짤막하게 대답했다.

"……네."

*

월신님을 만나 뵙고 아델과 아이들이 기다리는 집으로 돌아오면서, 나는 불현듯 깨달았다.

아, 이제는 정말로 돌아가야 할 때로구나. 2주간의 길고도 짧은 여정이 거의 끝을 맺었다.

놀랍도록 쏜살같이 흐른 시간이었다. 평생 잊히지 않을 추억이 될 것 같은 시간이기도 했다. 막판에 아델이 합류한 것도 좋았지.

"이야기는 잘 끝냈어?"

집으로 돌아오자 대뜸 질문을 건네는 아델을 향해 난 고개를 끄덕여 보였다. 내가 신전에 다녀오는 동안 그는 아이들과 떠날 채비를 하고 있었다.

그새 마차에 짐을 다 실어 놨고, 사람만 타면 되는 상태였다. 아지스가 마차를 몰 것이다.

돌아가는 길에는 칼리스에서 보낸 호위병력과 합류하기로 했다. 준비는 끝났다. 야영을 피하려면 서둘러 출발해야 했다.

"성녀님께 은빛 달의 가호가 있기를."

"에이레네도 건강하고, 잘 지내. 칼리스에 들리는 걸 잊지 말고."

"네, 잊지 않을게요."

"성녀님, 내년에 뵈어요."

"그래, 세라도 잘 있어. 이카루스에게도 안부 전해 줘."

마지막으로 눈시울이 붉어진 에이레네를 끌어안고, 세라와도 인사를 마쳤다.

나는 마차를 타기 전, 잠시 사방의 풍경을 놓치지 않고 시야에 담았다.

나를 낳고 길러 내었던 축복 어린 대지, 성국을 돌아보며 이상하게 눈이 아렸다. 이곳에 남겨 두고 간 조각이 다시 내게로 돌아와 완벽하게 맞춰진 듯이.

더 이상 뭔가를 남겨 두었다는 느낌이 들지 않을 것처럼 후련하면서도 가슴이 시렸다. 과거에는 이 성국에 내 모든 것이 있었는데…….

난 마차에 올라탔다. 돌아가야 할 시간이었다. 내 새로운 삶이 시작된 칼리스로.

성국은 언제나 내게 낯설 수 없는 나라일 것이다. 하지만 내겐 그만큼이나 친숙한 장소가 또 하나 생겨났다. 칼리스의 왕성. 내 삶의 터전이 된 그곳.

성국에서 살았던 것보다 더 오래 그곳에서 살아가게 되겠지.

여운에 젖어 들어 자꾸만 성국에 꼬리를 남기는 나와는 달리, 마차는 망설임 없이 빠른 속도로 성국을 빠져나갔다.

자꾸만 창밖 너머로 멀어져가는 하얀 성벽을 내다보는 아이들에게 난 상냥하게 말했다.

"아리스, 에드. 아쉬워할 것 없어. 우린 내년에 다시 여기를 방문할 테니까."

"내년에도요?"

"그래, 내년에도."

고작 네 살밖에 안 된 내 아이들에겐 내년이란 단어가 까마득하게 느껴질지 모르겠다. 확연하게 얼굴이 환해진 아이들은 좋아하며 연신 고개를 끄덕거렸다.

이른 아침부터 떠날 준비를 하느라 일찍 잠에서 깼던 아리스와 에드였다. 쏟아지는 졸음을 이기지 못하고 두 아이가 곤히 잠들 무렵, 아델이 나를 향해 불현듯 말했다.

"평범한 삶이라……."

"왜?"

"네가 늘 말하는, 그거."

아델은 나른한 투로 말을 이었다.

"몇십 년 후에는, 양위를 하고 네가 말한 그 평범한 삶을 살아도 나쁘지 않을 것 같다는 생각이 들어. 그때쯤에는 칼리스와 성국도 관계가 좋아져 있을 테니. 성국에서 기거해도 괜찮을 테지."

꼭 애들 다 키우고 노후에는 귀농 생활을 하자, 뭐 그런 말로 들리는데. 진지하게 그러자는 거라기보단 하나의 가능성으로 생각하자는 말이었다.

왕과 왕비로, 우리 둘 다 산 정상에서 살아 보았으니 먼 훗날엔 모든 걸 다 놓고 평범하게 산기슭에 살아 보아도 좋으리라. 태어나서 처음으로, 평범하게.

나는 흔쾌히 답했다.

"앞으로 남은 삶은 기니까. 천천히 생각해 보자."

그 기나긴 삶에서 아델은 항상 내 곁을 지키리라. 지난 6년간 그래 왔던 것처럼.

따스하고 부드러운 봄바람이 마차 안으로 스며드는 것 같았다. 나는 포근함에 젖어 들며 가만히 미소 지었다.

마차 안에서는 아이들의 색색거리는 숨소리만이 잔잔하게 울려 퍼지고 있었다.

외전

둘만의 산책

그것은 우리가 성국에서 돌아온 지 얼마 안 되었을 때의 이야기다. 그때의 우리에게는 훈훈한 분위기가 감돌고 있었다. 성국에 다녀온 뒤로, 부부 사이가 부쩍 돈독해진 터였다. 아델도 나를 조금 더 믿게 되었다. 내가 성국을 방문하고도 칼리스로 돌아오는 것을 택했기에. 물론, 그야말로 한 발짝 정도의 진전이었을 뿐이다.

사람에게 믿음을 주는 것은 어려운 일이다. 특히나 아델 같은 의심병 환자에게는. 몇 년을 같이 살고 자기 애를 둘씩이나 낳은 여자도 믿지 못하다니! 그 한결같은 면, 정말 굉장하다!

하지만 나는 전직 성녀니까 넓은 마음으로 이해하기로 했다. 아델에게 불신은 고질병 같은 거니까. 어쩌면 불치병일지도.

……알고도 결혼했다. 내 업보지 뭐. 에휴.

칼리스로 돌아온 직후, 엄연한 왕족인 두 아이는 밀린 수업을 받느라 바빴다. 영재 교육이라니, 피곤한 삶이다. 하지만 나도 이미 겪어 낸 과정이니 어쩔 수 없다. 아델 역시도 그간 쌓인 일들을 처리하기 바쁜 건 마찬가지였다.

며칠이 지난 뒤, 아델은 느닷없이 내게 권했다.

"저, 에스텔. 우리, 함께 나들이 갔다 올까?"

"응? 나들이? 어디로 가려고."

"이 칼리스에서. 데이트하자고."

나는 멈칫했다. 성국에서 했던 둘만의 데이트가 아델의 맘에 들었나 보다. 내게도 그때, 아델과 은밀히 만났었던 옛 추억이 떠올랐다. 아스라하고도 아릿하고, 또한 미소가 피어오르는 추억.

나는 한 가지 사실을 꼬집었다.

"그동안, 위험할지도 모른다고 안 된다고 했잖아."

"이젠 괜찮아. 그리고 내가 함께하는 한 위험하지 않아."

아델은 간단하다는 듯이 눈썹을 까딱했다. 오만함이 서린 표정이었다. 나는 왕성 밖으로 나가본 적이 거의 없다. 나갈 때는 거의 아델과 함께였다. 그와 함께 하는 게 가장 안전하니까. 아델은 칼리스에서 누구보다도 강한 남자였고, 왕이었다. 안전에 대한 대비가 되어 있으니 제의했겠지?

나는 흔쾌히 고개를 끄덕였다.

"가자."

*

　야호! 신난다! 육아에 시달리던 유부녀에게 애들을 놔두고 놀러 가는 게 얼마나 행복한 일인지! 두 아이가 함께하지 않는다는 게 포인트다.

　아이들은 유모한테 맡겨 두었다. 성국을 방문한 이후로 두 아이는 어리광을 부리지 않았다. 그래서 내가 매일같이 꼭 붙어서 그들을 살필 필요가 없었다. 아마 내가 며칠 안 보여도 아이들은 별로 신경 쓰지 않을걸.

　아니, 이젠 엄마가 없어도 상관없어? 너무한걸. 아직 어린 데 둘 다 너무 독립적이야. 엄마 입장에선 서운하다고!

　여하간 우리는 그렇게 비밀 임무를 수행하듯이 남몰래 성을 빠져나왔다. 남몰래⋯⋯라고 하기엔 할 건 다 해 놓고 나왔지만. 우리가 마법으로 이동한 곳은 한적한 숲이었다. 나는 하늘 높이 치솟아 가지를 드리운 침엽수들을 보며 물었다.

　"여긴 어디야?"

　"왕실 사냥터로 쓰이는 숲이야. 나는 사냥을 즐기지 않으니, 올 일이 없었지."

　그래, 아델은 필요하지 않은 살생을 즐기는 편은 아니었다. 건드리지 않으면 의외로 초식 동물 같다. 위력 면에서 코끼리 정도?

　"공기가 좋아."

　나는 깊게 숨을 들이쉬었다. 칼리스의 왕성은 늘 사람으로 북

적북적하다. 부산한 성내와 한적한 숲의 공기는 확연히 달랐다. 부서지는 햇빛 따라 윤을 내는 녹음. 폐부 깊숙이 상쾌한 공기가 밀려든다. 마음을 정화하는 듯이. 성내의 곱게 가꾸어진 화원에서 찾아볼 수 없는 생생한 숲이었다.

나는 아델과 함께 걸음을 옮겼다. 어디로 갈 건지는 묻지 않았다. 나와 아델은 여기서 왕과 왕비가 아닌 그저 두 사람에 불과할 뿐이니까. 발 닿는 대로.

그러나 한가롭게 발걸음을 내디딘 지 오래되지 않아, 전혀 생각지 못한 상황이 발생했다. 나는 아델의 팔을 붙들고 엄살을 부렸다.

"아델, 나 발이 아파. 다리도."

여기, 경사도 지고 길도 울퉁불퉁하다. 나름대로 편한 신발을 신고 편한 차림으로 왔는데 전혀 소용없었다. 운동화를 신은 것도 아닌걸.

"벌써?"

"난 이제 평범한 사람인걸. 게다가 운동 부족이라고!"

성녀 시절에 내 몸은 인간의 것이 아닌 양 튼튼했다. 하지만 지금의 난 좀 건강한 인간일 뿐이다. 책상물림만 하다 보니 체력도 약해졌다.

육아에 시달리다 보면 체력이 는다지만, 왕비인 내가 육아에 시달려 봤자 얼마나 시달렸겠는가. 아델이 그 꼴을 못 두고 보지. 아델은 내가 어머니이기보다는 자신의 아내이길 바라는 녀석이다.

"업혀."

아델은 업어 줄까, 라고 묻지도 않고 등을 보였다. 행동력 하나는 끝내준다. 나는 입술을 툭 내밀었다.

"높아!"

항상 뭐 하나가 부족하잖아. 결국 아델은 눈썹을 구기면서도 몸을 낮췄다. 왕인 그를 무릎 꿇리는 이는 나밖에 없으리라. 나는 냉큼 그의 등 위에 올라탔다.

"이야, 편하다! 너무 좋아."

"난 네 말이 아니야."

"하루쯤 말이 되어 보는 건 어때. 평소엔 늘 왕이잖아. 긍정적으로 생각해 보자고."

"······뭐라는 거야."

못마땅한 듯 대꾸하는 아델의 입꼬리에 슬며시 미소가 배였다. 자기도 좋으면서! 난 손을 뻗어 그의 뺨을 꼬집었다.

"본격적으로 말 취급을 해 주지, 달려라!"

"멀미 날 텐데?"

"그럼 걸어라!"

아델은 느긋하게 걸음을 내디뎠다. 그의 금빛 머리카락이 눈앞에서 잔잔하게 흩어지며 빛을 냈다. 아델의 등짝은 내가 푹 기댈 수 있을 만큼 넓고 든든했고 숲 냄새를 실은 바람이 뺨을 간지럽혔다. 평화로웠다. 무척이나. 나는 그의 어깨에 머리를 묻었다.

"······있지, 나 이대로 잠들어 버릴 것 같아."

"코 골면 나무 위에 올려 두고 가 버릴 거야."

"와, 나빴다."

"세상 사람들은 다들 날 나쁜 놈이라고 부르지."

웃음기 서린 목소리였으나 무시할 수 없는 말이었다. 이 녀석, 종종 이런 식으로 자학한다고.

"그렇지만, 아델은 좋은 남편이야."

나는 단호하게 말했다. 제법 좋은 아빠가 되어 가고도 있었다. 내 필생의 인성 개조에 힘입어서. 아델의 목소리가 흐릿해졌다.

"……이럴 땐 뭐라고 해야 하지."

"'에스델도 좋은 아내야'라고 해야지."

단박에 부정이 날아왔다.

"그건 사실이 아니잖아."

뭐라고? 난 손을 뻗었다. 아델의 머리카락이 마구 흐트러졌다.

"사실 맞거든? 왜 아닌데."

"지금도 날 괴롭히고 있으니까."

나를 힐끗 보는 아델의 입꼬리에 웃음기가 서렸다. 나는 흐트러트리는 것도 모자라 그의 머리카락을 쭉 잡아당겼다.

"현재 일어나는 일로 내 이제까지의 공로를 싸잡아 낮추는 것은 부당해."

따끔할 텐데도, 아델은 꿋꿋이 대답했다.

"당사자에겐 현재가 가장 와닿는 법이지."

"내려 줘!"

소리를 빽 지르자, 아델이 인상을 찌푸렸다.

"귀에 대고 소리치지 마. 그리고 내리면? 다시 걸을 건가?"

나는 버둥거리던 다리에서 힘을 뺐다. 아델은 탑승감이 좋은 말이다. 나는 이 편안함을 포기할 수 없었다.

얌전히 아델의 등에 업혀서 산림욕을 하던 어느 순간이었다. 깜빡 잠이 들려는 찰나, 옆쪽에서 뭔가 부러지는 소리가 들렸다. 우지직! 화들짝 놀라 잠이 달아났다.

"뭐, 뭐야!"

크르르르르. 살벌한 으르렁거림이 고막을 파고들었다.

"에스델."

아델이 나를 내려놓으며 앞을 가로막고 섰다. 그의 손은 허리춤에 있는 검에 가 있었다. 파스스, 파직! 저편에서 수풀 흔들리는 소리와 나뭇가지 부러지는 소리가 한데 섞여 들렸다. 육중한 무언가가 이리로 접근하고 있었다.

그런데도 내 앞을 가로막고 선 아델의 등은 차분했다. 그에 반해 난 겁을 먹었다. 난 이제 평범한 사람이라고!

저 너머에서 드디어 그것이 모습을 드러냈다. 크르르르! 잔뜩 성이 나 있는 불곰이었다. 큰 덩치에 포악한 눈빛. 전신에서 야성이 풀풀 풍겼다. 너무 무섭게 생겼잖아. 불곰이 이쪽을 사납게 노려보며 앞발로 바닥을 긁었다. 콰드득! 땅이 움푹 파였다.

"사, 사냥터라면서."

사냥터는 사슴이나 끽해야 여우 같은 게 뛰노는 곳 아닌가?

웬 덩치가 산만 한 곰이 돌아다닌담! 분명한 점이 하나 있었다. 저 불곰은 제 영역의 침입자를 보듯이 우리한테 적대적이었다.

"안 쓰이는 사냥터니 맹수가 자리를 틀었나 보군."

침착하게 대답한 아델이 넌지시 물었다.

"에스델, 곰고기 좋아해?"

여유가 흐르는 목소리.

"그런 거 먹어 본 적 없어."

"이번에 한번 먹어 봐."

크아아앙! 마침내 불곰이 성난 울음과 함께 달려들었다. 아델의 허리춤에서 검이 뽑혔다. 새하얀 검날이 빛살처럼 허공을 갈랐다.

다음 순간, 나는 똑똑히 볼 수 있었다. 무너지듯 쓰러지는 곰의 모습을. 털썩. 이쪽을 향해 달려들던 기세는 어디로 갔는지, 생명력을 잃은 몸뚱이가 부르르 떨렸다. 피는 많이 흐르지 않았다. 정확히 급소를 베어 숨을 끊은 것이다. 허리춤으로 사뿐히 검이 되돌아왔다. 아주 능숙한 사냥꾼처럼 긴장감이 느껴지지 않는 솜씨였다.

"배고프지? 조금만 기다려."

턱짓으로 곰을 가리키는 아델을 향해, 나는 아연한 채 고개를 끄덕일 수밖에 없었다.

"거기 앉아 있어."

아델은 나를 나무 그루터기에 앉혀 놓고 아공간 마법이 걸린 배낭을 뒤적여 작은 칼을 꺼낸 뒤 그 자리에서 곰을 토막 냈다.

아니, 이렇게 말하면 너무 잔인한 것 같잖아! 그래, 곰을 손질했다고 하자. 쓸모없는 부위는 놔두고 쓸모 있는 것만을 추리는 과정이었다. 아델은 심지어 꽤 능숙했다. 피 철철 흐르는 광경에 난 질색하며 시선을 돌렸다가 이내 물었다.

"이런 건 어디서 배운 거야?"

"예전에. 야영할 일이 좀 많았거든. 그때 익혀 뒀지. 짐승을 잡아 돈을 버는 법."

"무엇 때문에?"

왕자씩이나 되는 녀석이 어째서 곰을 토막 내는 법을 배운 거지? 아델은 덤덤하게 이유를 설명했다.

"뭐든 배워둬야 했으니까. 혹시 부왕이 나를 제거하고자 한다면 살 방법이 있어야지. 살아야 후일을 기약할 수 있으니."

과거만 나오면 분위기가 무거워지는 터라, 말문이 절로 막혔다.

지이익! 소름 끼치는 소리가 울려 퍼졌다.

"가죽이 꽤 괜찮군. 쓸 만하겠어."

아델은 알뜰살뜰하게 가죽과 고기를 손질한 뒤 주머니에 담아서 배낭에 챙겨 넣었다. 준비성 하난 진짜 철저하다. 애초에 사냥을 염두에 뒀던 것처럼.

'소풍이라더니, 이게 소풍이야?'

꼭 숲에서의 서바이벌 체험 같단 말이지. 아델이 초장부터 곰을 때려잡자 어쩐지 내가 생각했던 나들이와 점점 멀어지고 있는 기분이 들었다.

난 문득 하나의 사실이 궁금해졌다.

'곰 쓸개는 챙겼을까?'

먹을 건 아니지만 왠지 곰 하면 쓸개가 생각나지 않는가. 아델은 그새 남은 부분을 갈무리해서 땅에 파묻고 있었다. 피가 튈 만도 한데 그의 옷차림은 출발할 때처럼 말끔하기만 했다. 작업을 마친 그가 내게 권했다.

"우리한테서 놈의 냄새가 풍길 테니, 이제 공격받을 일 없을 거야. 저 정도 녀석이면 이 구역 포식자일 테니까."

"이제 어떻게 하려고?"

"손질했으니 먹어야지. 야영지로 가자."

이곳은 긴 세월 사냥터로 쓰였던 숲이다. 사냥터에는 사냥감을 손질할 만한 공간이 있기 마련이다. 아델은 이미 와 봤던 것처럼 척척 야영지로 나를 안내했다. 탁 트인 공터에 작은 오두막, 그리고 바닥이 움푹 팬 모닥불 자리가 있었다.

어디에서도 인기척은 느껴지지 않았다. 옆쪽에서 졸졸 물 흐르는 소리가 들렸다. 개울이다.

"뱀 나올지 모르니, 그리로 가지마."

그 말에 나는 개울가로 가려던 발을 딱 멈추었다. 뱀이라니! 으으. 아델은 날 보며 피식 웃은 뒤 배낭에서 물통을 꺼내 개울로 다가갔다. 그는 맑은 물을 한가득 퍼서 내게 내밀었다.

"자."

찰랑찰랑하고 맑은 물은 무척 달았다. 별로 걷지도 않았는데, 벌써 갈증이 이는 모양이야. 아델은 내가 다시 물병을 건네주자, 받아 마시고 웃었다.

"시원하네."

눈앞에서 잘생긴 얼굴이 미소 짓는 모습을 보고 있자니, 가슴이 철렁 내려앉는다. 다른 건 몰라도 진짜 아델, 얼굴 하나만큼은 취향 저격이다.

"얼빠진 표정."

내가 무엇 때문에 그러는지 아는지, 거만한 얼굴로 내 이마를 툭 건드린 아델은 몸을 돌렸다. 뭔가 많이 챙겨 온 듯한 배낭에서 쇠막대를 꺼낸 그는 곰고기와 이미 손질된 채로 들어있던 채소와 버섯을 골고루 꿰어 매달았다. 그리고 그 아래 불을 피웠다. 어떻게 피웠냐고? 당연히 마법이다.

내가 근처에서 주섬주섬 나뭇가지를 긁어모아 오자, 아델이 그것을 대충 불 쪽에 던져 넣었다. 그는 불가 옆쪽에 담요를 깔아 주며 말했다.

"가만히 앉아 있어."

배려라기엔 귀찮아하는 말투다. 물론, 아델은 늘 그런 식으로 말하지만! 내가 거치적거린다는 거야? 나는 입술을 툭 내밀었다. 그러나 신속하게 불을 피우고 그 위에 노릇노릇하게 고기를 구워내는 아델의 모습을 보며, 나는 휘둥그레 눈을 떴다.

아델, 완전히 야생의 살림남이잖아? 감탄이 절로 튀어나온다.

"아델, 넌 무인도에 홀로 떨어져도 먹고살 수 있을 것 같아."

날 때부터 왕족으로 자랐는데 참 다재다능하단 말이야. 그리

평탄치 못한 아델의 과거를 알면서도 신기했다. 확실히 그는 왕궁에서 수업이나 받으며 곱게 자라난 도련님과는 아니었다. 실감이 난다. 아델은 얄밉게 덧붙였다.

"당연한 소리잖아."

……딱 한 대만 쥐어박고 싶은데. 오로지 고기 때문에 참는다.

"다 익었군."

고기를 꼬챙이로 꾹 찔러 본 아델이 불을 껐다. 곰고기치고는 맛있는 냄새가 훅 끼쳤다. 배 속에서 꼬르륵 하는 소리가 울려 퍼졌다. 아델은 꼬치의 내용물들을 접시에 덜어서 내 쪽으로 내밀었다. 그 위에는 포크가 살포시 얹어져 있었다.

"이런 것까지 다 챙겨 왔네. 잘 먹을게."

난 배시시 웃으며 접시를 받아 들었다. 대체 무슨 맛일까? 집돼지와 멧돼지도 육질에 차이가 난다. 하물며 야생의 곰고기란…….

"으응? 괜찮은데."

성녀로 살다가 왕비로 살면서 내내 부드럽고 질 좋은 고기만 먹어 왔던 나다. 그런 내게도 곰고기는 꽤 먹을 만했다. 육질은 좀 뻑뻑하지만, 허브가 냄새도 잡아 주고 위에 뿌려진 소스도 맛있고. 야영지 분위기와 어우러지니 좀 더 맛있게 느껴지는 것 같다. 어디서 이런 걸 먹어 보겠는가. 세상에, 곰을 잡아서 요리해 주는 남자라니! 언제 이런 재주를 길러 왔지? 문득 난 이상한 점을 느꼈다.

"가만 너, 요리는 못 하지 않았어?"

성국을 방문했을 때 그가 어설프게 고기를 굽던 게 기억이 났다. 절대 해 본 솜씨가 아니었다.

"잡는 건 예전에 꽤 했었지. 요리는 그때 해 봤잖아."

보는 것만으로 습득했다는 건가. 아무리 아델이라도 그렇게 빨리? 나는 의심스러운 눈을 했다. 오늘을 위해서 어디 가서 배워 온 거 아니야?

"그런 것치고는…… 맛있는데?"

정말이라면 놀라운 학습 능력이다.

"그럼 많이 먹어."

아델은 눈썹을 치켜들어 보인 뒤, 내 옆에 걸터앉아서 음식을 먹어 치웠다. 우아하고 왕자님다운 동작으로. 왠지 그의 얼굴에서 환한 빛이 쏟아지는 듯했다. 그의 금발도 올올이 빛을 내뿜는 느낌이다. 생활력 있는 남자가 매력적이라더니, 나는 그 뜻이 뭔지 실감하고 있었다.

오늘, 남편에게 있는지 몰랐던 야성미를 깨달았다. 일기의 첫 구절을 이걸로 해도 좋을 것 같아. 생긴 건 어딜 봐도 도련님인데 말이지.

내가 상념에 빠져 접시를 반쯤 비워 낼 무렵, 아델이 불쑥 내뱉었다.

"네가 나중에, 평범한 삶을 살아 보자고 했잖아. 그걸 줄곧 생각하고 있었어."

그러니까 이건 성실하게 미리부터 준비하고 있다는 뜻인가?

말은 그렇게 했지만, 사실 나는 호사가 좋단 말이야. 전생에 하도 그런 걸 못 누려 봐서!

어쨌든 아델이 내 말을 진지하게 들어준다는 건 기쁜 일이었다.

"……그, 그래. 참 잘했어요."

못했다고 할 수는 없잖아? 아델은 발전지향적인 남자다. 내가 남편을 잘 골랐지. 암암.

나는 흡족감에 사로잡혀 접시를 비워 냈다. 배가 든든해지니 몸도 나른해진다.

"잘 먹었어. 남은 고기는 어떡하지?"

"배낭 안에서는 상하지 않으니 괜찮아. 그보다……."

하늘을 쳐다본 아델이 눈살을 찌푸렸다.

"비가 올 것 같은데."

아까만 해도 화창한 날씨였다. 그러나 아델의 말처럼 어느덧 하늘에는 먹구름이 가득했다. 투두둑. 말이 씨가 된 것처럼 빗방울이 쏟아지기 시작했다.

"죽은 곰이 눈물을 흘리는 거 아닐까."

저주인가? 내가 중얼거리자, 아델은 어처구니없다는 기색으로 날 쳐다봤다. 무례하기는. 성국에서는 다들 잘 받아 줬는데.

그는 대꾸도 하지 않고 일어나 나를 일으켜 떠밀었다.

"오두막에 들어가 있어."

나를 먼저 오두막 차양 아래로 집어넣은 아델은 대강 뒷정리를 마치고 내게로 다가왔다. 그새 빗줄기가 굵어져 있었다.

"왜 안 들어가고 있어?"

귓가에 파고드는 나른한 속삭임. 머리카락을 걷어내자 상앗빛 이마가 모습을 드러냈다. 옷은 살짝 젖어서 달라붙어 있었다. 젖은 느낌이 싫은지 눈살을 찌푸리며 머리카락에 맺힌 물방울을 툭툭 터는 모습이…….

"또 얼빠진 표정."

아델이 내 코를 툭 쳤다. 올라간 입꼬리가 근사하다. 맨날 보는 얼굴, 왜 새삼 넋을 빼고 만담? 그러나 오늘 아델은 어쩐지 달랐다. 낯선 장소에서 마주하고 있어서일까. 늘 정면만 보던 조각의 이면을 들여다본 것처럼. 있는 줄은 알았는데, 평소에는 볼 일 없었던 그런 부분 말이다.

"잠겨 있군."

아델의 손바닥에서 마력이 느껴졌다. 그는 이내 손잡이를 돌려 열었다. 문이 열리고, 안쪽으로부터 나무향이 훅 풍겨 왔다. 생각 외로 쾌적한 공간이었다. 넓지는 않지만 아늑했다. 카펫이 깔린 바닥은 깨끗했고, 벽난로 앞에 탁자와 테이블도 놓여 있었다. 구석에 있는 침대와 그 위에 잘 개어져 있는 담요에선 좋은 냄새가 났다.

문이 열린 순간 미미한 마력이 느껴진 걸로 봐선, 보존 마법이 걸려 있었던 모양이다. 왕가의 사냥터라면 왕족이 머무는 곳이니 이 정도로 신경 써 둘 만하다. 마법 왕국 칼리스인걸!

나는 재빨리 푹신한 안락의자를 선점해 버렸다. 아, 편안하다! 다른 의자는 불편해 보였기에, 아델은 자연스레 침대에 가서 앉게 되었다. 늘 어디서건 우선권을 차지하는 아델이라도 내 앞에서는 이인자에 불과할 뿐. 나는 거만한 눈초리로 그를 쳐다봤다.

아델은 전혀 신경 쓰이지 않는 듯 무심히 창밖을 내다보았다. 굵어진 빗줄기는 소리를 내며 오두막을 두드리고 있었다. 투두 두두. 오두막에서 듣는 빗소리라. 운치가 있잖아.

"마을로 이동할 생각이었는데, 당장은 안 되겠군. 나는 괜찮지만, 네가 감기 걸릴 테니까."

"으응, 여기는 괜찮네."

오두막 안의 온도는 살짝 서늘한 정도였다. 아델이 배낭 쪽으로 턱짓해 보였다.

"일단 식량은 있어."

아까 먹다 남은 음식물을 담는 것을 보았다. 채소도 챙겨 왔으니, 다른 것들도 챙겨 왔을 거다. 식량은 풍성했다.

"곰고기는 어때. 괜찮은 것 같아?"

아델이 묻자, 나는 솔직하게 말을 꺼냈다.

"먹을 만은 한데 곰은…… 곰보다는 다른 고기가 더 맛있는 것 같아."

아델이 요리를 잘해 주어 맛있게 먹었지만, 고기 자체는 그다지 선호하지 않는 맛이었다.

"다음에는 토끼를 잡아 줄까?"

나는 기겁하며 고개를 저었다.

"토끼는 됐어! 불쌍하잖아."

그 큰 귀에 올망졸망하게 생긴 녀석을 아델이 분해하는 모습을 상상하면 정말이지……. 식욕이고 뭐고 싹 떨어질 거다.

"사슴은 잘도 먹어 치웠으면서."

아델이 어이없는 표정을 지었다. 왕가의 식탁에는 종종 신하들이 바친 고기가 올라온다. 그래서 사냥철이면 사슴 고기를 잔뜩 먹을 수 있는데, 그때마다 난 거리낌 없이 잘 먹었다. 하지만 그거랑 이거랑 경우가 다르잖아?

"그건 내가 사슴을 잡는 걸 본 게 아니니까. 내가 먹는 건 왕실 요리사가 최고의 솜씨로 만든 고기 요리일 뿐이라고."

사슴 대가리가 접시에 얹어져서 나오는 것도 아니란 말이지.

"그럼 잡는 걸 보여 주지 않고 결과물만 보여 주면 토끼도 먹겠어?"

"그래도 싫어. 토끼와 곰은 달라. 곰은…… 크고 무섭게 생겼잖아. 불쌍하지 않은걸."

아델이 콧방귀를 뀌었다.

"전직 성녀답진 않군. 동물의 겉모습만 보고 차별하다니."

"그 곰도 나를 몰라봤으니 괜찮아."

신의 가호가 있었다면 맹수가 내게 달려들지 않았을 테지만, 몰라본 건 곰 잘못이다. 나는 당당하게 말하고 나서 아차 했다. 무거운 방향으로 빠지기 쉬운 화제였다. 먼저 침대에 걸터앉은 아델이 내게로 손을 내밀었다.

"이리 와."

이럴 땐 말을 나누는 것보다 좋은 방법이 있다. 나는 안락의자에서 일어나 그에게로 다가갔다. 그의 손 위에 내 손을 얹자 마자 바로 잡아당겨 품으로 끌어당긴다. 폭 파묻힌 품은 넓고 단단했다. 내겐 이제 아늑하게 느껴지는 품.

생각해 보면 아델은, 내게 오랜만에 볼 때마다 낯설면서도 곧 다시 친근해지는 그런 존재였던 것 같다. 그가 적국의 왕자였는 데도 말이지. 믿지 않겠다고 다짐하면서도, 어느 순간 믿어 버리고 마는 나 자신이 있었다. 신조차 설명할 수 없는, 미묘한 기류. 영혼의 이끌림. 그와 함께 있으면 두근거림보다 앞선 편안함이 있었다.

그런데 낯선 장소라서일까. 오늘은 두근거림이 더 강한 것 같다. 나는 고개를 올려 세우며 그를 쳐다보았다.

"아델."

쪼는 듯한 입맞춤. 나는 아델과 눈을 마주쳤다. 시리도록 차갑게 신하들을 쳐다보던 그의 새파란 눈동자에선 마음이 녹녹해지는 다정함이 묻어난다. 햇빛 비치는 수표면처럼 아름답고 잔잔한 빛. 그 숨길 수 없는 애정을 바라보노라면, 나는 내가 했던 선택이 비록 이기적일지라도 옳았음을 되새기게 되고 마는 것이다.

아니, 차라리 다행이었다. 내가 성녀였기에, 힘을 잃는 대신 그를 살린다는 선택지를 가질 수 있었으니까.

나는 와락 아델의 목을 끌어안았다. 아델은 나를 완전히 침대 위로 끌어들였다. 모처럼 아이도 없고 오롯한 부부의 시간이다. 그것도 성 밖에서.

심장이 기분 좋게 뛰었다. 생긋 웃는 내게로 쪼는 듯한 입맞춤과 함께 아델의 체온이 떨어져 내렸다. 부스럭거리는 소리와 함께 천 자락 하나만큼의 거리감이 사라졌다. 거칠지는 않았지만, 어느 순간 그는 조바심내는 듯 서둘렀다. 그건 나 역시 마찬가지였다.

서로가 서로를 원하고 있었다. 가장 가까이 있는 이 순간에. 애틋한 감정이 복받치듯 밀려 올라왔다. 뜨거운 물보라에 감싸진 것 같다. 나는 그의 목을 끌어안았다. 서늘한 공기 중으로 열기가 번져 갔다.

*

잠결에 그런 말을 중얼거렸던 기억이 난다.

"침대가 좁아."

"그렇군. 까딱 잘못하면 떨어지겠어."

단단한 팔이 내 어깨를 휘어 감았다. 좁은 침대에서 나는 아델의 품 안에 폭 파묻혀 있었다. 몸을 휘감은 담요가 따뜻했다.

얼마나 시간이 흘렀을까. 깜빡 잠이 들었다가 깨어 보니 새벽이었다. 드러난 살갗엔 서늘한 공기가 와 닿은 데 반해 누운 자리는 따뜻하기만 했다. 귓가에서 나른한 목소리가 울려 퍼졌다.

"비가 멎은 모양이야."

창문을 두들기던 소리는 어느덧 잠잠했다. 나는 몸을 일으키며 중얼거렸다.

"다행이네. 그런데 이렇게 자리를 비워도 될까?"

슬슬 두고 온 아이들이 걱정된다. 비록 이때까지 칼리스에 살면서 아이를 낳아 기르기까지 험난한 일을 겪은 적은 없지만, 난 그것이 아델의 그늘에 있기 때문이라는 걸 잘 알았다. 그 아델은 여기에 있고 성은 비워졌다. 불순한 세력이 아이들을 노릴지 몰랐다.

"그런 건 걱정하지 마. 모처럼 게으른 녀석에게 일을 시켰으니."

뻗어 온 손길이 이마를 슬슬 어루만졌다.

"게으른 녀석이라면……. 그렇구나."

난 아지스의 모습을 바로 떠올렸다. 아델의 부하로 서열 관계가 꽉 잡힌 그는, 여전히 칼리스를 위해 일하고 있었다. 신이고 뭐고 그냥 유능한 부하다. 아이들도 그를 꽤 친숙하게 따랐다.

"밀착해서 아이들을 돌보라 시켰어. 잘 할 테지."

"확실히, 그가 붙어있으면 아무 문제 없을 거야."

나는 빗방울이 송골송골 맺힌 창문을 보며 말했다.

"슬슬 이동할까. 마을로 가야지."

또 비가 내리기 전에.

"편한 신발을 찾았어."

짐을 뒤적인 아델이 곧 한 켤레의 가죽 신발을 내 발 앞에 놓았다.

"힘들면 업어 줄게. 바로 이동하지."

"아니야, 걷는 게 좋을 것 같아."

나는 손을 뻗었다. 아델의 팔을 붙들고 양발을 신발에 꿰어 넣었다. 편안하고 바닥이 튼튼한 신이었다.

아델이 앞장서서 문을 열었다.

"가자."

우리는 나란히 축축하게 젖은 숲길을 걸었다. 습기가 가득한 공기는 오히려 청량하게 폐부로 스며들었다. 나무로부터 생생한 녹음이 느껴졌다. 나는 나도 모르게 중얼거렸다.

"정말 좋다. 이렇게 숲길을 걷는 거."

"성에도 정원은 있는데."

"숲은 아니잖아. 이건 정말 자연 그대로의 느낌이라고."

"원한다면 정원을 숲처럼 조성해 줄 수 있어."

말을 액면 그대로 받아들이는 건 퍽 아델답다. 그는 내가 무언가를 좋다고 하면 그것을 내게 쥐여 줘야 한다는 의무감에 사로잡혀 있는 듯했다. 꼭 그렇게 받아들이지 않아도 좋은데. 나는 고개를 저었다.

"오늘, 이 순간, 마침 비가 내려 젖은 이 숲이라서 의미가 있는 거야."

내 말을 아델이 이해할 수 없다는 것을 안다. 그래서 나는 얼른 덧붙였다.

"너와 함께라서."

그 말에 아델의 얼굴에서 조금은 이해가 비쳤다. 그는 감상적인 것을 대개 이해하지 못하지만, 그 감상이 나를 향해 있을 때는 약간이나마 공감 능력을 발휘한다. 일일이 설명해 줘야 해서

로맨틱한 분위기가 가신다는 게 문제다.

우리는 말 없이 걸었다. 진흙탕이 나오자 아델은 먼저 나를 업겠다며 자청하고 나섰다. 나는 주저 없이 그의 등 위에 올라탔다.

"이랴!"

"……저 진흙탕에 빠지는 것도 네가 좋아하는 새로운 경험이 되지 않을까."

"왕과 왕비가 함께 빠지는 게 더 새로울 것 같아."

그러자 아델은 입을 꾹 다물었다. 나를 응징하기 위해 제가 더럽혀지는 건 내키지 않을 테니까. 나는 피식 웃으며 그의 목을 꽉 끌어안았다. 켁켁댈 만도 한데, 아델은 우습지도 않다는 듯이 걸음을 내디뎠다.

"마을은 얼마나 가야 할까?"

"몇 시간은 걸어야 할 거야."

잔잔한 침묵이 떨어졌다. 서늘하고 습하면서도 청량한 공기를 마음껏 들이마시면서 난 생각했다. 만약 아델과 함께가 아니었다면 이 인적 없는 숲은 음산하게 느껴졌을지도 모른다. 맹수의 습격을 두려워하며 벌벌 떨었겠지.

하지만 아델이 곁에 있었다. 그 든든함이 뜨거운 물처럼 내 안에서 퍼져 나갔다. 따뜻하고 안온한 고동. 이것은 내가 아주 오래전, 애타게도 갈망하던 것이다. 누구도 나를 구할 수 없었던 그때. 기억 속에 머나먼 과거로만 던져져 있던 그때.

내 지난 생.

"아델, 나 할 말이 있어."

나는 불쑥 입을 열었다. 가슴이 떨리다가 이내 저릿해졌다. 입 밖으로 꺼내는 것만도 아픈 이야기였다. 영혼에 새겨진 상처처럼. 나는 이후 한동안 입 열지 못했고, 아델은 잠자코 기다렸다.

나는 용기를 끌어모아 말했다.

"……있잖아, 사실 난 이번 생이 처음이 아니야."

그리고 내 이야기는 한동안 이어졌다. 아델의 호흡이 느려지는 게 느껴졌다. 그는 온 신경을 다해 내 말에 귀를 기울이고 있었다. 그 사실이 나를 지지해 주는 듯하여, 난 말을 이어갈 수 있었다.

마침내 내가 겪은 죽음에 대해 이야기하고 나자 나는 그만 울음을 터뜨렸다. 뜨거운 눈물이 뺨을 타고 흘러내려 아델의 어깨를 적셨다. 당황한 난 물자국 난 자리를 손끝으로 슥슥 문질렀다.

"뭐야, 눈물이 나잖아."

절대 내 의도가 아니라고 이 건. 아델에게선 아무 말도 들려오지 않았다. 내가 너무 감정적이라고 생각하고 있는 건지도 몰랐다.

"나, 너무 나약하고 한심하지? 너였다면 그런 꼴로 당하기만 하지는 않았을 텐데."

그래, 아델이라면 날 죽인 그들을 크게 혼쭐냈을 거다. 도리어 벌벌 떨게 만들어 주었을지도 모르지. 내 서류상의 형제들은 약자이기에 나를 괴롭혔을 뿐, 곱게 자란 녀석들이었으니까.

"내가 거기에 있었어야 했어."

퍼뜩 억누르는 듯, 격동을 고스란히 내리누르는 목소리가 들려왔다.

"문을 부수고 너를 구한 뒤, 그놈들을 모조리 죽였어야 했는데……."

당황한 나는 아델의 어깨를 툭툭 쳤다.

"그건 범죄야. 잡혀간다고."

아델의 고개가 움직였다. 그는 제 등에 업힌 내게 비스듬히 얼굴을 보이며 말했다.

"어떤 대가를 치러야 한다고 해도, 난 후회하지 않았을 거야."

……이 녀석은 경찰도 죽였을 상이다. 나는 아델이 그곳에 없었다는 사실에 깊이 안도했다. 그리고 그렇게 안도하는 내가 우스워, 어쩐지 기분이 나아졌다. 아델은 여전하구나. 그래, 그는 내가 어떤 말을 하든 변함이 없으리라. 알고 있었음에도 새삼 확인하게 되는 기분이 남달랐다. 감동적이야. 나는 아델의 머리를 슥슥 쓰다듬었다.

"물면 안 돼요."

"누굴 개 취급하는 거야?"

기가 찬 듯 말하는 목소리를 들으며 나는 웃었다. 그 바람에 눈가에 고여 있었던 남은 눈물이 주룩 흘러내렸다. 나는 그것을 훔치며 중얼거렸다.

"그때 나는 막연히 성인이 되고 나서의 나를 상상했어. 스물

네 살의 나는 분명 성숙할 거라고 장담했지. 근데 그건 계획대로 안 되네."

"네가 울보인 건 성격이라 어쩔 수 없어."

곧바로 손이 나가 아델의 뒤통수를 때렸다. 딱! 하지만 손해는 내 쪽이 봤다.

"아야! 손 아파!"

안에 뭐가 들었는지 단단하기도 하다. 아델의 머리는 조금도 흔들림이 없었다.

바로 빈정거림이 날아왔다.

"아플 짓을 자처하는 것도 네 성격이지."

"불공평해. 왜 너는 그렇게 뭐든 튼튼하고 강한 거야."

내가 삐죽거리자 아델은 차분하게 대꾸했다.

"나는 많이 유해졌어. 사람들이 하는 말 못 들었어? 네가 내 고삐를 손에 쥐고 있다더군."

"고삐를 당겨도 무시할 때가 많잖아."

"틀렸어. 네가 정말로 날 말릴 마음을 먹고 고삐를 당긴다면, 나는 길이 든 말처럼 멈춰 서야만 할 테니까."

체념한 듯 그 말을 하는 아델이 어떤 표정일지 상상할 수 없었다. 그와 시선을 마주하고 싶어진 나는 요구했다.

"내려줘."

진창은 거의 지났다. 아델은 가볍게 날 내려줬다. 담담한 표정이었다. 마주한 그의 눈동자 속에, 눈시울이 붉게 달아오른 내 얼굴이 비치는 것 같아 쑥스러워졌다. 그러나 그는 단지 내 뺨을 쓰다듬었을 뿐이다.

아델의 시선이 옆으로 옮겨졌다. 그가 스치듯이 입을 열었다.

"나도 하고 싶은 이야기가 있어."

그의 손이 움직였다.

"저기를 봐."

그의 손끝이 가리키는 곳은, 바위 틈새의 작은 동굴이었다. 그늘진 입구 너머의 안쪽은 컴컴하기만 했다.

"저게 내 자리였어. 너를 만나기 전."

나는 가만히 귀를 기울였다. 아델은 나직이 물었다.

"예전에 내가 뭘 원했는지 기억해? 네가 가족에 대해서 이야기했을 때 말이야."

슬프게도 아이를 낳고 나서는 점점 더 많은 것을 잊고 있었지만, 다행히 이번에는 떠올릴 수 있었다. 성국에서 이미 한 번 꺼낸 이야기였으니까. 자그마치 열 살 때 일이라고!

"너는 가족 따위는 필요 없다고 했지. 강해져서, 뭐든 마음대로 할 수 있는 힘을 원했고."

"그래, 나는 거짓된 빛을 빛이라 믿고 살아왔어. 그걸 가져 봐야 나는 본질적으로 달라지지 않았겠지."

나는 고개를 끄덕였다. 아델이 원하던 것은 온기 없는 빛이었다. 하지만 아델에게 진정 필요한 것은 온기였다. 나는 늘 그것을 아델에게 주고 싶었다. 그 어린 시절을 넘어 지금까지도.

"저 어둠이 내 자리였어. 그래서 나는 저기서 벗어날 줄 몰랐어. 그런데 네가 여기 있어서 나는 저 어둠 밖에 진정한 빛이 존재한다는 걸 알았지. 네가 나를 구한 거야. 저곳으로부터."

아델의 손이 거두어졌다. 그의 눈은, 이제 나를 향하고 있었다. 새파란 눈동자. 그가 지켜보는 세상에 오로지 나 하나가 가득 찼다.

"그때만 해도 네가 내게 필요할 줄은 몰랐어. 나는 그저 너를 가지고 싶었을 뿐이거든."

그 열망이 타는 듯이 뜨거워, 그는 몸을 사르는 걸 감수하고서도 불 속으로 뛰어들어야만 했다고 말했다. 알 수 없는 소리라, 고개를 갸웃거린 난 이내 미소 지었다.

"지금은 가졌잖아."

아델이 화답하듯 웃었다. 눈부시게 반짝이는 미소였다.

"그래, 가져 보니 알겠어. 내가 너를 원했던 건, 네가 나에게 필요한 존재였기 때문이란 거."

사람은 본능적으로 자신에게 필요한 것을 좇는다. 아델에게는 내가 그런 존재였던 걸까. 아델은 확신하듯 말했다.

"네가 옳았어."

"아냐, 내가 널 과소평가했어. 너는 둘 다 손에 넣었잖아. 칼리스의 왕인 데다가 이제는 가족도 있으니까."

"두 번째는 네가 삶과 함께 내게 준 거지. 네게 가장 중요한 것을 포기하고서."

아델의 손이 내 손을 움켜쥐었다. 부채감이 그의 심장을 찌르고 있다는 것을 느꼈다. 나는 고개를 저었다.

"날 때 운 좋게 얻은 것뿐이야. 그리고 틀렸어. 나는 잃지 않았거든."

성녀로서의 힘은 내게 중요하지 않았다. 단지 나는 힘을 잃게 되면 성녀로서의 모든 걸 잃게 될까 봐 두려웠다. 하지만 힘을 잃었어도, 성스러운 금빛 눈을 가지고 있지 않더라도 나는 성녀였다. 내 가족들이 날 버리는 것도 아니며, 내가 살아온 삶이 송두리째 달아나는 것은 아니었다.

아니, 그 모든 걸 잃었더라도 나는 후회하지 않았으리라. 성국 사람들에게는 미안하게도, 나는 그보다 더욱 가치 있는 것을 얻었으니까.

"오히려 얻었지. 너와 내 아이들을."

그 선택을 한 것은 나다. 그리고 나는 어떤 순간에도 그것을 후회한 적이 없다. 내게 네 삶과 맞바꿀 무언가가 존재한다는 사실에 감사했을 뿐.

아델의 눈빛이 떨림을 머금었다. 이 비슷한 대화, 전에도 하지 않았어? 하지만 그가 너무도 기뻐하는 듯이 보여 차마 핀잔을 줄 수 없었다. 그는 늘 내가 행복한지, 후회하지는 않는지, 끊임없이 확인하고 싶어 했다. 그리고 내가 확인해 줄 때마다 안도했다. 내 1순위가 자신이라는 걸 확인할 때마다 기뻐했다.

그는 불완전한 조각이었다. 그 스스로 느끼는 행복감만으로 충분하지 않았다. 거기에 나의 행복이 더해져야 비로소 완성되는 것이다. 아마 그것은, 내가 그만큼 그에게 크나큰 존재이기 때문이리라. 꼭 내 행복에 그의 행복이 달린 것처럼.

그렇다면 나는 반드시 행복해서, 그도 행복하게 해줄 테다. 나는 굳게 결심했다. 몇 번이고 후회하지 않는다고, 나는 너와 함께라 행복하다고 말해 줘야지.

감정을 가다듬은 채, 아델이 나직이 말했다.

"네가 내게 준 것은, 어떤 것으로도, 어떤 누구로도 채울 수 없다는 걸 알아."

나는 미소로 화답했다.

"나도 그래."

와, 훈훈해. 역시 함께 나오길 잘했어. 우리는 손을 잡고 걸었다. 따사로운 분위기 속에서 대화를 나누면서. 왕성에서는 바삐 흘러가는 일상에 묻혀 이런 대화를 할 분위기가 안 났다. 낯선 곳이라 그런지 저절로 분위기를 타서 입이 움직였다. 성국을 방문했을 때도 그랬었지.

우리는 그렇게 웃고 떠들며 아주 사소한 이야기부터 심각한 이야기까지, 많은 말을 했던 것 같다. 왕과 왕비가 아닌 부부로서, 그리고 친구로서.

그래, 첫 시작은 거기서부터였다. 친구. 우정이 어디서 애정으로 변했는지는 알지 못한다. 아마 두 번째 만남에서부터 아니었을까? 그때 아델이 훅 크고 잘생겨져서 말이지. 나와는 달리 아델은 시작부터 애정이라 주장했다. 하지만 그의 시작은 내 우정보다 조금 뒤에서부터였다. 나는 비로소 알아채고 눈을 흘겼다.

"그 말은, 내가 처음엔 싫었다는 거잖아? 친구도 뭐도 아닐 만큼!"

세상에, 어린 시절 내가 얼마나 귀염뽀짝 했는데 싫어했다고? 어떻게 그럴 수 있지! 난 그냥 그가 비딱해서 그런 줄 알았는데!

아델이 시선을 피하며 대답했다.

"나는 네가 누군지 알고 있었지."

적국의 수장. 하지만 난 왠지 기분이 나빠져 아델의 옆구리를 꾹 찔렀다. 하지만 근육에 가로막혀 손가락이 꺾였다.

"이럴 때는 사라진 힘이 아쉽다니까."

미간을 찌푸린 아델이 고민하듯 말했다.

"단검을 사 줄까?"

"뭐? 너 나더러 단검으로 네 옆구리를 찌르라는 거야?"

"그편이 나를 괴롭히려는 목적을 달성하기엔 수월할 테니까."

괴롭힘당하는 게 자신이라는 걸 잊고 있는 듯 무심한 말투였다. 애가 왜 이렇게 극단적이람. 그냥 말을 말아야지. 나는 그를 보고 한숨을 푹 쉬며 고개를 설레설레 저었다.

"아냐, 가자."

얼마 뒤, 우리는 숲을 빠져나왔다. 다듬어진 길을 따라 얼마간 걷자, 어느덧 마을이 보였다. 나무들 사이로 아담한 지붕이 솟구쳐 연기를 내뿜고 있었다. 기나긴 터널 끝에서 비로소 맞이한 빛을 발견한 듯이 기묘한 감회가 벅차올랐다.

그리고 마을 입구에는 우리를 기다리고 있는 이들이 있었다.

"엄마, 아빠!"

"어서 오세요!"

"아리스, 에드, 너희들이 어떻게 여기에?"

쪼르르 달려와 안기는 두 아이를 보며 나는 반가우면서도 의아해졌다.

"제가 모셔왔습니다."

이쪽으로 걸어 나온 이는 아지스였다. 그의 등 뒤로 난감해하는 유모의 모습이 보인다. 아델이 눈살을 찌푸렸다.

"왜 여기로 아이들을 데려온 거지?"

그래 맞아, 우리는 며칠간 오붓하게 여행을 즐길 계획이었고.

그러자 아지스가 얄밉게 웃었다.

"부모님이 어디서 뭐 하고 계실지 궁금해하시기에, 이야기해 드렸더니 가 보고 싶으시다며 조르시더군요."

"일부러 호기심을 돋운 게 아니고?"

나의 날카로운 질문에 아지스가 난감한 듯 웃었다.

"두 분께선 참으로 활발하시더군요. 건강하셔서 좋습니다."

고뇌 섞인 목소리였다. 그 짧은 새에 육아의 고통에 시달린 듯한 그늘이 그의 얼굴에 져 있었다. 아델과 내가 없는 상황에서 가장 지위가 높은 두 명이 아지스를 귀찮게 한다면 그도 어쩔 수 없으리라.

"아이들 잘 보잖아?"

"잠깐씩은 그럴 수 있지요."

그런데 하루 종일 시달리고 나자 그럴 마음이 싹 사라졌다는 거로구나. 하긴 이런 적은 처음이지. 매일같이 아이들을 보는 유모의 월급을 올려 줘야겠다는 생각이 들었다. 아지스가 마을 쪽을 돌아보며 말했다.

"마을도 보고 싶어 하시기에 구경시켜 드렸습니다. 이곳 경치가 좋더군요."

아델이 냉정하게 그를 품평했다.

"도통 쓸모가 없군."

"쓸모라면…… 저는 좀 더 위험하고 은밀한 임무를 선호합니다만. 부디 그런 쪽에 저를 사용해 주시길."

"행선지를 네게 말하는 게 아니었어."

아델은 아지스에게서 고개를 돌렸다. 두 아이는 내 치맛자락에 달라붙어서 재회의 기쁨을 만끽하고 있었다. 참 귀엽고 사랑스러운 아이들이었다. 역시 엄마가 좋지? 내가 필요하지? 그 점은 기쁘지만, 아쉽구나. 모처럼 둘이서 나왔는데.

아델은 제 아이들을 이대로 떨쳐서 돌려보내고 싶은 것 같은 눈빛이었다. 성가시고 언짢은 티가 났다.

아이들은 아무것도 모르는 눈을 말똥말똥하게 뜨고 날 올려다봤다. 나는 그들의 머리를 쓰다듬으며 말했다.

"그러지 마. 다음에 또 나오면 되잖아."

"그때는 조금 더 철저하게 준비해야겠어."

나들이에도 계획이 필요하다니. 왕과 왕비의 삶이란 복잡한 것이다.

"어쩔 수 없군."

그는 한숨을 쉬며 내게로 손을 내밀었다.

"그래."

나는 그 손을 맞잡았다.

짧은 여행의 끝이었다. 하지만 아쉽지는 않았다. 다음이 있을 것이기에. 또 그다음도. 언젠가 아이들이 다 자라나서 성인이 되고 나면 이 순간을 아쉬워할 때가 오겠지. 그러니 지금은 현재를 누리도록 하자.

나는 아리스를, 아델은 에드를 안아 들었다. 지금은 넷이어야 할 때다.

"돌아가자."

말하기 무섭게, 아델과 시선이 마주쳤다. 언젠가 떨어져 나가, 영원히 마주칠 수 없을 것 같았던 그와 나는 수평으로 서 있었다. 얼굴을 마주한 채로. 그렇게 우리는 끊임없이 마주하며 나아갈 것이다.

나는 여기 있고, 너는 내 곁에 있다. 아마도 앞으로도 쭉. 나는 감히 영원이라는 단어를 떠올렸다. 내 삶은 그 단어에 비견되지 않을 만큼 짧을 것이다. 하지만 짧은 그 삶은 분명, 반짝이는 순간들로 가득 차 있으리라. 나는 굳게 믿었다.

불현듯 어떤 기억이 떠올랐다. 전생의 나는 죽기 전에 한 가지 소원을 빌었다. 다음 생에서는 꼭 행복하게 살게 해달라고. 그 소원이 결국 이루어진 걸까? 알 수 없는 일이다.

전생과 현생을 거쳐 나는 비로소 행복해졌다.

작

가

후

기

오랜 시간이 걸려서 〈성녀님의 폭군 교화법〉을 끝맺음하게 되었습니다. 명랑하고 즐거운, 그러면서도 치유물에 가까운 글을 쓰고자 하는 막연한 마음으로 시작했었지요. 그 당시 제게 필요한 글이었거든요. 이 글을 쓰고 읽으면서 개인적으로 많은 위안과 즐거움을 느꼈습니다. 부디 독자님들께도 마음이 따뜻해지는 글이기를 바랍니다.